海外漢文古醫籍精選叢書·第二輯

2011—2020年國家古籍整理出版規劃項目
中國中醫科學院「十三五」第一批重點領域科研項目
——我國與「一帶一路」九國醫藥交流史研究（ZZ10—011—1）

蕭永芝◎主編

穴處治法

（朝）佚名氏 撰

針灸法總要

（越）佚名氏 撰

家傳活嬰秘書

（越）佚名氏 撰

北京科學技術出版社

圖書在版編目（CIP）數據

海外漢文古醫籍精選叢書·第二輯·穴處治法　針灸法總要　家傳活嬰秘書/蕭永芝主編．—北京：北京科學技術出版社，2018.1

ISBN 978 – 7 – 5304 – 9221 – 5

Ⅰ．①海…　Ⅱ．①蕭…　Ⅲ．①針灸學—朝鮮②針灸學—越南③中醫兒科學—越南　Ⅳ．①R245②R272

中國版本圖書館CIP數據核字（2017）第207186號

海外漢文古醫籍精選叢書·第二輯·穴處治法　針灸法總要　家傳活嬰秘書

主　　編：蕭永芝
責任編輯：楊朝暉　張　潔　周　珊
責任印製：李　茗
出 版 人：曾慶宇
出版發行：北京科學技術出版社
社　　址：北京西直門南大街16號
郵政編碼：100035
電話傳真：0086-10-66135495（總編室）
0086-10-66113227（發行部）　0086-10-66161952（發行部傳真）
電子信箱：bjkj@bjkjpress.com
網　　址：www.bkydw.cn
經　　銷：新華書店
印　　刷：虎彩印藝股份有限公司
開　　本：787mm × 1092mm　1/16
字　　數：283千字
印　　張：24.25
版　　次：2018年1月第1版
印　　次：2018年1月第1次印刷
ISBN 978 – 7 – 5304 – 9221 – 5/R · 2382

定　　價：820.00元

《海外漢文古醫籍精選叢書·第二輯》編纂委員會

主　編　蕭永芝

副主編　何慧玲　韓素傑

編　委　孫清偉　侯如艷　杜鳳娟　管琳玉　曲　璐

前言

二十多年前，本研究團隊成員蕭永芝剛剛考入中國中醫研究院（現爲中國中醫科學院）攻讀博士學位，師從著名中醫文獻學家馬繼興先生。那時，馬老師經常對弟子們説：「中國的醫書要回歸，海外的醫書要引進。」馬老師的前一個願望，得到日本學者真柳誠先生鼎力支持，后來在鄭金生先生帶領的團隊的努力下，流散海外的重要中國古醫籍得以收集回歸，并通過《海外中醫珍善本古籍叢刊》等幾套叢書公開出版；馬老師關於引進海外古醫籍的願望，則成爲本研究團隊二十多年來不懈努力的方向。

從二〇〇七年開始，中國中醫科學院中國醫史文獻研究所多次立項支持開展對海外古醫籍的研究。二〇一六年，《海外漢文古醫籍精選叢書》被列入二〇一一——二〇二〇年國家古籍整理出版規劃項目，并獲得該年度國家古籍整理出版專項經費資助。二〇一七年初，在北京科學技術出版社的支持下，《海外漢文古醫籍精選叢書·第一輯》面世，收録影印了二十六種海外醫家用漢文撰寫的古醫籍。回想當年，馬老師正當年富力强，雄心勃勃，胸懷衆多願景，還希望做更多的研究；如今，他已年逾九旬，弟子終於戰戰兢兢捧上一份答卷……

二〇一七年，中國中醫科學院將「我國與『一带一路』九國醫藥交流史研究」列入本院「十三五」第一批重點領域科研項目。在前期工作的基礎上，本團隊再次遴選出二十種海外漢文古醫籍，以影印形式出版《海外漢文古醫籍精選叢書·第二輯》。

本次所精選的圖書含日本醫籍十三種、越南醫籍五種、韓國醫籍二種，内容涉及醫經、醫論、本草、醫方、針灸、兒科、臨床綜合及醫學全書。我们根據實際情況分别爲二十種著作撰寫了三千到萬餘字不等的内容提要，每篇提要從作者與成書、主要内容、特色與價值、版本情况四個方面展開論述。

本次所收醫籍的主要資訊，依次爲書名、卷（編）數、分類、撰著者、成書年代和所用底本，具體如下。

《難經捷徑》，二卷，醫經，（日）曲直瀨玄由撰，寬永十四年（一六三七）以活字本初刊，同年古活字本。

《海上大成懶翁集成先天》，一卷，醫論，（越）黎有卓撰，撰年不詳，鈔本。

《櫟蔭先生遺説》，二卷，醫論，（日）多紀元簡遺作，多紀元堅輯録，撰年不詳，慶應三年（一八六七）森約之鈔本。

《寸楮集》，不分卷，醫論，（日）曲直瀨道三撰，曲直瀨正琳注，撰年不詳，鈔本。

《用藥心法》，一卷，本草，（日）曲直瀨道三傳，津島道救選輯，慶長十二年（一六〇八）成書，鈔本。

《本草綱目釣衡》，四卷，本草，（日）向井元秀撰，撰年不詳，寬政九年（一七九七）鈔本。

《傷寒論金匱要略藥性辨》，三編（存中、下二編），本草，（日）大江學撰，明和三年（一七六六）成書，次年刻本。

《古方藥議》，五卷，本草，（日）淺田宗伯撰，文久元年（一八六一）成書，文久三年（一八六三）鈔本。

《秘傳藥性記》，不分卷，本草，（日）味岡三伯撰，元禄元年（一六八八）初刊，同年刻本。

《管蠡備急方》，三卷，醫方，（日）度會常光撰，天文三年（一五三四）成書，鈔本。

《崇蘭館試驗方》，不分卷，醫方，（日）福井楓亭口授，撰年不詳，鈔本。

《古方藥説》，二卷，本草，（日）宇治田泰亮撰，寬政七年（一七九六）刊，同年刻本。

《家傳醫方》，不分卷，醫方，（越）撰者佚名，明命三年（一八二二）成書，同年鈔本。

《醫方軌範》，存卷下，醫方，（日）今大路玄淵傳，撰年不詳，鈔本。

《辨證配劑醫燈》，三卷，臨證綜合，（日）曲直瀨道三撰，元龜二年（一五七一）成書，鈔本。

《雜病提綱》，不分卷，臨證綜合，（朝）撰者佚名，撰年不詳，鈔本。

《穴處治法》，不分卷，針灸，（朝）撰者佚名，撰年不詳，鈔本。

《針灸法總要》，不分卷，針灸，（越）撰者佚名，明命八年（一八二七）成書，嗣德三十三年（一八八〇）鈔本。

《家傳活嬰秘書》，不分卷，兒科，（越）撰者佚名，撰年不詳，成泰二年（一八九〇）鈔本。

《新鐫海上懶翁醫宗心領全帙》，六十六卷（存五十五卷），醫學全書，（越）黎有卓撰，景興三十一年（一七七〇）成書，嗣德三十二年（一八七九）至咸宜元年（一八八五）間刻本。

上述海外古醫籍，絶大多數用漢文撰著，僅有個别醫書雜有少量日文或喃文。以上書籍中明確標明完成時間或可大致推測出撰寫時段的醫書，多成書於十六至十九世紀，大致相當於中國明清時期，其中不乏學術價值較高的名家名著。以「越南醫聖」黎有卓與日本醫學中興之祖曲直瀨道三爲例介紹如下。

黎有卓，自號海上懶翁，是越南歷史上最負盛名、影響最大的醫家，被後世尊爲「越南醫聖」。他在汲取中國醫學精髓的基礎上，結合越南本土醫療實踐，撰成六十六卷規模的鴻篇巨著《海上懶翁醫宗心領》。該書是越南傳統醫學歷史上第一部内容系統完備的綜合性醫學全書，標志着越南傳統醫學的本土化基本完成，在該國醫學史上具有里程碑式的意義。二〇〇三年，真柳誠先生首次在日本向蕭永芝推薦《海上懶翁醫宗心領》一書；二〇〇四年，蕭永芝回國後隨即向馬繼興先生報告此事，馬老師師徒幾人當即前往中國國家圖書館考察該書；此後，本團隊在研究過程中發現，中國醫史文獻研究所已故老專家趙璞珊先生曾在二十世紀八十年代就撰文介紹過該書；二〇〇八年，真柳誠先生再次建議出版該書。中外幾代學者對《海上懶翁醫宗心領》的重視，也從一個角度説明了該書的價值和重要性。因此，在《海外漢文古醫籍精選叢書・第一輯》中，本團隊先期影印了黎有卓《海上懶翁醫宗心領》早期流傳的四册鈔本，冠以《懶翁醫書》之名出版；本次則將刻本《新鐫海上懶翁醫宗心領全帙》現存的五十五卷全部影印出版，希望能够反映出越南傳統醫學的精華及其學術淵源。此外，本叢書收録的鈔本《海上大成懶翁集成先天》，亦爲黎有卓醫書早期的手稿或傳抄之本。

曲直瀨道三（正盛），日本中世紀末期著名醫家、醫學教育家，對日本醫學產生過深遠的影響，被譽爲日本醫學中興之祖。道三早年師從曾入明學醫的名家田代三喜，受其師影響創立了日本漢方醫界的後世方派。爲改變當時日本醫者單純依賴《太平惠民和劑局方》診病處方的被動局面，道三提出「察證辨治」，即診察每位患者的病證，然後有針對性地予以配劑施治。道三一生著述頗豐，其《辨證配劑醫燈》一書，載述臨床各科常見病證的病因病機、診斷察證、辨治預後及注意事項。全書貫串着診察辨證的思想，是後世方派系統實用的臨證處方秘典。曲直瀨家族是日本著名的醫學世家，世代名賢輩出，亦有衆多醫著流傳。例如，曲直瀨玄由祖述《黄帝内經》，博采諸家注本之言，參以己見，全文注解并闡發《難經》之旨，撰成《難經捷徑》一書，是日本現存較早的《難經》注解性著作，具有較高的研究價值。曲直瀨正琳輯録并注釋道三親傳之心法秘訣，書成之後定名爲《寸楮集》。該書作爲後世方派的秘傳經驗合集，充分體現了道三察證辨治、重視脉診的學術特色。曲直瀨玄鑑被後陽成天皇賜予「今大路」的家號，之後曲直瀨家子孫均改姓今大路。如今大路玄淵，爲曲直瀨（今大路）家第六代道三，他將家族精心甄選并經歷代親試的效驗良方彙編爲《醫方軌範》一書，所收醫方涵括臨床各科，具有較高的臨床實用價值。此外，曲直瀨道三還創辦了日本歷史上第一所醫學校啓迪院，培養了衆多門生弟子，其中部分弟子成爲日本醫界的中流砥柱。如門人津島道救選編道三的臨床用藥、辨治經驗，彙爲《用藥心法》一書。該書凝聚了道三畢生臨證用藥經驗之精華，處處體現出道三察病辨治的核心思想。曲直瀨道三的養子玄朔培養了弟子饗庭東庵。饗庭東庵及其徒味岡三伯是後世方别派的代表醫家。味岡三伯將本草學理論與臨床實踐相結合，融入自己對疾病及用藥的感悟，選取該流派臨床常用效驗之藥，分别述其和名、炮製、性味、功效、主治、禁忌及所涉方劑等，編撰《秘傳藥性記》一書，系統條理，重點突出，便捷實用，體現了中國醫藥理論及其實踐對日本本土醫藥學發展的影響。

上述六部醫籍均傳承了曲直瀨道三獨特的學術理念與臨證實用經驗秘訣，展示了道三深厚的醫學造詣及其醫學思想在日本的傳承發展。幾部著作之間既有獨特的價值韵味，又有着千絲萬縷的内在聯繫，從不同角度反映了曲直瀨道三及其子孫、弟子的學術特色。讀者可綜合比較閲讀，以便更好地理解并挖掘日本漢方醫學後世方派的學術精髓。

曲直瀨道三主要活躍於十六世紀中後期，以其爲鼻祖的後世方派注重吸收中國宋金元明醫學精華，尤其推崇李東垣、朱丹溪兩位醫家的醫學思想。十七世紀中葉，日本著名醫家名古屋玄醫提出醫學復古論，倡導回歸張仲景《傷寒論》《金匱要略》的古醫學，之後又有後藤艮山、香川修德、吉益東洞等名醫及弟子繼其衣鉢。這些醫家自稱爲古方派。在漢代盛行的仲景古方，經他們的闡釋發揮，被賦予了新的生命。本叢書收録的《傷寒論金匱要略藥性辨》《古方藥説》二書，均是爲日本醫者更好地運用仲景醫方而作。《傷寒論金匱要略藥性辨》對仲景醫方所用的藥物逐一辨正，注重鑒别藥材的真僞優劣與相似藥材的辨别應用，側重於闡釋藥物的藥性、功用、主治與臨床應用。《古方藥説》的作者宇治田泰亮，曾師從古方派吉益東洞的弟子中西惟忠與當時的本草大家小野蘭山，兼通傷寒、本草。該書詳細論述了仲景方中部分藥物的名稱、形態、産地、真贋優劣、炮製加工及替代用品。除古方派醫家在研究仲景方中的藥物外，折衷派醫家也對仲景方中的藥物多有研究，如折衷派代表人物淺田宗伯。其書《古方藥議》收録部分仲景醫方用藥，分「釋品」與「釋性」兩項記述藥物，結合仲景原方藥物組成及藥味加減，闡釋藥物的性味、功用，重視藥物的配伍，處處體現出方中有藥、藥中有方的思想。三部醫籍雖分屬古方派和折衷派的本草著作，側重點各有不同，但也存在許多共通之處。例如，三書記載藥物的次序，均依從相關醫方在《傷寒論》《金匱要略》出現的先後順序。讀者若能綜合參閱上述三書，既可加深對日本江户時代古方派用藥特點以及當時藥材種植、采收、炮製與流通情況的了解，又可對仲景醫方用藥有更深刻的認識，臨證運用時也會更加得心應手。

江户時代中期，日本傳承舊學的本草學術漸廢，諸家新説盛行；中國明代李時珍撰著的《本草綱目》也已傳入日本。《本草綱目鈎衡》即是一部運用傳統文獻考據方法研究《本草綱目》的本草學專著。該書對李時珍所載部分藥物逐一進行考證、詮釋和校勘，徵引文獻廣博，尤其推崇中國宋代唐慎微的《經史證類備急本草》，糾正了《本草綱目》中存在的部分錯誤。

除前文所述今大路玄淵所傳《醫方軌範》外，本叢書還收録日本《管蠡備急方》《崇蘭館試驗方》與越南《家傳醫方》三部方書。其中，《管蠡備急方》博引中國明以前歷代諸家方書，經由日本醫學世家度會家族歷代驗證，精選并收録臨證各科效驗良方。全書按疾病分門，因病立門，門下首述醫論，次列方藥，醫者臨證可按病索方，簡明實用。《崇蘭館試驗方》所載之方，多爲日本名醫福井楓亭口授的家傳臨證試驗良方。該書以日語假名讀音爲序記載方劑，所録醫方來源廣泛，總以《傷寒論》《金匱要略》《備急千金要方》《外臺秘要》《太平聖惠方》《太平惠民和劑局方》爲主，兼采中國清以前歷代重要醫書，反映了楓亭既重視經方，又兼用時方的學術特點。此外，越南醫籍《家傳醫方》一書，主要輯録中國明代李梴《醫學入門》和龔廷賢《萬病回春》二書的相關内容，通過取捨化裁，歸納記述了數十種臨床常見病證的對應治方，便捷實用，富有特色。

醫家臨證除采用方藥療病之外，還常應用針灸療法。本叢書收録李氏朝鮮《穴處治法》與越南《針灸法總要》兩部針灸專著。《穴處治法》主要記述經穴、别穴、針灸治療、折量法、針灸擇日等五項内容，其中經穴内容主要引自中國明代李梴《醫學入門》，後四項内容則主要摘自李氏朝鮮時期太醫許任《針灸經驗方》。全書編排巧妙，内容豐富，簡明實用。《針灸法總要》彙聚中國明代徐鳳《針灸大全》、李梴《醫學入門》和龔廷賢《壽世保元》等著作中的針灸醫學精華，主要記載針灸禁忌、五輸穴、靈龜八法主治病證、十四經脉循行流注及其重點腧穴定位、經絡起止、明堂尺寸法、八脉交會穴、奇穴治法等。儘管兩部針灸專著分别出自不同國家醫者之手，但均引用了中國《醫學入門》一書，都收録了十四經穴、骨度分寸定位法、針灸禁忌等内容，皆側重應用特定穴、奇穴，可謂異曲同工，殊途同歸。

周邊國家在學習中國醫學的過程中，漸漸形成了本土化特徵，或衍生出本國的醫學特色。如《家傳活嬰秘書》是一部獨具越南本土特色、自成體系的兒科專著。該書係越南「四民醫館」的家傳經驗秘笈。書中首先論述兒科諸病的見症分型與辨證方法；其次設「置藥治病列湯於下」，載述各種疾病對應的藥方及變方；再次是「治嬰各症方藥」，記載小兒常用治方；从次爲「論外湯症」，詳論以他藥煎湯送服丸、散劑的方法；最後列出兒科常用藥物的漢喃對照。如此環環相扣，自成一體，精審巧妙。其中，「論外湯症」一章，多以一味或數味藥煎湯送服丸、散劑，煎湯之藥隨症狀不同而變化，故隨煎湯之藥的變化，有效地擴充了單種丸、散劑的應用範圍。又如李氏朝鮮《雜病提綱》一書，依次記載雜病提綱、疾病分類、疾病治方，書中内容雖大多源於《醫學入門》《東醫寶鑑》，但經過作者巧妙編排，全書層次分明，内容系統，具有較高的臨床參考價值。再如，部分方書中開始出現一些未見載於中國醫籍的方劑，福井楓亭《崇蘭館試驗方》中收録的若干日本「和方」和福井「家傳方」等，即爲日本醫家自創之方。

前來中國拜師學醫，閲讀中國醫著，師承通曉中國醫學的本國醫家，閲讀本國名醫整理彙編中國醫學的相關著作，是海外醫者學習中國醫藥學的四種主要途徑。然而，前兩種途徑實施起來相對困難，故日本、朝鮮、越南三國名醫大多旁徵博引，取捨化裁中國醫籍以教化後學。以日本江户時代考證派名家多紀元簡遺作《櫟蔭先生遺説》爲例。該書係由元簡之子多紀元堅輯録而成，各篇之間獨立成文，主要論及痙病、麻疹、痔疾、脚氣、小兒吐乳、青腿牙疳，以及藥論、書論、醫論、醫事考證，同時收録元簡治療經驗、見聞心得。全書内容豐富，涉及醫學的方方面面，較好地體現了元簡精於考證、引録廣博、醫術精湛、治驗頗豐的學術特點。書中標注的參考引用著作近九十種，其中援引中國秦漢至清代歷代醫籍五十餘種，中國歷代非醫學文獻近三十種，旁及日本本土醫書五種、朝鮮醫籍二種。書中所引醫學文獻涵括醫經、傷寒、金匱、方書、本草、診法、兒科、外科、針灸、醫論、醫話等衆多類别。此外，該書引文中還提及二十餘位人物，其中絶大多數爲醫家。海外醫家將中國醫學重新化裁編排撰著成書後，部分著作還回流中國，引起中國醫家的重視。如中國清代曾多次刊刻發行，一九四九年以後又多次校注出版，在國内流傳較廣的《勉學堂針灸集成》一書，主要摘録了朝鮮太醫許任《針灸經驗方》全文與朝鮮名醫許浚《東醫寶鑑》的針灸相關内容。該書與本次收載的《穴處治法》一書關係密切，其間的淵源值得進一步考證。

但海外醫者對中國醫學的學習，更加强調其臨床實用性，往往首先汲取適於臨床運用的方法而捨弃醫理闡發的内容。日、韓、越均有一批對中國醫學研究得非常透徹的名醫大家，他們爲方便本國醫者學習和運用中國醫學，汲取中國醫學中最爲精華的部分，將中國醫學化繁爲簡，由博返約，促使其簡約化、本土化。如曲直瀨道三一派借鑒佛經中的經疏形式，巧妙運用綫段、圖表來提煉、歸納中醫藥的關鍵要素，或梳理錯綜複雜的醫理邏輯，用簡潔直觀的方式表達深奥的中國醫藥知識，極大地方便了日本民衆學習應用中國醫學。周邊國家還根據本國國情有選擇地學習吸收中國醫書的内容。如越南地處東南亞中南半島東部，大部分地區爲熱帶季風氣候，濕熱邪盛，國民患病以陽證爲主，故越南方書《家傳醫方》所載病證多爲陽證，陰證較爲少見。

本叢書收録的二十種海外醫籍，雖然有十五種爲鈔本，但其文獻研究價值與臨床實用價值不可小覷。從醫書分類角度而言，本叢書囊括醫經、醫論、本草、醫方、針灸、兒科、臨證綜合及醫學全書。從醫學流派與作者而言，涵蓋日本江户時代後世方派、古方派、考證派和折衷派幾大主流醫學流派，作者則涵括日本、越南兩國衆多名醫大家。書中所收本草著作，既有對張仲景古方用藥的闡釋發微，又有對李時珍《本草綱目》的考證。收録方書，多爲家族世代相傳的效驗良方。傳統醫藥學的理、法、方、藥在本叢書中均有很好的體現。但海外醫籍更加注重著作内容的實用性、簡約化，且具有不同國家的本土特色。

中、日、韓、越四國地理相近、交流頻繁，長期持續不斷的醫學交流，使得彼此的醫學思想、理論、學術和醫療技藝相互交叉貫通，血肉相連，共同爲人類的醫療衛生保健事業做出了巨大貢獻。本次所精選的二十種海外漢文傳統醫籍，獨具特色且國内罕見，能够在一定程度上呈现出中國醫學在海外傳承發展的不同側面，展現出日、韓、越傳統醫學各自的特色，較好地體現了中、日、越、韓之間的醫學發展、傳承流變、共性特色和交流互動。且本次所選之書内容豐富，涵蓋面較廣，具有較高的學術研究價值、文獻參考價值與臨床實用價值，將有助於研究中國醫學對周邊國家傳統醫學的深遠影響，能爲國内廣大中醫藥工作者拓寬思路、開闊視野創造良好的條件。

總之，本研究團隊以「一帶一路」沿綫國家的傳統醫學文獻爲切入點，繼續挖掘具有代表性的海外傳統醫學古籍，再次遴選，影印出版《海外漢文古醫籍精選叢書・第二輯》。希望本叢書能夠吸引更多國内學者關注中外醫學交流的源流與本質，以促進中醫藥的全面發展。本研究團隊也希望不負恩師之望，繼續努力將更多的海外醫籍精品介紹給國内的中醫藥工作者。

蕭永芝　韓素傑

目録

海外漢文古醫籍精選叢書·第二輯

穴處治法

（朝）佚名氏　撰

内容提要

《穴處治法》不分卷，一册，撰者佚名，成書年代不詳。此書主要記載二百四十一個腧穴的定位、主治、刺灸法，與四十一類三百八十餘種疾病的針灸治療方法，主要引用《醫學入門》《針灸經驗方》内容，臨床實用價值較高。

一 作者與成書

《穴處治法》目前僅見一部鈔本，書中未署作者姓氏，他處亦未能檢索到著者相關信息。

此書大量引用《醫學入門》《針灸經驗方》的内容。《醫學入門》，中國明代李梴編著，刊於明萬曆三年（一五七五）；《針灸經驗方》，李氏朝鮮時期太醫許任撰著，刊於仁祖二十二年（一六四四）。故推斷《穴處治法》當成書於一六四四年之後。

二 主要内容

本書主要記述經穴、别穴、針灸治療、折量法、針灸擇日五項内容，重點論述前三項。

首先，記載一百八十五個經穴。依次爲：肺經八穴、大腸經十穴、胃經十四穴、脾經八穴、心經六穴、小腸經九穴、膀胱經三十五穴、腎經九穴、心包經六穴、三焦經十一穴、膽經二十二穴、肝經八穴、督脉十九穴、任脉二十穴。在記載上述腧穴時，十二正經上的腧穴均采用從四肢末端到胸腹部或頭部的順序，任、督二脉上的腧穴則采取從頭部至胞中的順序。對每一個經穴，主要記載其定位、主治和刺灸法，如「迎香：禾髎上一寸，鼻旁陷中。主眼目赤腫，鼻塞不聞香臭。針三分，灸禁」。如肺經八穴：少商、魚際、太淵、經渠、列缺、孔最、尺澤、中府。

其次，記載五十六個別穴。此項首先注明「雖不出《銅人經》而散載諸方，故謂之別穴」。所録別穴包括神聰、當陽、太陽、明堂、眉衝、鼻準、耳尖、聚泉、海泉、百勞、精宫、胛縫、環岡、腰眼、下腰、回氣、囊底、闌門、腸繞、肩柱、肘尖、龍玄、吕細、中泉、三白(二白)、中魁、五虎、大都、上都、中都、下都、四縫、十宣、大空骨、小空骨、旁廷、通關、直骨、陰都、氣門、胞門、子户、子宫、鶴頂、膝眼、風市、營衝、漏陰、交儀、陰陽、獨陰(陰獨)、足内踝尖、足外踝尖、獨陰、内太衝、甲根等五十六個腧穴。針對每一個別穴，載録其穴數、定位、主治、刺灸法，如「五虎，四穴，在食指及無名指第二節尖，屈拳取之。治五指拘攣。灸五壯」。

第三，記載四十一類三百八十餘種病證的針灸治療方法，依次包括頭面部四種、耳部四種、目部七種、口部九種、鼻部五種、咳嗽十六種、咽喉五種、頰頸二種、齒部五種、心胸二十三種、腹脅六種、腫脹四種、積聚七種、手臂十二種、腰背六種、脚膝十四種、風部十三種、癲癇十七種、厥逆四種、急死四種、痢疾六種、痔疾四種、陰疝十一種、霍亂八種、瘧疾七種、虚勞四種、癆瘵三種、食不化八種、黄疸六種、瘡腫二十七種、瘰癧五種、内傷瘀血一種、消渴三種、汗部八種、傷寒及瘟疫十七種、大小便八種、身部九種、嘔吐五種、婦人三十四種、小兒三十七種、雜病四種。每類疾病首先叙述其病因病機，然後記載其所含不同病證的刺灸選穴及施術方法。如其云：「消渴，三焦不和，五臟津液焦渴，水火不能交濟之致也。消渴飲水，人中、兑端、隱白、承漿、然谷、神門、内關、三焦俞。腎虚消渴，然谷、腎俞、腰俞、肺俞、中膂俞（在第廿椎下兩傍各二寸，挾脊起肉），灸三壯。食渴，中脘，針三焦俞、胃俞、太淵、列缺，針皆瀉。」此外，此部分還載述三棱針法、圓利針法、騎竹馬穴法、患門穴法、四花穴法、癰疽疔癤瘰癧等瘡的八穴灸法等特殊刺灸方法。少數病證還録有藥物治療方法，如「諸瘡胬肉，如蛇頭出數寸，用硫黄研細末於胬肉上，薄塗即縮」。

第四，折量法。首載「頭有頭部尺寸，腹有腹部尺寸，横直寸尺俱不同，各有其要，惟背部、手足部并以同身寸取之」。然後依次記載頭部、背部、膺部、腹部骨度尺寸。

第五，針灸擇日。包括針灸吉日、針灸忌日、瘟瘽日、不向、每月諸神值日避忌旁通圖、逐日人神歌、十二時人神歌、十干日不宜用針犯之多病反復等内容。

末附治五痼的刺灸方法及保疳萬靈丹等二方。

綜觀全書，其首先記述二百四十一個腧穴的定位、主治和刺灸方法，然後記載四十一類三百八十餘種常見病證的針灸治療方法，最後附以折量法、針灸擇日等内容。全書編排巧妙，内容豐富，簡明實用。

三　特色與價值

經筆者考證，《穴處治法》記載的經穴内容主要引自《醫學入門》，而别穴、針灸治療、折量法、針灸擇日四項内容則主要摘自《針灸經驗方》。

李梴《醫學入門》，中國明代著名醫學著作。全書七卷，并卷首一卷，共八卷。卷一載經絡、針灸等五章，經絡章包括經絡起止、十五絡脉、奇經八脉、奇經主病四節；針灸章包括子午八法、治病要穴、針灸禁忌等十七節。其中，經絡起止記載三百五十八個經穴的定位、刺灸法、主治疾病；治病要穴則記載九十個要穴的主病。

許任《針灸經驗方》，李氏朝鮮代表性針灸著作。首載訛穴、五臟總屬證、一身所屬臟腑經、五臟六腑屬病；次載十二經抄穴、督脉、任脉、針灸法、别穴、募原會穴、井滎俞經合旁通、折量法等内容；後論述人體四十二類四百餘種常見病證的針灸治療方法；末附針灸擇日。書中記載經穴一百四十九個，所載十二經脉腧穴統一采用從四肢末端到胸腹部或頭部的順序，記載任督二脉腧穴則采取從頭部至胞中的順序。

《穴處治法》記載經穴沿用《針灸經驗方》的體例，并在此基礎上新增手三里、巨骨、犢鼻、乳根、缺盆、地倉、下關、支正、僕參、金門、飛揚、承山、委陽、交信、築賓、横骨、清冷淵、帶脉、腦空、曲鬢、中都、齦交、兑端、囟會、前頂、後頂、至陽、脊中、命門、長强、廉泉、天突、華盖、中庭、上脘、下脘、會陰等三十七穴，删除人迎一穴，共計載穴一百八十五個。十四經脉中，以任、督二脉新增腧穴數量居多，約占新增腧穴總數的一半，推測此書作者臨證可能較常選用任、督二脉腧穴。

本書作者選載腧穴時，注重收録特定穴。所謂特定穴，是指十四經穴中具有特殊治療作用，并以特定名稱概括命名的腧穴。此類腧穴臨床應用較多，治療效果良好。根據不同分布特點和治療作用，可將其分成五輸穴、原穴、絡穴、郄穴、下合穴、募穴、背俞穴、八會穴、八脉交會穴和交會穴等。《穴處治法》共記載五輸穴六十個，原穴十二個，絡穴九個，郄穴五個，募穴十二個，背俞穴十一個，八會穴八個，八脉交會穴八個，下合穴四個，交會穴四十餘個，删除各類重複的腧穴，總計記載特定穴一百四十餘個，占此書記載經穴總數的四分之三以上；其中，所載肺經、心經、心包經、肝經四條經脉上的腧穴均爲特定穴。可知《穴處治法》作者十分看重本書所載腧穴的臨床實用價值。

儘管此書經穴部分體例沿用《針灸經驗方》之舊，但作者并未引録《針灸經驗方》經穴的具體内容，而是斟酌選擇了《醫學入門》的相關内容。例如：尺澤穴，《針灸經驗方·十二經抄穴》載「尺澤，在肘中約紋上動脉中，禁針深；針三分，灸五壯」❶；《醫學入門》卷之一載「尺澤，肘横紋中大筋外。針入三分，不宜灸。主喉痹、舌乾、脅痛、腹脹、喘氣、嘔泄不止、癲病、身痛、四肢暴腫、手臂肘痛」❷；而《穴處治法》載「尺澤，肘横紋中大筋外。喉痹、舌乾、脅痛、腹脹、喘氣、嘔泄不止、癲病、身痛、四肢暴腫、手臂肘痛。針三分，灸禁」。

筆者將《穴處治法》的經穴部分與《醫學入門》的相應内容一一比對，其結果如下。

---

❶ （朝）許任．針灸經驗方[M]．日本享保（一七一六—一七三五）刻本：（卷上）二．

❷ （明）李梴．醫學入門[M]．日本早稻田大學圖書館藏清嘉慶丙子（一八一六）重鐫本：（卷之一）一—二．

第一，《穴處治法》絶大多數的經穴内容摘自《醫學入門》，僅大杼、囟會、中脘、神闕、陰交、中極、會陰七穴部分内容旁參宋・王執中《針灸資生經》。引自《針灸資生經》的内容，文前均冠以「資」字。如大杼，「《資》云：骨會大杼，骨疼治此，雖云禁灸，艾炷若小，一二七壯亦可，更灸上廉、絶骨又佳」。

第二，《穴處治法》抄録的《醫學入門》經穴内容，主要引自該書卷一的「經絡起止」。在手三里、乳根、血海、神門、少澤、後谿、腕骨、陽谷、支正、昆侖、金門、承山、翳風、帶脉、日月、命門、長强等十七穴的主治項中，并入了該書卷一「治病要穴」的相應内容。如在血海穴主治項中的「血漏下，血閉不通，月水不調，氣逆脹滿」，出自《醫學入門》卷一「經絡起止」；而「主一切血疾及諸瘡」，則出自《醫學入門》卷一「治病要穴」。

綜上可知，《穴處治法》作者十分重視記載經穴的臨床實用，雖沿用《針灸經驗方》的編撰體例，但具體内容則絶大多數源於《醫學入門》，個别腧穴旁參《針灸資生經》。

《穴處治法》選擇引用《醫學入門》的經穴内容，可能有以下原因。其一，《醫學入門》成書後不久即傳入朝鮮。當時朝鮮戰亂頻仍，百姓尋醫問藥十分困難，《醫學入門》因論述通俗易懂、臨床實用性强，受到朝鮮醫家的廣泛認可。其二，《醫學入門》雖非針灸專著，但其記載的經絡、針灸内容全面，見解獨到。其三，《醫學入門》載有十四正經全部三百五十八個腧穴的定位、刺灸方法和主治疾病；而《針灸經驗方》則僅選載其中一百四十九個經穴的定位和刺灸方法。基於此，《穴處治法》引録《醫學入門》的經穴内容，一方面可使作者新增的腧穴内容有本可源；另一方面，又可爲全部經穴增入腧穴主治疾病一項，與其後别穴部分體例統一。其四，許任編撰《針灸經驗方》時，曾參考朝鮮經典醫籍

《東醫寶鑑》，而《東醫寶鑑·針灸篇》亦曾大量引用《醫學入門》的内容，《穴處治法》作者可能受到這一思路啓發，溯源而上，選擇直接徵引《醫學入門》的經穴内容。

《針灸經驗方》重點記載四十二類疾病的針灸治療方法。《穴處治法》在引用此部分内容時有如下變動：删去《針灸經驗方》眠睡、蟲毒兩類；將該書虚勞析分爲虚勞、癆瘵兩類；叙述疾病病機時更加簡略；删除少部分疾病，如手臂部删去手臂善動、手掌熱、腋腫三種疾病；新增少量病證，如風部新增疾病一種，「摇頭手轉，灸大椎、肩髃、曲池、合谷」；個别疾病下增入新的治療方法，如癩疝下增加灸法「又三陰交灸五十壯」。

此外，《穴處治法》中别穴、折量法二項内容引自《針灸經驗方》，針灸擇日中的針灸吉日、針灸忌日、瘟逴日、不向等内容也源於該書。

值得注意的是，中國在清代曾多次刊刻發行《勉學堂針灸集成》一書。此書又簡稱《針灸集成》，主要抄録《針灸經驗方》全文及《東醫寶鑑》中與針灸相關的内容。一九四九年以後，《針灸集成》又經多次校注出版，流傳較廣。由此可知，《穴處治法》和《針灸集成》都參考了朝鮮醫籍《針灸經驗方》，故兩書有很多相似的内容，讀者應辨章學術，考鏡源流。

總之，《穴處治法》主要參考引録《針灸經驗方》和《醫學入門》二書的相關内容，但著者更加注重臨床實用，從針灸臨證實際出發，結合個人積累的經驗，經過認真的鑒别遴選，擇善而從，對其參考的醫學文獻做了一定的增減編排，使《穴處治法》成爲一部簡潔實用的針灸專著。

四 版本情况

《穴處治法》目前僅見鈔本一部，藏於韓國國立中央圖書館，本次影印即采用此本爲底本。

此本藏書號「古766—23」。不分卷，一册。書皮題「穴處治法」，扉葉處記有藏書號和收藏信息，無序，無跋。正文首葉題「穴處治法」書名，無著者信息。全書無框廓及界格欄綫。每半葉十四行，每行字數不等，約二十至二十五字。無版心、魚尾。

此鈔本字迹清晰工整，但有個别訛字、倒置和脱文。如：「腸風下血」誤作「長風下血」；「針三分，灸五壯」顛倒爲「針三壯，灸五分」；「繞臍中痛」脱作「繞臍中」；心包經所有腧穴漏載刺灸方法等。讀者閲讀時可參考《醫學入門》《針灸經驗方》的相應内容。

總之，《穴處治法》叙述通俗易懂，内容豐富系統，簡便實用，在一定程度上反映出李氏朝鮮時期針灸臨床的常用腧穴及其主治疾病。今影印出版此書，可爲國内讀者了解古代朝鮮針灸醫學的發展提供珍稀的國外資料。國内外針灸工作者可將此書作爲臨床實用之書參考，以提高針灸臨床技能。讀者也可參考《穴處治法》的編撰思路，參閲研究《醫學入門》《針灸經驗方》等相關醫書，夯實拓展自身的針灸學知識；也可藉以幫助考證梳理《勉學堂針灸集成》的源流。

韓素傑　蕭永芝

穴處治法

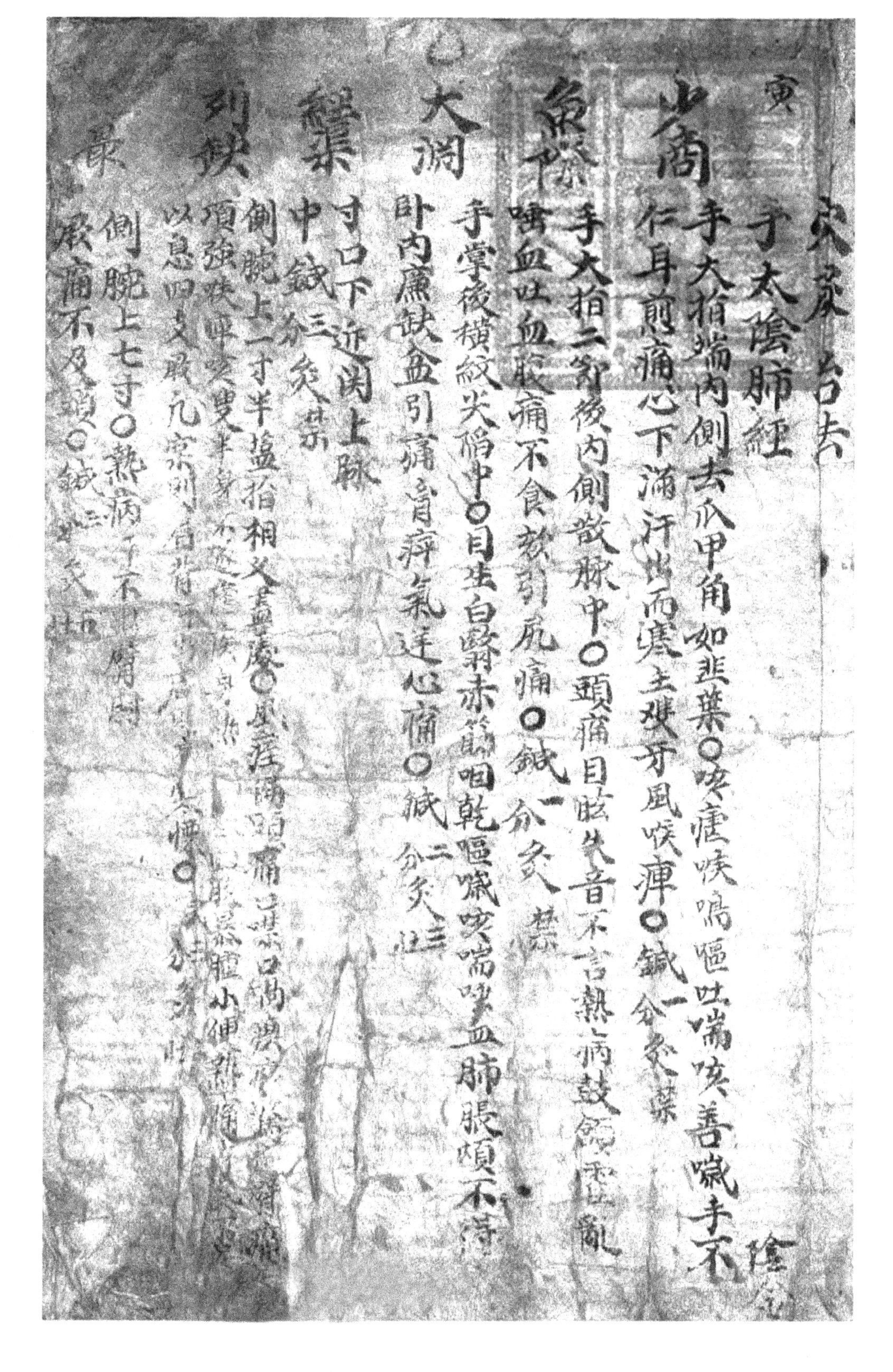

穴處治法

寅 手太陰肺經

少商 手大指端內側去爪甲角如韭葉○咳逆喉鳴嘔吐喘咳善噦手不仁身煎痛心下滿汗出而寒主喉牙風喉痺○鍼一分灸禁

魚際 手大指二節後內側散脉中○頭痛目眩失音不言熱病鼓頷霍亂嘔血吐血脇痛不食欬引尻痛○鍼一分灸禁

太淵 手掌後橫紋尖陷中○目生白翳赤筋咽乾嘔噦咳喘唾血肺脹煩不得臥內廉缺盆引痛胸痺氣逆心痛○鍼二分灸三壯

經渠 寸口下近関上脉中鍼三分灸禁

列缺 側腕上一寸半盐指相叉盡處○風瘧偏頭痛[illegible]項強咳嗽[illegible]以息四支厥[illegible]○[illegible]

孔最 側腕上七寸○熱病汗不出肩肘厥痛不及頭○鍼三分灸五壯

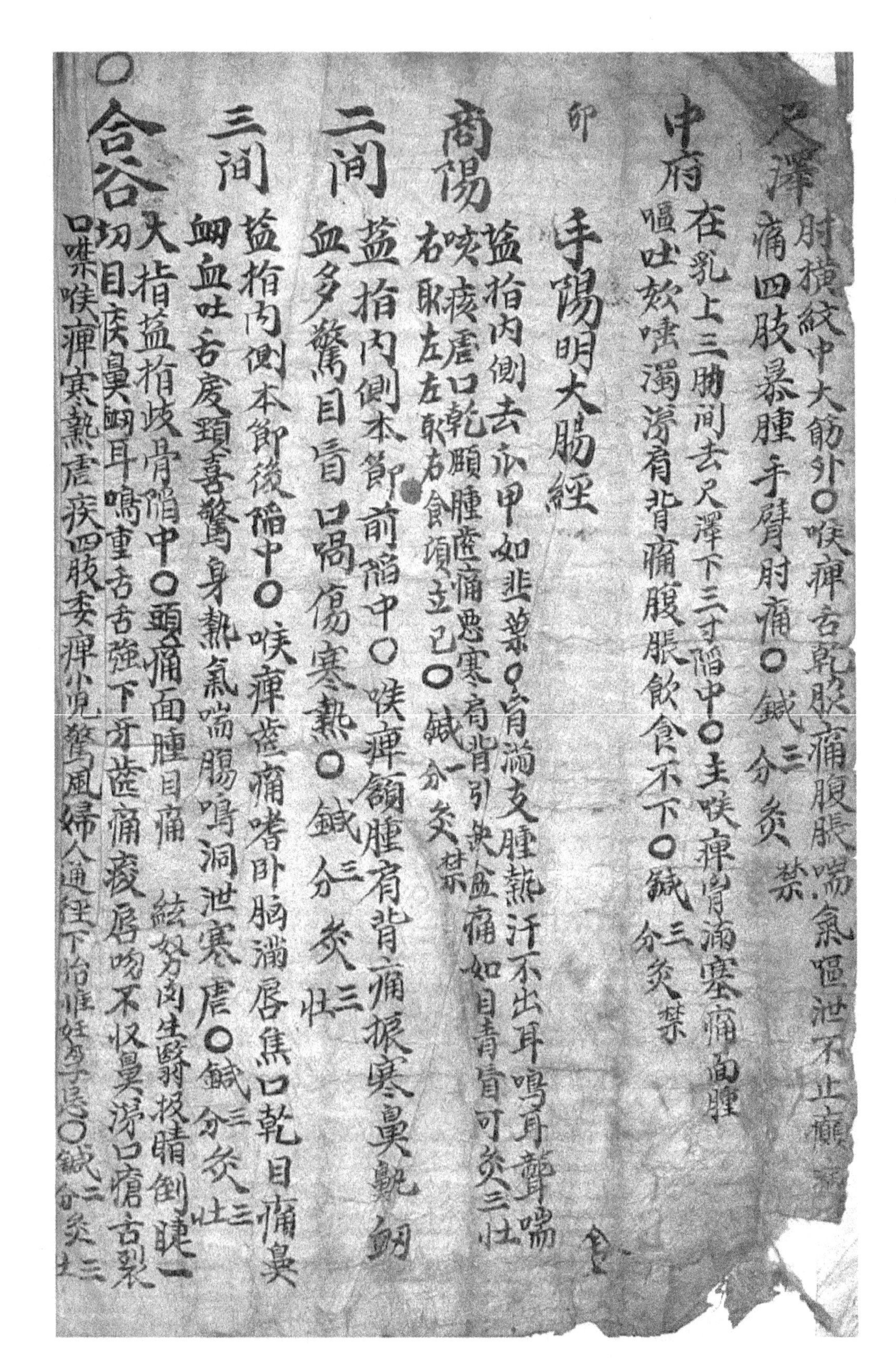

尺澤 肘橫紋中大筋外○喉痺舌乾脇痛腹脹喘氣嘔泄不止癲
痛四肢暴腫手臂肘痛○鍼三分灸禁
中府 在乳上三肋間去尺澤下三寸陥中○主喉痺肩滿塞痛面腫
嘔吐欬唾濁涕肩背痛腹脹飲食不下○鍼三分灸禁
卯 手陽明大腸經
商陽 盬指內側去爪甲如韭葉○胸滿支腫熱汗不出耳鳴耳聾喘
咳痰瘧口乾頤腫齒痛惡寒肩背引缺盆痛如目青盲可灸三壯
右取左左取右食頃立已○鍼一分灸禁
二間 盬指內側本節前陥中○喉痺頷腫肩背痛振寒鼻鼽衄
血多驚目盲口喎傷寒熱○鍼三分灸三壯
三間 盬指內側本節後陥中○喉痺齒痛嗜卧胸滿唇焦口乾目痛鼻
衄血吐舌戾頸喜驚身熱氣喘腸鳴洞泄寒瘧○鍼三分灸三壯
○合谷 大指盬指岐骨陥中○頭痛面腫目痛 眩努肉生翳投睛倒睫一
切目疾鼻衄耳鳴重舌舌強下牙齒痛痿唇吻不收鼻涕口瘡舌裂
口噤喉痺寒熱瘧疾四肢痿痺小児驚風婦人通經下胎墮妊娠子忌○鍼二分灸三壯

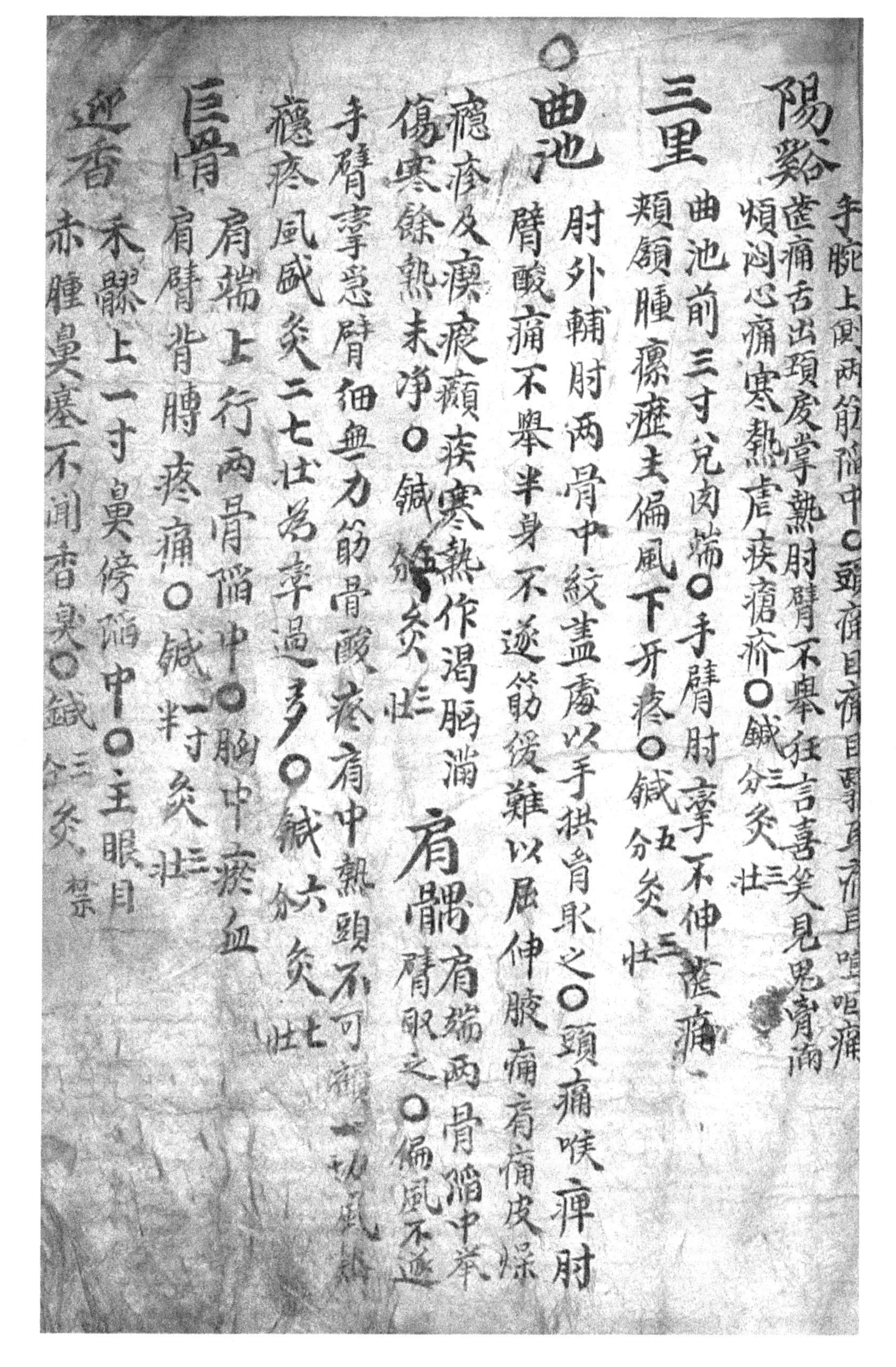

陽谿 手腕上側兩筋陷中○頭痛目痛目翳耳聾耳鳴咽喉痛主痛舌出頸疼掌熱肘臂不舉狂言喜笑見鬼胸煩悶心痛寒熱瘧疾瘖疥○鍼三分灸三壯

三里 曲池前三寸兌肉端○手臂肘攣不伸痓痛頰頷腫瘰癧主偏風下牙疼○鍼五分灸三壯

○曲池 肘外輔肘兩骨中紋盡處以手拱胸取之○頭痛喉痺肘臂酸痛不舉半身不遂筋緩難以屈伸腋痛肩痛皮燥癮疹及癘瘧癲疾寒熱作渴脇滿傷寒餘熱未凈○鍼五分灸三壯

肩髃 肩端兩骨陷中舉臂取之○偏風不遂手臂攣急臂細無力筋骨酸疼肩中熱頸不可顧一切風熱癮疹風氣灸二七壯若辜過多○鍼六分灸七壯

巨骨 肩端上行兩骨陷中○胸中瘀血肩臂背膊疼痛○鍼一寸半灸三壯

迎香 禾髎上一寸鼻傍陷中○主眼目赤腫鼻塞不聞香臭○鍼三分灸禁

足陽明胃經

厲兑 足大指次指端去爪甲角如韭葉○鼻不利滂口黄噤吐舌齲齒喉痺頸腫心痛頸寒寒熱瘧不嗜食脹滿不得息尸厥中悪○

内庭 足次指三指岐骨陷中○口噤口喎齒齲痛咽痛鍼一分灸一壯腹脹不得息四支厥逆○鍼三分灸三壯

陷谷 内庭上二寸骨陷中○面目癰腫熱病汗不出振寒脇腋支滿瘧疾腹滿善噫腸鳴而痛○鍼五分灸三壯

衝陽 内庭上五寸骨間動脉○面腫口眼喎斜齒齲痛腹大不食足痿及熱病汗不出寒戰發狂瘧疾○鍼三分灸三壯

解谿 足腕上繫草鞋帶處去内庭上六寸半○頭風目眩目赤面腫口痛舌腫腹脹霍乱轉筋 股腫胻痠痿瘕癲狂瘧疾○鍼五分灸三壯

三里 犢鼻下三寸䯒骨外廉分肉間○頭目昏眩口苦口噤鼓頷口喎喉痺嘔吐狂言狂笑咳嗽多唾乳腫乳癰胃脘悪聞食氣

或中消善肌霍乱痃癖胲脹腹脹腸鳴胸腹中痰血水腫唇痢泄瀉身熱肚熱惡寒肘痛心痛腰腹痛足膝痿足熱小腹堅滿小便不利食氣蠱毒五勞羸七傷灸之○鍼寸一灸壯七

犢鼻 膝頭眼外側大筋陷中○膝痛不仁難跪起膝臏癰潰者不治不潰者可治○鍼六分灸禁

氣衝 天樞下八寸動脉○腹中大熱攻心腹脹臍下堅癥疝陰腫陰痿中痛兩丸牵痛不可仰卧及石水腹滿熱淋不得尿婦人月水不通無子氣乱絞痛胞衣不出○鍼禁灸三壯

天樞 千臍傍三寸○面浮腫唾血吐血狂言嘔吐霍乱泄痢食不化久積冷氣繞臍切痛衝心腹痛腹脹腸胃遊氣切痛女子漏下赤白○鍼五分灸百壯

乳根 乳下一寸六分○胸滿痛及膺腫乳癰熱痛已上[illegible]至此俱膺部三行主膺腫乳癰小兒龜胸○鍼四分灸五壯

缺盆 肩前横骨陷中○喉痺瘰癧欬嗽寒熱缺盆中腫痛滿水氣哽噎胸熱息賁脇下氣上衝○鍼禁灸三壯

地倉　夾口傍四分近下有動脉處○偏風口喎失音不言食漏落　動重者灸七七壯艾炷如二分若大令口轉喎如欲治灸承漿七七壯忌房事毒食○鍼三分灸二七壯

下關　耳前動脉下廉合口有空張口則閉○耳痛聾有膿口喎下牙齒痛齒齲痛○鍼三分灸三壯

頭維　頷角髮際本神傍一寸半○鍼五分灸禁

巳

足太陰脾經

隱白　足大指端內側去爪甲角如韭葉○鼻衄口渴喘急嘔吐胷痛腹中冷氣脹滿暴泄頭中寒ミ熱足不能温卒尸厥不知人○鍼一分灸禁

大都　足大指內側本節後陷中○目眩手足厥嘔吐暴泄霍乱心痛腹脹熱病汗不出○鍼三分灸三壯

太白　足大指內側核骨下陷中○頭痛頭腫項痛霍乱嘔吐或泄有膿血胷脇脹痛腹痛腹脹腸鳴腰痛不可

俛仰熱病煩悶大便難○鍼三分灸三壯

公孫太白後一寸陷中○頭面腫心痛胃脘痛痰壅膈悶胎胞痰膈食反胃傷寒結胸腹脹腹鳴泄瀉裏急腸風下血脫肛五積痃癖寒瘧不食婦人胎衣不下○鍼四分灸三壯

商丘足內踝下微前陷中○心下有寒脾疼脾熱脾瘧令人不樂腹脹心煩骨痺癲癇痰瘧血痔後重痔骨蝕絕陰股內痛狐疝上下小腹堅痛下引陰中○鍼四分灸三壯

三陰交內踝上三寸骨後筋前○膝內廉痛小便不利身重足痿痃癖腹寒氣逆脾病四支不舉腹脹腸鳴溏泄食不化女子漏下不止○鍼三分灸三壯

陰陵泉膝下內側輔骨下陷中曲膝取之○心下滿寒中腹脹腹滿腹中水氣喘逆霍亂暴泄足痛腰痛小腹堅急小便不利又治遺尿失禁氣淋寒

人疝瘕證同地機○鍼五分灸禁

血海 膝臏上三寸内廉骨後筋前白肉際○血漏下血閉不通月水不調氣逆脹滿主一切血疾及諸瘡○鍼五分灸五壯

午

手小陰心經

少衝 手小指端内側去爪甲如韭葉○舌痛口熱咽酸掌熱心痛痰氣煩悶悲恐善驚手掌肘腋攣痛身熱如火發癎沫出○鍼一分灸一壯

少府 手小指本節後勞宮陥中○嗌中有氣如息肉狀掌熱肘腋手攣急胸痛煩滿恐悸畏人及陰痛陰痒遺尿○鍼三分灸五壯

神門 掌後兌骨端動脉陥中○妄笑妄哭喉痺心痛嘔噫悸小氣瘧疾飲冷惡寒手臂攣掌喘逆遺尿大小兒五癎主驚悸怔忡

呆痴亦疾及卒中兒邪悦惚振噤小兒驚癇○鍼三分灸三壯

通里 掌後一寸○頭痛目眩面赤暴瘖肘腕痠重熱病煩心心悸遺尿○鍼三分灸三壯

靈道 去掌後一寸半○悲恐心痛瘈瘲肘攣暴瘖○鍼三分灸三壯

少海 肘內廉橫紋頭盡處陷中曲手向頭取之○頭痛目黃目眩項強齒痛嘔吐肩背肘腋引項痛癲癇吐舌瘧疾寒熱汗出四支不舉○鍼三分灸五壯

末

手太陽小腸經

小澤 手小指端外側去爪甲角如韭葉○頭痛目翳遮睛口熱口乾舌強喉痺嗽如瘧寒瘧汗不出瘈瘲小指不用主鼻衄不止婦人乳腫○鍼一分灸一壯

前谷 小指外節本前陷中○目眦爛淚出

目翳鼻塞耳鳴咽腫頸項痛臂痛肘攣熱病
汗不出痎瘧咳嗽衄血小便赤○鍼一分灸三壯
後谿 小指外側本節横紋尖盡處握掌取之○喘息身
熱惡寒主瘧疾顛癇背滿顛疾餘上同○鍼一分灸一壯
腕骨 掌後外側高骨下陷中握掌向內取之○頭痛脅
腋痛肩臂腕急痛如脫五指不可屈伸乍寒乍熱
瘧狂言驚風瘈瘲主頸 陽谷 手腕外側兌骨下陷中○
面臂腕五○鍼二分灸三壯 目眩上下齒痛妄笑妄
言腹滿痔痛陰痿主頭面手膊 支正 腕骨後五寸○頭
諸疾及痔痛瘖瘂○鍼三分灸三壯 痛目眩頸腫項痛
風虛驚恐狂言身熱消渴善食腰頸痠主七情
氣鬱肘臂十指皆攣及消渴○鍼三分灸三壯
小海 肘內大骨外去肘端五分陷中屈肘取之○頸痛
項強齲齒齗腫癇訂吐舌瘈瘲癲狂肘腋腫瘍

腫小腹痛寒瘧○**天窓**完骨下髮際上頸上大筋處
鍼二分灸三壯 動脉陷中○耳痛耳鳴聾頰
腫咽痛暴瘖肩痛 **聽宮**耳前珠子傍○耳鳴聾口噤喉
引項○鍼六分灸三壯 鳴心腹痛滿臂痛失音○鍼一分灸三壯

中 **足太陽膀胱經**

至陰足小指端外側去爪甲角如韭葉○頭風鼻塞
鼻衄清涕耳鳴聾胷脇痛無常處腰脇引痛小
便不利失精風寒從足小指起脉痹轉
筋寒瘧汗不出足下熱○鍼一分灸三壯
通谷足小指端外側本節前陷中○頭重頭痛目眩
咽瘡鼻衄清涕項強痛胸脇滿心下悸留飲發
欠熱病汗不出 **束骨**足小指外側本節後陷中○目
○鍼二分灸三壯 眩目赤爛耳聾項強腰痛腸澼

顛狂大便時頭痛瘧疾從脚脛至髀
樞中痛不可擧○鍼三分灸三壯
○京骨足外側大骨下赤白肉際陷中○頭熱目眩白翳
從內眥始鼻衄鼻不利瘰黃項頸強痛脊背及脚
○難以俛仰痓瘧顛狂驚悸不食
痠注髀樞痛淋瀝○鍼三分灸三壯申脈外踝下容爪甲白肉
際陷中○主目及上
視或赤痛從內眥始腰痛脛寒熱不能久坐立
癲疾鼻衄○鍼三分灸禁
僕參足後跟骨下陷中拱足取之○足跟痛足瘻癲
瘛癇吐血轂頷狂言見鬼恍惚尸厥煩痛轉筋霍
亂小兒馬癇反折　崑崙　外踝後跟骨上陷中動脈
○鍼三分灸七壯　○頭熱目眩如脫目痛赤
腫鼻衄腹痛腹脹喘逆大便洞泄体痛霍亂尻腰
踵腨跟腫脚如裂不得履地風癇口噤瘧多汗小兒

陰腫頭眩痛主足腿紅
腫齒牙痛○鍼五分灸三壯

金門 外踝下骨空陷中○
主癲疾馬癎反張尸
厥暴死轉筋霍亂脚脛痠身戰
不能久立主顛癇○鍼三分灸三壯

飛揚 外踝上七寸骨後○頭痛目眩鼻衄頸項痠歷
節風足指不得屈伸腰痛腨痛寒瘧狂瘧顛疾
吐舌痓反折痔篡傷痛野鷄痔
逆氣足痿失履不收○鍼五分灸三壯

承山 腨股下分肉間拱足去地一尺取之○主痛鼻鼽衄
指脛痠脊痛腹痛小腹疝氣大便難脚𦝫脛痠
痺跟痛足下熱不能久立轉筋霍亂瘈瘲久痔
脛痛支腫寒熱汗不出主痔漏○鍼七分灸五壯

○委中 膝腕内膕横紋中央動脈○刺出風痺腰脚重痛
以刺血久疾立已主腹熱而偏痛尿赤難衄血不止

痛挾骨至頭皆痛痔痛股下腫痛脚弱膝[illegible]

氣半身不遂熱病汗不出足熱厥逆餘同療治○鍼[illegible]

委陽 膝腕横紋尖外廉兩筋間委中外二寸屈身取之○陰

跪遺小便難小腹堅痛引陰中淋瀝腰痛脊強痠疼

癲疾頭痛筋急腋腫背滿䐜脹身熱

飛尸遁走瘰癧不仁○鍼七分灸三壯

譩譆 六節外三寸膊内廉以手壓之令病人抱肘作譩譆

聲動矣○目眩鼻衄背肩痛股痛喘咳熱病汗不

出虚損不睡五心熱寒痓寒瘧風瘧温瘧

瘖瘧久瘧小兒食晦頭痛○鍼六分灸五壯

膏肓 四節外三寸取穴○主治

見後灸法

上髎 腰髁骨下第一空挾脊兩傍中○鼻衄嘔逆寒熱

腰痛婦人絶子瘧寒熱陰挺出不禁白瀝痓反折

大小便利○次髎第二空窌中○腰下至足不仁惡寒
鍼二寸灸三壯　為人赤白瀝下心下積脹大小便利
疝氣下墜○中髎第三空窌中○五勞七傷六極腰痛
鍼二寸灸三壯　為人赤淫時白氣癃月事大小便難
小便利腹脹飧泄○鍼二分灸三壯　下髎第四空窌中○腰痛為人下注
汁不禁赤瀝陰中痒痛引小腹
不可俛仰大小便利腸鳴　大杼第一節外一寸半陷中
腹脹欲泄○鍼二寸灸三壯　大杼○資云骨會大杼骨病
治此雖云禁灸艾佳若小一二七壯亦
可更灸上廉絕骨又佳○鍼三分灸禁
風門二節外一寸半○傷寒頭痛項強鼻塞流涕目盲
衄血咳嗽嘔逆胸滿背痛氣短不安○鍼五分灸五壯
肺俞三節外一寸半○胸中痛滿背僂如龜脊強支
滿癭氣吐逆上氣痹熱不食肉痛皮痒傳尸骨

○蒸肺嗽喘咳少氣百　心俞　五節外一寸半
病○鍼三分灸三壯　⊕鍼禁灸禁
膈俞　七節外一寸半⊕喉痺背脹痛肩背不得俛
仰心痛痰飲吐逆汗出寒熱骨痛虛脹支滿
痰瘧痃癖氣塊膈上痛身　肝俞　九節外一寸半○
常溫不食○鍼禁灸五壯　中風支滿脹痛短
氣不食之不消吐血目昏肩痛腰痛寒熱骨痛病差
後食五辛多患眼暗如雀目鼻中酸寒痓熱痓○鍼
三分灸三壯　膽俞　十節外一寸半⊕頭痛目黃舌乾心
脹滿吐逆短氣痰悶食難下不消胃
脅不能轉側脹下腫脹　十一節外一寸半○腹
寒汗不出○鍼三分灸三壯　脾俞　下滿吐瀉瘧病腹脹黃
瘧身重痃癖積聚腹痛寒熱引脊痛能食而瘦腰脊
強急熱痓骨痛○鍼三分灸三壯

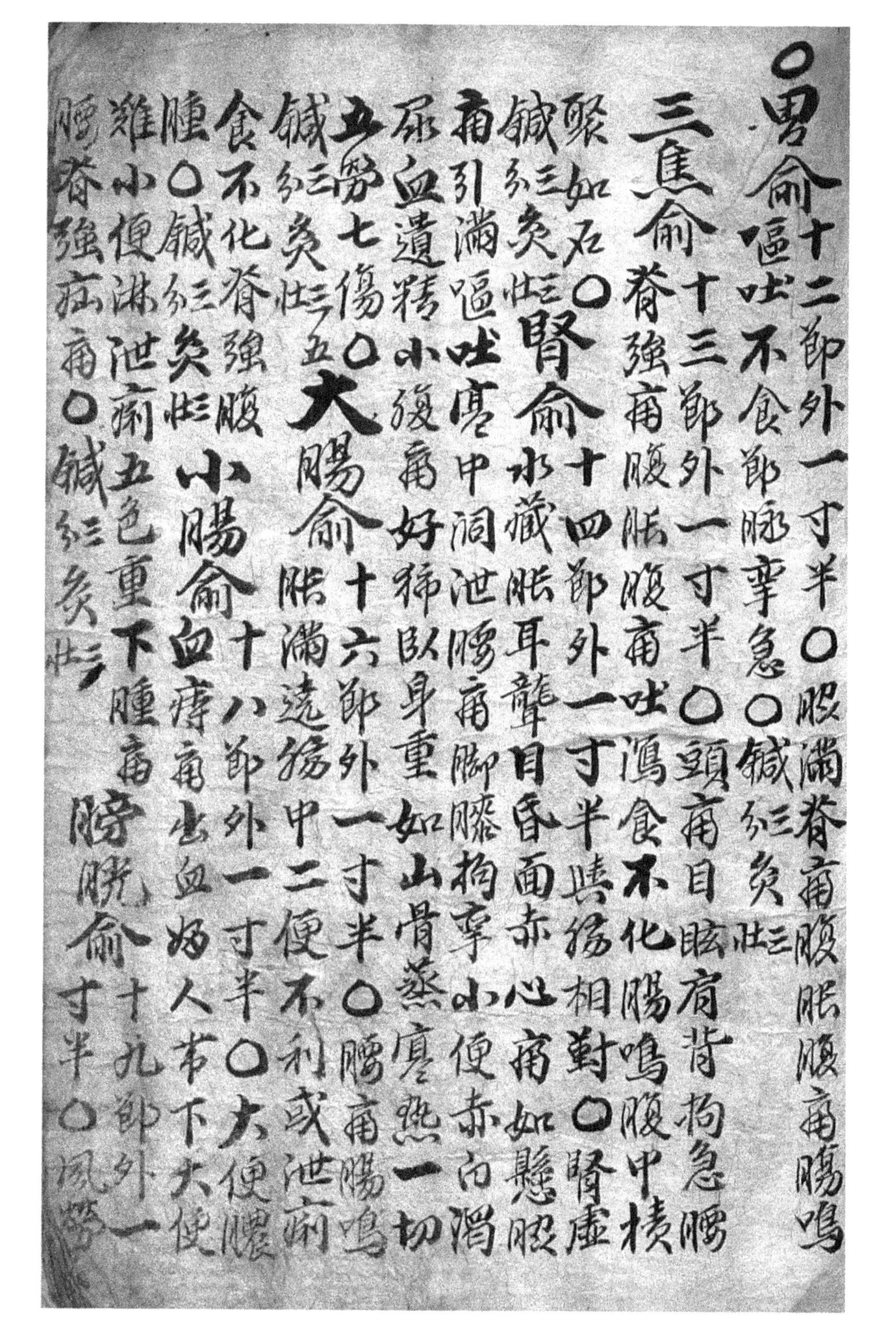

○胃俞十二節外一寸半○腹滿脊痛腹脹腹痛腸鳴
嘔吐不食節脇攣急○鍼三分灸三壯
三焦俞十三節外一寸半○頭痛目眩肩背拘急腰
脊強痛腹脹腹痛吐瀉食不化腸鳴腹中積
聚如石○腎俞十四節外一寸半與臍相對○腎虛
鍼三分灸三壯水藏脹耳聾目昏面赤心痛如懸腰
痛引滿嘔吐寒中洞泄腰痛腳膝拘攣小便赤白濁
尿血遺精小腹痛好禘臥身重如山骨蒸寒熱一切
五勞七傷○大腸俞十六節外一寸半○腰痛腸鳴
鍼三分灸三壯五脹滿遶臍中二便不利或泄痢
食不化脊強腹小腸俞十八節外一寸半○大便膿
腫○鍼三分灸三壯血痔痛出血婦人帶下大便
難小便淋泄痢五色重下腫痛膀胱俞十九節外一
腰脊強痛○鍼三分灸三壯寸半○風勞

要痛泄痢腸痛便難溺赤陰瘡足脛冷拘急不得屈伸女人瘕聚煩滿汗不出小便黄赤要脊急強積聚堅結足清不仁熱痓引骨痛○鍼三分灸三壯

曲差○前髮際挾神庭傍一寸○頭項痛目昏身熱心煩滿汗不出○鍼禁灸壯

攢竹當眉頭陷中○禁禁

睛明目内眥紅肉陷中○禁禁

圖

足小陰腎經

湧泉腳掌中心屈足捲指取之○目眩喉痺眼滿心中結熱心痛咳嗽身熱風痛腰痛女子如妊娠五指端盡痛足不得履

然谷内踝前起骨下陷中○刺此多見血令人立饑欲食主喉痺舌下腫涎出喘氣咳唾血當渴心恐懼洞泄胷中寒脈代温瘧陰縮肉腫小切引の腹中痛○鍼三分灸三壯

腹寒疝搶胸腋淋瀝男子精溢䯒痠不能履地一足寒一足熱○鍼三分灸三壯

大谿內踝後五分跟骨間動脈陷中○咽腫嘔吐口中如膠善噫咳逆唾嗽唾血腋痛腹痛痃癖疝瘕積聚與陰相通及足清不仁熱病多汗黃疸多熱少寒大便難○鍼三分灸三壯

照海內踝下四分微前小骨下○嗌乾四肢解怠善悲不樂久瘧卒疝小腹痛嘔吐嗜卧大風偏枯不遂女子淋瀝挺出陰暴起疝小腹熱而偏痛大風默默不知所痛視如不明○鍼四分灸三壯

復溜內踝後上二寸動脈中○目昏口舌乾涎自出腹鳴鼓脹水腫視溺青赤黃白黑青取井赤取榮黃取俞白取經黑取合血氣泄後腫五淋小便如散火骨寒熱汗注不止男脊痛不可起坐腳後廉急不可

前部足胕上痛風蓬交信內踝上三寸復溜前三陰
四末腫○鍼三分灸五壯交後筋骨間○氣淋㿉
疝陰氣股引膕內廉骨痛泄瀉築賓內踝上腨分中
赤白女子崩漏○鍼四分灸三壯骨後大筋上小
筋下屈膝取之○小兒疝痛不得膝內附骨後
乳顛狂嘔沫足腨痛○鍼三分灸五壯陰谷大筋下小筋
上動脈屈膝取之○主舌下腫膝痛如錐股內廉痛
陰痿㿉婦人漏下心腹脹滿不得息小便黃已上俱足膝
部○鍼四分灸三壯橫骨陰上橫骨中央宛曲如仰月陷中曲骨
外一寸半○主五淋惡竭脹腹小便難
失精陰痛○鍼禁灸三壯

戍

手厥陰心包經

中衝手中指端去爪甲如韭葉陷中○主頭痛如
破神氣不足餘同大陵
勞宮手掌橫紋中心屈中指取之○咽嗌痛大小便見
血不止風熱善怒喜笑熱病汗不出怵惕胸脇
不可反側欬喘溺赤嘔吐血氣逆噫不止食不下善渴
口中爛手痺掌熱黃疸目黃○
大陵掌後橫紋兩筋兩骨陷中○頭痛目赤舌本痛
喉痺嗌乾欬逆嘔熱喘息喜笑善驚手攣手掌
肘攣腋腫心痛煩悶掌熱身熱如火一
切風熱無汗瘧疾瘡疥
○內關大陵後二寸○面赤熱目昏目赤支滿中風
肘攣實心暴痛虛心煩惕惕
間使大陵後三寸○胸痺引背痛心懸如饑卒心痛肘
內廉痛熱病煩心喜噦喜動惡風寒嘔吐掌熱多

驚腕腫曲澤心痛逆氣嘔涎或血善驚及傷寒溫痛
肘攣急 身熱口乾肘瘈掣痛搖頭

亥 手少陽三焦經

関衝手四指端外側去爪甲角如韭葉○風眩頭痛
目翳舌卷舌本痛口乾喉痺心煩臂外廉痛手
不及頭肘疼不能自帶衣肩臂疼心痛身熱痛煩悶
汗不出掌中熱身熱如火或瘨霍亂氣逆不得臥○一分三壯
液门手小指次指本節前陷中○頭痛面熱無汗風寒
熱耳痛聾鳴目澁目眩齒痛面赤咽外腫内如息肉
寒厥瘈瘲呼吸短氣喜驚臂痛
不能上下○鍼二分灸三壯
中渚手小指次指本節後陷中○頭重頷顱熱痛目
昏面赤咽腫嗌痛耳聾痛肘臂痛手指不得屈伸

熱病汗不出目生翳膜久

陽池 手掌背横纹陥中○熱病

瘧寒熱○鍼二分灸三壯 下汗不出寒熱瘧或因折傷

手腕捉物不得肩臂痛

外關 陽池後二寸○肘腕痠重

不得舉○鍼二分灸三壯 不得屈伸手指盡痛不

渾渾無所聞臂痛 陽池後一寸○面赤目赤嗌痛

不仁○鍼三分灸三壯

支溝 暴瘖口噤嘔逆霍亂腹痛及

眞心痛肘臂痠痺馬刀腫瘻漏瘡疥女人脊急●

四支不舉熱病汗不出○鍼二分灸三壯

天井 肘上大骨後一寸兩筋陥中屈肘取之○大風

默默不知所痛瘧食時發心痛驚瘛癲疾吐血

羊鳴戾頸肩痛瘡痺麻

清冷淵 肘上三寸伸肘舉臂

木咳嗽膿○鍼一寸灸三壯 取之○肩不舉頸痛

目痛脥痛根

翳風 耳珠後陥中按之引耳中○耳

寒○灸三壯 鳴痛聾口噤口眼喎斜下牙齒

痛失欠脱頷頬腫牙車急痛　絲竹　○眉尾骨後陷中
主耳聾及瘰癧○鍼三分灸七壯　○鍼三分灸禁
耳门　耳前起肉當耳缺處○耳痛嘈聾有濃汁出生
瘡瞳耳聤耳齒痛○鍼三分灸三壯
子

足少陽膽经

竅陰　足第四指端外側去爪甲角如韭葉○頭痛心煩
喉痺舌強口乾暴聾脇痛欬逆不得息熱病汗
不出肘不可舉四肢轉筋　俠谿　足小指四指本節前
足煩癰疽○鍼一分灸三壯　岐骨陷中○目外眥
赤目眩目系急目痒耳聾鳴頬頷腫脇脥痛汗不可
轉側痛無常處瘧足痛䐜腫馬刀瘘人小腹堅痛月
水不通乳腫潰脇中傳兆風　臨泣　俠谿上一寸半陷
狀頭眩腋痛○鍼三分灸三壯　中○目眩頭痛枕

骨痛心痛胸滿缺盆中腋下腫馬刀傷瘻大風周痺
痛無常處氣喘咳瘧日西發為人乳腫月事不利小
兒驚癇○鍼三分灸三壯
丘墟 足外踝下微前陷中去臨泣三寸○頸腫目昏生翳胸脇滿痛不得息久
瘧振寒腋下痛痿厥坐不能起髀樞中痛腿
脛痠轉筋卒疝小腹堅寒熱○鍼五分灸三壯
懸鍾 外踝上三寸動脈中○心腹脹滿胃熱不食膝
脛痛筋攣足不收五淋濕痺流腫筋急瘈瘲小
兒腹滿不食四支不舉風勞身重○鍼五分灸三壯
陽輔 外踝上四寸附骨前絕骨端○腰痛如坐水中
亦鍼膝下膚腫筋攣諸節盡痛痛無常處腋下腫瘻
漏馬刀喉痺膝胻痠風痺不仁寒熱腋痛○鍼五分灸三壯
陽陵泉 膝品骨下一寸外廉兩骨陷中以蹲坐取之
○膝伸不屈冷痺偏風半身不遂脚冷無血

巴及頭痛寒熱口苦咽不利頭面腫腦
脘滿心中恐如人捕○鍼六分灸七壯
風市 膝上外廉兩筋中以兩手着髀中指
盡處是穴○主厲風瘡○鍼五分灸五壯
環跳 髀樞碾子骨後宛宛中側卧蜷上足伸下足取
之○風濕冷痺風疹偏風半身不遂腰胯痛不
得轉側及脇膝痛無常處徹膝相引寒痛痺
樞中痛腰痛腰痺不仁○鍼一分灸五十壯
帶脉 季筋下一寸八分○婦人小腹堅痛月水不調
赤白帶裏急瘈瘲主疝氣偏墜婦人帶下○鍼
鍼六分灸五壯
京门 監骨下腰中挾脊季肋本○腰
痛不得俛仰寒熱䐜脹引背不得
息小便赤澁小腹痛腫腸鳴洞泄髀樞引痛肩背寒
痓肩甲內廉痛脊痓反折体痛○鍼三分灸三壯

日月　期門下五分，乳下三肋間○小腹熱欲走，大息
喜怒不常，多言語，噫不止，四肢不收，主嘔宿汁
吞酸○鍼七分，灸五壯　肩井　缺盆骨後一寸半，以三指按取之，當
中指下陷中○主五勞七傷，頸項強
背膊悶，兩手不能向頭，或因撲傷腰髖疼，脚氣上攻，
婦人墮胎後手足厥逆，欬逆寒熱，悽索氣不得卧○
鍼六分，灸三壯　風池　耳後一寸半，撗挾風府○腦疼面赤，面
腫目昏，項強寧不收，寒熱顛仆，煩滿汗
不出，痎瘧寒熱，溫病汗不出，目眩頸痛，淚出欠氣，自
皆赤痛，氣發耳塞，口噤，項背傴僂，主偏正頭風○鍼
三分，灸七壯　腦空　有空○承靈後挾玉枕傍枕骨下陷中，搖耳
治勞頭痛，目眩耳鳴聾，鼻衄，
鼻疽發腦，項強寒熱，顛疾癲瘈，苦驚赤盡頭痛，
華佗灸之立愈○鍼四分，灸三壯

目窻 臨泣後一寸○熱逢頭痛目眩脣吻強上齒
痛目外眥赤不明寒熱汗不出○鍼三分灸五壯
臨泣 當目直上入髮際五分○中風不識人目𥉂多
泪風眩鼻塞腕撞齒齲腦痺心痛腋痛瘧日兩
發○鍼 本神 臨泣分一寸半○癲疾嘔吐涎沫小兒
三分灸禁 驚癇○鍼禁灸禁
曲鬢 耳上入髮際曲隅陷中鼓頷有空以耳掩前
尖處是穴○暴瘖齒齲頰撞口噤牙車急痛
○鍼三分 上關 耳前起骨上廉開口有空○青盲耳痛鳴
灸三壯 聾口喎脣吻強口沫出目眩牙車緊瘈瘲
瘈資主引骨痛 聽會 耳珠前陷中開口有空○耳
○鍼 禁灸三壯 鳴聾齒痛口噤牙車痛或脫
嘔吐骨瘦顛瘈 瞳子髎 ○去目外眥五分
瘲○鍼三分灸五壯 鍼禁灸禁

足厥陰肝經

大敦 足大指端去爪甲如韭葉三毛中○卒疝偏墜小便数遺溺陰頭中痛陰跳上八復連臍痛病左灸右病右灸左又治心痛腹脹腹痛中熱喜寐尸厥婦人血崩不止五淋噴嘻○鍼三分灸三壯

行間 足大指次指歧骨間動脉陷中○目盲淚出口喎嗌乾欬逆嘔血心痛面蒼黑欲死胸背痛腹脹煩渇膓痛寒疝小腹腫溺難白濁莖中痛癲疾四支逆冷婦人月水不利赤白帯下或身有反敗陰寒振寒溲白尿難痛○鍼三分灸三壯

大衝 行間上二寸動脉中○唇腫喉鳴嗌乾腋腫馬刀嘔逆嘔血善渇胸滿数膓引小腹痛小便如淋㿉疝小腹腫溏泄遺溺陰痛面色蒼黑寒大便難

發寒胕腫内踝前痛胻痠女人
崩漏小兒卒疝○鍼三分灸三壯

中封 足内踝前一寸陷中仰足取之○咽偏腫難咽嗌
乾善渇痎瘧色蒼振寒小腹腫遶臍痛足逆冷
寒疝引痛腰或身微熱小腹痛洩白尿難痛身黄身
重内踝前痛膝腫痿厥身体不仁癲疝癃暴痛痿厥
○鍼四分灸三壯

中都 内踝上七寸脛骨中○腸澼㿉疝小腹
痛婦人崩中因悪露不絶足下熱脛寒
不能久立濕痺不能行○鍼三分灸三壯

曲泉 膝内輔骨下横紋尖陥中
屈膝取之○㿉疝陰股痛
脥滿小便難癃閉小氣泄痢四支不収及身熱目眩
汗不出膝痛筋攣及狂衄血喘呼咽痛頸腫失精下
利濃血陰腫婦人血瘕小腹
陰腫挺出○鍼六分灸五壯

章门臍上二寸横取六寸側筋季筋端陥中側卧
屈上足伸下足取臂取之○四肢懈惰善恐
小氣厥逆肩臂不舉熱中善食寒中
洞瀉石水身腫諸漏○鍼八分灸三壮

期門不容外一寸半乳下二筋端○胷中熱脹脹心痛
氣短喜酸腹大堅小腹尤大小便難陰下縱貢
脉上下霍乱泄注大喘婦
人産餘疾○鍼七分灸三壮

督脉

齗交唇内齒縫中央為任脉之會可逆刺之○鼻室喘
息不利口喎僻多涕鼽衄有瘡鼻生息肉鼻頭
額頞中痛鼻中蝕瘡口噤項如拔面赤頰中痛心煩
痛頸項急小児面瘡久不已上俱頸部中行○鍼三分灸

三壯

兌端 上唇中央尖尖上○主唇吻強上齒齲痛癢吐沫小便黄舌乾消渴衄血不止○灸三壯

水溝 鼻準下人中直唇取之○主消渴水氣身腫癲癇乍喜乍哭牙関不開面腫唇動肺風壯如虫行寒熱頭痛喘渴目不可視鼻不聞香臭口喎不能開寒熱卒中風面腫○鍼三分灸三壯

素髎 鼻準上陷中○鍼三分灸禁

神庭 額前直鼻八髮際五分○主風癇癲風羊鳴角弓反張披髮欬哭驚悸不得安寢喘渴頭痛目眩目泣出鼻流清滑誤鍼令人癲目暗○鍼禁灸二七壯至百壯

上星 神庭上五分○主頭風頭腫皮腫面腫鼻塞目眩目睛痛痎瘧振寒熱病汗不出○鍼二分灸三壯

至百五十壯 **顖會** 上星上一寸○主鼻塞不聞香臭頭風痛白屑起多睡驚癇戴目上視不識人目眩面腫資鼻衄頭風灸此即愈○鍼禁灸二七壯 **前頂** 顖會上一寸半骨陷中○主頭風熱痛頭痛風疳小兒驚癇面赤腫鼻多清涕項痛目眩○鍼四分灸三壯
百會 前頂上一寸半頭頂中心旋毛中○主脫肛風癇青風心悸角弓反張羊鳴多哭言語不擇發時即死吐沫心中熱悶頭風多睡心煩驚悸健忘飲食無味飲酒面赤頭重鼻塞目泣出耳鳴聾○鍼三分灸五十百壯 **後頂** 後頂百會下一寸半○悸眩目視䀮䀮顱巓上痛項惡悸寒諸傷之熱達
灸 癲疾嘔○ **風府** 腦戶下一寸半大筋內○二穴鍼四分灸五壯誤灸令人啞○鍼四分灸禁

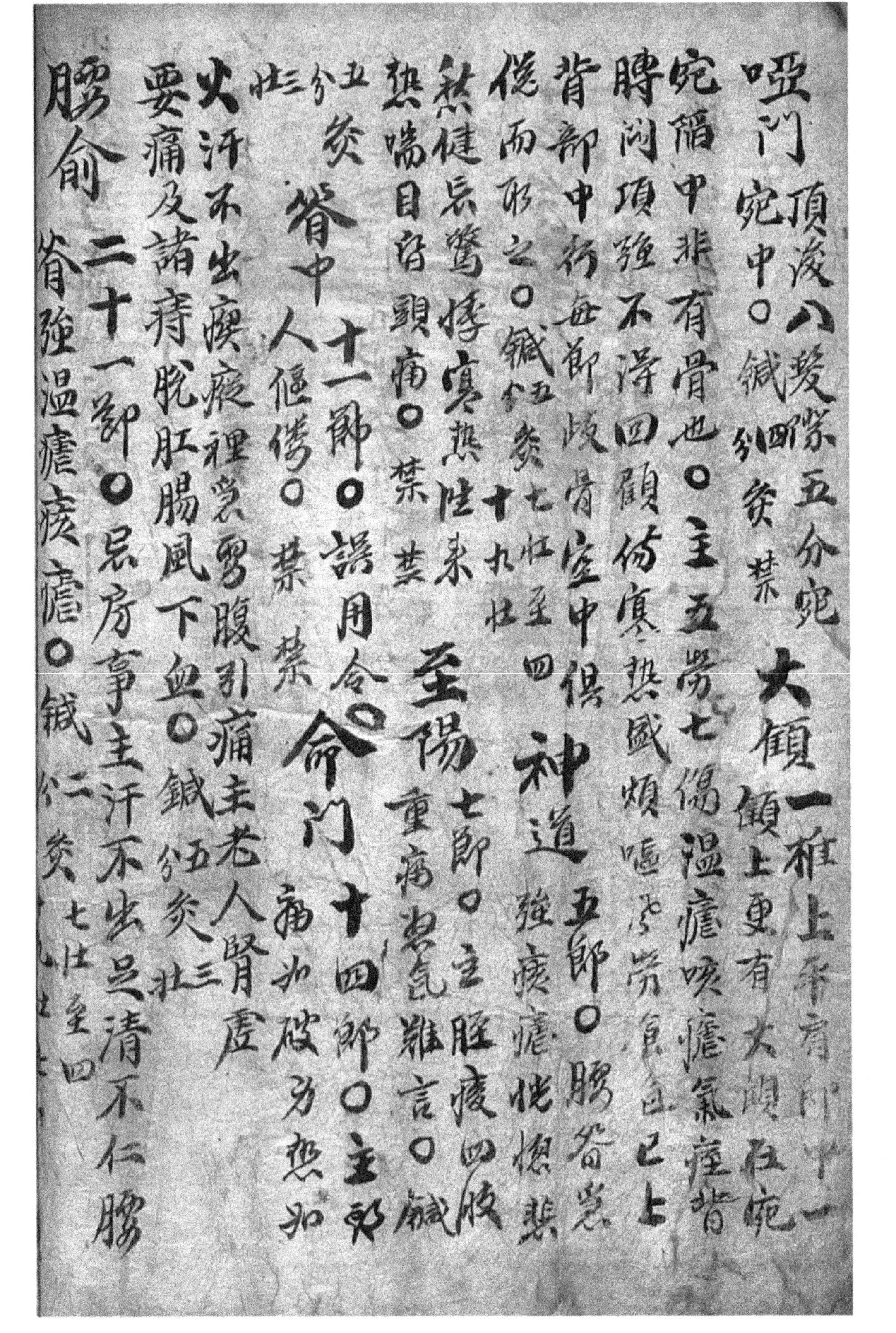
啞門項後入髮際五分宛宛中○鍼四分灸禁
大顀一椎上平肩門中一顀上更有大顀在宛宛陷中非有骨也○主五勞七傷溫瘧咳瘧氣痓背膊悶項強不得回顧傷寒熱風煩嘔吐勞食已上背部中行每節脊骨空中俱從而取之○鍼五分灸七壯至四十九壯
神道五節○膠脊急強瘧痛悲懊熱熱健忘驚悸寒熱往來
至陽七節○主脛痠四肢重痛胸氣難言○鍼五分三壯
熱喘目眩頭痛○禁 禁
灸
脊中十一節○誤用令人傴僂○禁 禁
命門十四節○主頭痛如破身熱如火汗不出瘈瘲裡急腰腹引痛主老人腎虛要痛及諸痔脫肛腸風下血○鍼五分灸三壯
腰俞二十一節○忌房事主汗不出足清不仁腰脊強溫瘧痰瘧○鍼二分灸七壯至四

長強 背脊骶尾骨下陷中趺坐地上取之○主痔漏心痛長風下血五痔疳食小兒脫肛瀉血秋深不較驚癇瘈瘲吐注驚恐失精目昏頭重洞瀉要脊強痛寒痙癲疾○鍼二分日灸三十壯至三百壯止

任脈

承漿 下唇下宛宛陷中開口取之○主偏風口喎面腫面風口不開口中生瘡目眩䐜小便黃或不禁消渴嗜飮及暴啞

廉泉 頷下結喉上舌本間○舌下腫難言瘈瘲涎多不言○鍼二分灸三壯

天突 頸結喉下寸空潭宛宛中及陰維任脉之會也○咳嗽上氣壹塞胸中喉咽狀如水雞聲肺癰膿血氣壅不通喉中熱瘡不下食咳嗽小氣喘息唖沫口噤舌根急縮飮食難下○鍼三分灸三壯

挾舌縫脉青暴怖氣哽咽喉痺咽乾欬
逆喘急及背肩痛○鍼一寸灸三壯
華蓋 璇璣下一寸六分陷中○胷脇滿痛引胸中咳
逆上氣喘不能言○針五分灸五壯
膻中 玉堂下一寸六分陷中横直内乳中間○肺癰咳
嗽上氣唾膿不食胷中氣滿如塞○不宜針灸
七壯至四 中庭 鳩尾上一寸膻中下一寸六分陷中○
十九壯止 胷脇支滿嘔逆飲食不下○針三分灸五壯
鳩尾 臆前蔽骨下五分無蔽骨者從歧骨際下行一寸取
之言其骨垂下如鳩尾之形也已上腹部中行俱止
文取之 巨闕 鳩尾下一寸○心中煩悶熱病胷中痰
禁 禁 飲息賁唾血風顛狼言或作馬鳴不食死
力 数種心痛虫痛蠱毒霍乱不識人及腹滿
暴痛汗出手臂不舉○針一寸二分 灸七壯至四十九壯止

上脘鳩尾下二寸○心中煩熱脹滿不能食霍亂吐利心
痛不得臥心風驚悸悶喘伏梁氣賁豚氣風癎
熱痛身熱汗不出三虫中脘鳩尾下三寸資欲金者
多涎○針八分日灸二七壯至百壯不瀉再停宜灸胃脘○頭熱目黄
鼻衄衄背與心相引而痛停水喘脹臍下堅痛寒中
傷飽飲食不化腹熱喜渴多涎有蛔腹脹便堅翻胃
霍亂心痛熱温瘧瘧天行傷寒或曰下脘鳩尾下五
讀書得賁○針一寸二分日灸七壯累灸至百壯止寸○腹胃
不調不能食腸堅腹痛胃脹癖塊脉厥脉動
日漸羸瘦穀食不化○針一寸日灸二七壯至二百壯止
水分鳩尾下六寸○主水腫腹脹腹痛堅繞臍衝胸
不得息日灸七壯至四百止若是水腫宜針入
一寸灸之神闕即臍中央資久冷傷憊泄利不止
大良禁中風不省人事依灸此穴○主腹

四寸中脘穴針八分任子脈上
水分穴針一寸任子脈上一寸

大繞臍疼痛水腫皷脹腸中雷鳴狀如水聲久冷虛
憊泄利不止及小兒奶利不絕貧每歲以鼠糞灸一
壯老人顏如童子左手之無力灸此而百壯小兒
愈中風灸三五百壯○針素灸五壯七壯
○陰交臍下一寸○主臍下熱水氣痛狀如刀攪作塊
如覆杯奶人月水不調崩中帶下或因產後惡
露不止繞臍冷痛臍下氣海臍下一寸半○主臟氣
寒疝痛○針八分三七壯至七百壯虛憊一切氣疾小腹疝
氣遊行五臟腹中切痛冷氣衝心驚不得卧漏人惡
露不止繞臍疼痛氣結成塊狀如覆杯小便赤洪貧
宜頻灸此穴以壯九阳疾作後灸石门又名丹田臍
恐脫○針一寸二分灸三十壯高者百壯年下二寸三焦
之募諸氣之會○主大便閉塞氣結心腹堅滿痛引
陰中不得小便并小腹中拘暴痛汗出并水氣行皮

中小腹皮敦敦然或小便黄赤氣滿不欲食穀入不化
嘔吐賁豚氣上入小腹疝氣遊行五藏繞臍疝痛衝
胸不得息資府藏虛乏下元冷憊
宜灸七七壯或二五百壯五分。二七壯至百壯女人灸絶産
關元臍下三寸。主臍下疠痛
或結血狀覆杯遍人赤白帶下或因産惡露不止斷
緒産道及臍下脹滿小腹熱而偏痛臍下冷疾不
臥小便皆治及腸中展血膀胱乱淋血淋石淋及小
便數及泄瀉不止石水賁豚氣入小腹暴疝痛歹熱
動痛陰囊。針二寸
中極臍下四寸資陽氣虛憊絶
日灸七壯至三百壯日三百壯
子宮灸。主淋疾小便赤系
道痛臍下積塊如覆石痛入因産惡露不止遂成疝
瘕或月事不調血結成塊拘攣腹痛月水不下乳餘
疾絶子陰癢子門不端小腹苦寒賁豚搶心飢不石
胞衣脹繞閉而溺少便不利失精恍惚尸厥饑瘦一寸二分日灸三七壯至二百壯

曲骨中極下一寸毛際陷中○主小便脹血癃小便難及癩病小腹痛婦人赤白帯下○針一寸灸五壯

會陰肛门前二陰後兩陰間○主痔與陰相通者死陰中諸病前後相引痛不得大小便陰寒衝心女子月經不通賁主陰頭寒○針二寸灸三壯

別穴雖不出銅人經而散載諸方故謂之別穴

神聰四穴在百會前後左右各去一鍼三分寸主頭風目眩風癇狂乱

當陽二穴在直目上八髮際一寸血鍼三分絡主風眩不識人鼻塞症

太陽二穴在兩額角眉後針出青絡治偏頭痛血

明堂一穴在鼻直上八髮際一寸主
頭風鼻塞多涕上星穴是
眉衝二穴在目外眥上銳髮動針二
脉主五癎頭痛鼻塞穴
鼻準一穴在鼻柱尖主鍼出
鼻上酒齄血
耳尖二穴在耳尖捲耳取灸七壯不
之治目生白膜宜多灸
聚泉一穴在舌以舌出口外蹉直有縫陷中治哮喘
咳嗽久不愈用生薑切薄片搭舌上中灸
七壯不宜多灸○熱喘用雄黃末少許和艾炷灸○
冷喘用款冬花末小許和艾炷灸灸之畢即用生薑茶
清繳呷下若舌胎
舌強少刺出血

海泉一穴　在舌下中央脉上治消渴

百勞二穴　在大椎向髮際二寸點記將其二寸中摺墨記橫布於先點上左右兩端盡處是治瘰癧　灸七壯　神效

精宮二穴　在脊十四椎下各開三寸半治夢遺　灸七壯　神效

胛縫二穴　在肩胛端腋縫尖主治肩背痛連胛　鍼三分

環岡二穴　在小腸俞下二寸橫紋間治大便不通　灸七壯

腰眼二穴　令病人解去衣服直身正立於腰上脊滑兩傍有微陷處是謂腰眼穴也先計癸亥

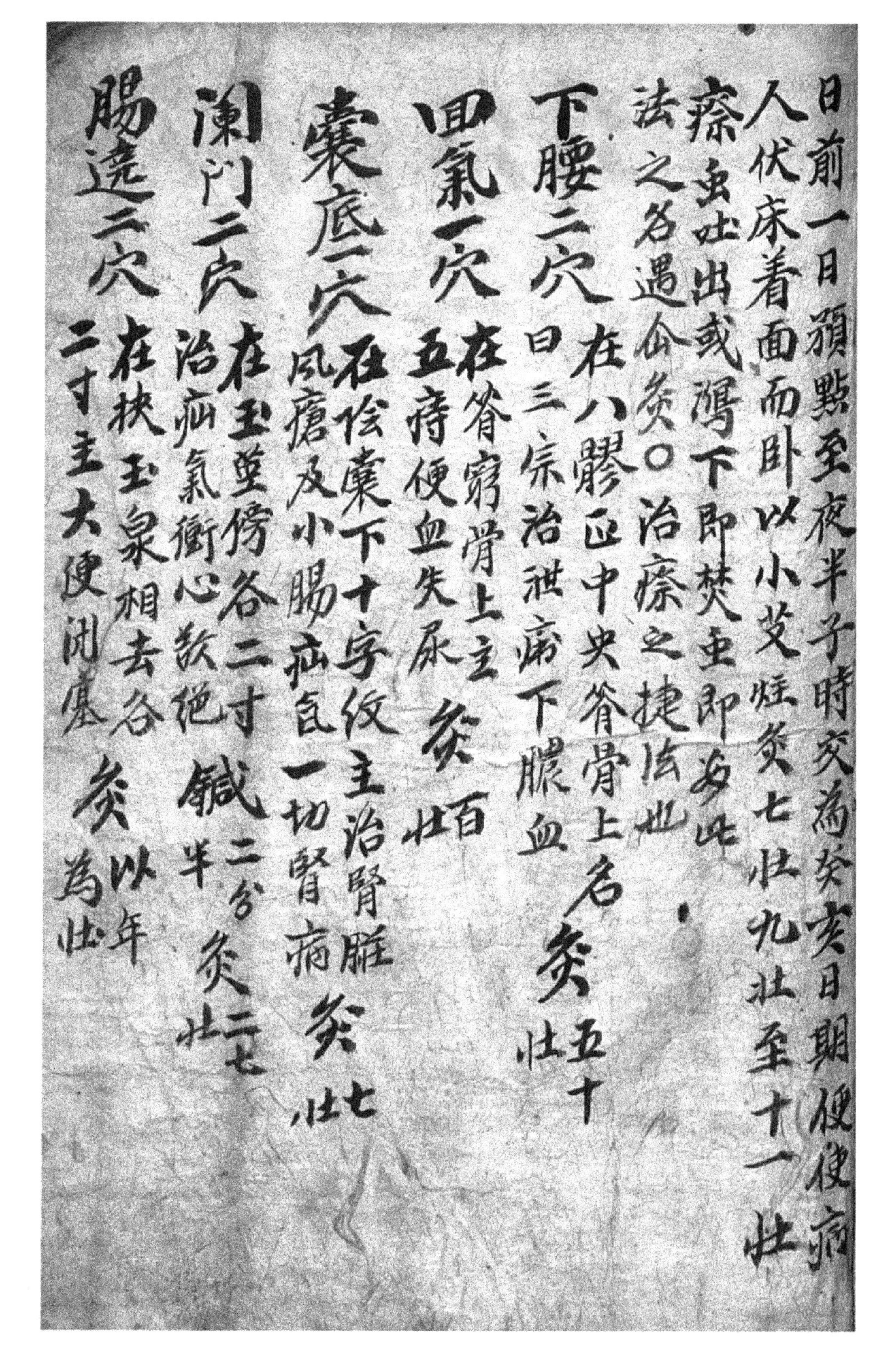
日前一日須點至夜半子時交為亥日期便使病人伏床着面而卧以小艾炷灸七壯九壯至十一壯瘵虫吐出或瀉下即焚虫即安此法之名遇仙灸○治瘵之捷法也

下腰二穴 在八髎正中央脊骨上名曰三宗治泄痢下膿血 灸五十壯

回氣一穴 在脊窮骨上主五痔便血失尿 灸百壯

囊底一穴 在陰囊下十字紋主治腎臟風瘡及小腸疝氣一切腎病 灸七壯

闌門二穴 在玉莖傍各二寸治疝氣衝心欲絕 鍼二分半 灸二七壯

腸遶二穴 在挾玉泉相去各二寸主大便閉塞 灸以年為壯

肩柱二穴在肩端起骨尖主治瘰癧及手不舉灸七壯

肘尖二穴在屈肘骨尖治瘰癧又治腸癰灸則臏下肛門灸百壯

龍玄二穴在列缺之後青絡中治下牙痛一云在側腕上交叉脉灸七壯

呂細二穴在足內踝尖主治上牙痛灸二七壯

中泉二穴在手腕陽谿陽池之中兩筋間陷中治心痛腹中諸氣塊灸七壯

三白四穴在掌後橫紋上四寸手厥陰脉也兩脉相並而一穴在兩筋中又一穴在大筋外主

痔漏下血痒鍼三分瀉兩吸灸三壯

中魁二穴在中指第二節尖上灸五壯吹
主五噎吞酸嘔吐火自滅
五虎四穴在食指及無名指第二節五
尖屈拳取之治五指拘攣灸壯
大都二穴在手大指次指間虎口赤白肉針一七
際屈掌取之治頭風牙疼痛分灸壯
上都二穴在食指中指本節歧鍼一七
骨間治手臂紅腫分灸壯
中都二穴在手中指無名指之間本鍼一三
節前歧骨間治手臂紅腫分灸壯
下都二穴在手小指無名指之鍼一三
間本節前歧骨間分灸壯
已上四穴一名八邪又名八関治
大熱眼痛睛欲出鍼出血立止

四縫左右十六穴在手四指内中節横紋紫脉鍼出血

十宣十穴在手十指頭端去爪甲一分治乳蛾鍼一分

大空骨二穴在手大指第二節尖上治眼爛風眩灸九壯以口吹火滅

小空骨二穴在手小指本節尖治眼爛風眩灸九壯以口吹火滅

旁廷二穴在腋下四肋間高下正與乳相直乳後二寸陷中名注市舉臂取之主卒中惡飛尸遁疰胸脇支滿鍼五分灸五壯五十

通関二穴在中脘穴傍各五分主五噎左撚能進飲食右撚能和脾胃此穴一鍼有四

效〇下鍼良久後覺脾磨食又覺鍼動為一效〇次覺鍼病根腹中往絣為二效〇次覺流入膀胱為三效〇次覺氣流腰間為四效　鍼八分

直骨二穴　在乳下大約紋離一指頭看其底陷處與乳直對不偏者是〇婦人按乳頭直向下乳頭厮到處正穴也慎勿差誤主積年咳嗽艾炷如小豆大男左女右灸三壯〇如不愈不可治

陰都二穴　在臍下一寸五分兩傍相去各三寸　鍼五分

氣门二穴　在開元傍三寸主治婦人崩漏　鍼五分

胞门一穴　在開元左傍二寸治婦人無子　灸五十壯

子户一穴在開元右傍二寸治婦人無子 灸壯五十

子宮二穴在中極兩傍各五分

鶴頂二穴在膝蓋骨尖上主治兩足癱瘓無力 灸壯七

膝眼二穴一名百虫窠又名血郄在膝蓋下兩旁陷中主治腎臟風瘡及膝臏痠痛○鍼五分留三呼○灸禁一云三七壯

風市二穴使病人正立以兩手自然垂下第三指尖端是穴主治中風痃 灸壯七

營衝二穴一名營池在足內踝前後兩邊池中脉主赤白帶下小便不通鍼三分灸壯卅

漏陰二穴在足內踝下五分有脉微微動主治赤白帶下鍼一分 灸壯卅

交儀二穴在足内踝上五寸 主婦人漏下赤白 灸三十壯

陰陽二穴在足大拇指下屈裏紋頭白肉際 主婦人赤白帶下 灸二七壯

獨陰二穴一名八風又名八邪在足四指間主治婦人月經不調須待經定爲度又治足背上紅腫 鍼一分灸一壯

足内踝尖二穴在足内踝尖 治下牙疼又治足内廉轉筋 灸七壯

足外踝尖二穴在足外踝尖 治脚外轉筋又治寒熱脚氣 灸七壯

獨陰二穴在足大指次指内中節横紋當中 主胸腹痛及疝痛欲死男左女右 灸五壯 神妙

内大衝二穴在足太冲穴對内傍隔大筋陷中乱 足厥陰主治疝氣上衝呼吸不通 鍼一分灸三壯 極妙

甲根四穴在足大拇指端爪甲角隱處鍼一分灸三壯
爪根左右爪肉甲出際治疝極妙

頭面部　頭痛及眼疾赤目赤證全用瀉法其他訂宜
奇補平瀉

頭目癰腫脇膝支滿肘内血絡及陷谷多出血立差　偏頭痛目䀮之不可忍風訓
頭維本神患左治右患右治左皆留針十呼引氣即差神效　兩眼外眥上鬢髮動脈各三壯立效如中封腎俞肝俞尺澤合谷下三里　面蒼黑行間
頭面風癢發作一二日未腫形如火爛突起如榛子或如潤太因漸大氣息奄奄急以三稜針亂刺多處及四畔未暈不計其處多出惡血后附即蘇色後如常翌日更觀未盡處及新暈針刺隨腫隨針附神效

耳部　耳屬腎左主氣右主血耳塞噪者九竅不通　心主竅心氣通耳氣通於腎故心病則耳噪亦鳴不聽遠

耳鳴不能聽遠 心俞卅壯

耳痛耳鳴 以葦筒長五寸切斷一頭插於耳孔以泥糊密封于筒之口畔而外出筒頭以艾灸七壯左取右右取左 又方 取蒼朮以四稜鍼鑽穿孔如升筒一如右葦筒法灸之三七壯有大效

耳聾 先刺百會次刺合谷腕骨中渚後谿下三里絶骨崑崙並久留針腎俞二七壯至隨年為壯

虛勞羸瘦耳聾 腎俞三七壯 心俞三十壯

目部

目屬肝心生血肝藏之目得血而能視掌得血而能握足得血而能步

目睛屬五臟 黑睛屬肝 白睛屬肺 白黑間屬脾 瞳子屬腎 眼胞屬心 各隨其經治之無不神效

○迎風冷淚 睛明 腕骨 風池 頭維 上星 迎香

風目眶爛 太陽 勞陽

尺澤皆針桒 先着瞖膜出處隨經遂 又方 肝俞七壯

血如糞神效 目生白瞖 日通氣時無不神效 第九椎灸

上七壯合谷外関睛明崑崙久並留針 大字骨九壯吹火滅

手大指内側横紋頭各三壯 手小指本節尖各三壯 耳尖七

壯不宜多灸 目睛痛無淚 中脘内庭皆久留針即瀉神效 眼眶上下有青黑色 尺澤三分

針下神效 瞳子突出 湧泉然谷太陽太衝合谷百會

上髎次髎中髎下髎肝俞腎俞

大人小兒雀目 肝俞七壯 手大指中節第一節横紋頭白肉際各灸一壯

口部 口屬脾 鼻屬肺 上齒上腭斷及唇屬胃 下齒下斷及唇屬大腸 督脈任脈主中行 各隨其經治之 萬無一失

胃熱口臭 肺熱喉辛 脾熱口甜 口唇 膽熱口嘔苦 心熱口苦 口干 肝熱口酸 腎熱口鹹 胃

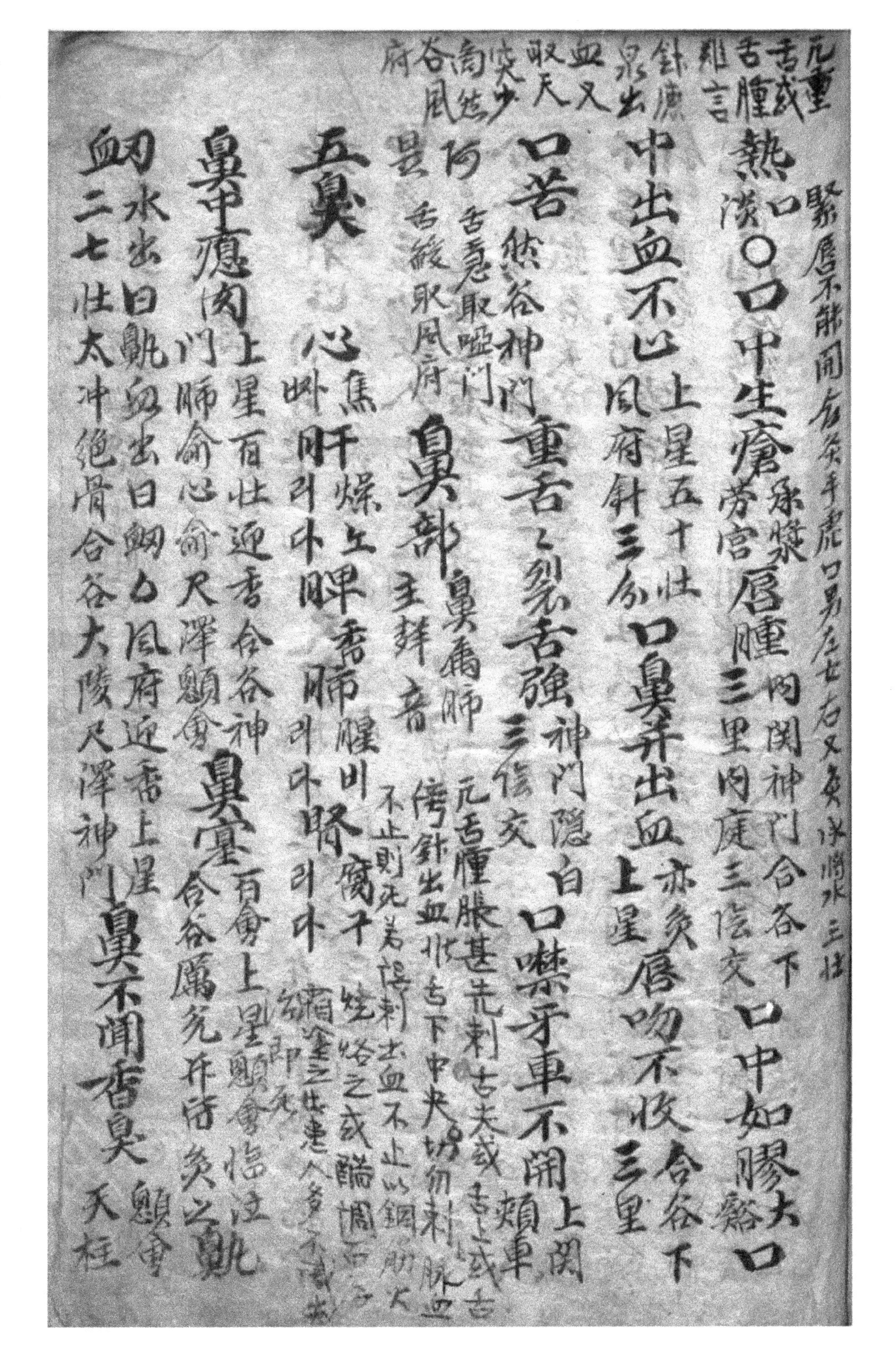

緊唇不能開合灸手虎口男左女右又灸承漿水三壯

元重舌或舌腫難言

熱口淡○口中生瘡 承漿 勞宮 唇腫 內關 神門 合谷 下 三里 內庭 三陰交 口中如膠 大口 谿

針鹿泉出 中出血不止 上星五十壯 風府針三分 口鼻并出血 上星 亦灸 唇吻不收 合谷 下 三里

血又取天突少商然谷風府

口苦 然谷 神門 重舌 ﹅裂 舌強 神門 隱白 三陰交 口噤 牙車不開 上關 頰車

阿 舌急取啞門 昙 舌緩取風府 鼻部 鼻屬肺 主辨音

元舌腫脹甚先刺舌尖或舌上或舌下脈血 傍針出血如舌下中央切勿刺 脈大 不止則死若誤刺出血不止以銅…火

五臭 心焦 肝燥 脾香 肺腥 腎腐

鼻中瘜肉 上星 百壯 迎香 合谷 神門 肺俞 心俞 尺澤 顱會 鼻窒 百會 上星 顖會 臨泣 合谷 厲兌 弃活 灸之 鼽

衄 水出曰鼽 血出曰衄 ○ 風府 迎香 上星 鼻不聞香臭 顖會 天柱

衄 二七壯 太冲 絕骨 合谷 大陵 尺澤 神門

水溝并灸

衄血不止唇不能言 肝俞 合谷 間使 大谿 靈道 風府 太冲

欬嗽 凡痰喘因熱而上謂火氣炎上故也

欬逆不止 自大椎至五椎節上灸隨年壯 又方 期門三壯立止 又方 在乳下容一指許正與相直肋間陷中灸三壯 女人以屈乳頭取出灸 男左女右到肌立止

失音 魚際 合谷 間使 神門 然谷 肺俞 腎俞

吒喘 上星七壯 合谷三壯 大淵

嘔吐不下食 中脘針 然谷針

喘急 上星 合谷 大谿 大陵 列缺 後谿 然谷 天突 心俞二十壯 下三里久留針下其氣

哮喘 天突五壯 又以細索套頸量鳩尾骨尖其兩端旋後脊骨上索盡處點記灸七壯或三七壯

霍亂 胃酒及粥湯皆吐 間使三壯 中脘針神效

痰喘 膏肓俞灸 肺俞灸 腎俞灸 合谷 尉太

淵針天突灸七壯神道乾嘔期門三壯肺癰咳嗽上氣天突亶中膏肓俞肺俞腎
三七壯亶中七〻壯
俞騎竹馬穴七壯諸穴咳喘飲水太淵神門支溝中渚合谷喘嘔欠伸太淵中脘
㐃效無適於此穴也
三下里三氣血內損真絲鴻天澤補間使神門太沖肺俞痰涎
陰交并針百壯肝俞百壯脾俞三壯下三里
然谷復溜喘脹不能行期門五壯中脘下三里結積留飲脾俞
腎俞並灸並針合谷上星並灸五壯
照海三壯中脘
針留十呼而出

咽喉前頸後咽也若腑寘
臣咽門破而聲嘶

噎者皆由於陰陽不恒三焦隔絕津液不利於合人氣隔成噎
也〻足陽明胃經肺經心經小腸經皆絡於喉嚨凡治者

累年各隨其經應手　算鍼号안침乭천乭乭吞天窓穴在頸大筋前

喉痺針之萬無一失　䥶曲頰端下陷中以針日刺患邊一二寸許

男左至喉內勿変而後即出旋　𨖆鍼号안침두천다乭乭吞天窓尺

女右手大使病人呑涎無碍神效　澤神門下三里大谿太谿針少商

指甲及大拇指爪甲後根排刺三　咽喉不腫而熱塞呑飲從鼻還出

第一針口如病急一日再針神效　喉腫胸脇支滿　尺澤大谿神門合

節灸　灸不愈然谷合谷　然谷內関中渚絶骨

三壯　并灸留針即瀉

喉痺根痛　頰頸項痛胃經膽經凡病痛者為深

常蔵為耳　頸痒者為虛邑者宜臨機應变

垂珠下半

寸近　牙頰痛合谷下三里神門列缺童玄三壯在手腕

腮骨　腕上交叉脈呂細三七壯在外踝因踝尖　項強風門肩井風池

灸七　崑崙天柱風府絶骨詳其經絡治之無針何患穴隨病

壯二　隨針之法詳在於手臂痠痛之部能行此無不神效

七壯

牙疼百藥不效灸兩耳當三壯立止

齒部 齒者骨之餘骨者腎之精也凡人患齒者多由於日食夜飲所致也

上下齒痛 并灸手表腕上踝骨尖端三壯若不愈更灸七壯左痛灸右右痛灸左神效

上齒痛 下三里灸七壯 **下齒痛** 合谷灸七壯

又方 灸痛齒七壯愼勿加灸必患附骨疽 **又方** 取尺寬畫人口形又明計病人口上下齒之先以墨筆畫記於畫口內仍察痛齒第幾而於畫齒上灸三七壯不然日又差神效也

齒齲痛 버례여ᄃᆞ니 合谷列缺屬兌中渚神門下三里

齒齗腐 合谷中脘下三里并針承漿七壯勞宮一壯

心胸 手三陰經主之乃資云心邪宮所心中暴痛忽所心煩惕然失智

心惕惕失智 內關百會神門 **胸腹痛或痰厥胸痛** 量三椎下近四椎上濟脊骨上兩傍

各五分灸三七壯至七七　卒心胸痛汗出　間使　神門　列缺　胸滿
壯即立差神效也　大敦刺出血
逆氣悶熱　心俞二七壯　膻俞三　積年胸痛　足大指爪甲后本
灸七壯　厥陰俞隨年壯　根爪甲后半分中
灸七壯男左女右太冲三壯　獨陰五壯　真心痛　爪甲俱青足冷
章門七壯立愈若或不愈即更灸之　半日死旦發夕
死夕發旦死　胸痛吐冷酸水　太冲三壯　内關二壯　獨陰五壯　足
不可治也　大指内初節橫紋中三壯　尾窮骨
灸五　心熱不寐　解谿湧　胸痛如刺手卒青　間使　内關　下三
十壯　泉補立愈　里　支溝　大谿　少
冲　膻俞　冷氣衝心痛　内關　太冲三壯　獨陰五壯　臍下六寸兩傍
七壯　各一寸灸三七壯　又以繩量患人口
兩角為一寸往三摺成三角以一角安臍心兩
角在臍下兩傍盡處點記灸二七壯立差矣　驚恐心痛　神門　少衝

然谷陽陵心恍惚天井心俞胸腹痛暴泄大都陰陵泉心痛嘔
泉内関百會神道太白中脘針
涎有三侶時多心痛面蒼黑欲死尺澤針支溝瀉下三里留針
涎上脘七壯合谷灸七壯大陵三壯太冲
心悲恐煩熱神門大陵臾際通里大淵公
孫肺俞隱白三陰交陰陵泉心風心俞卅壯中風
脘曲澤益劇
眩臨泣陽谷胸引兩脇痛肝俞内関胸痛口噤期門三壯大陵
腕骨中膝臾際絶骨神門陰囊下十
字紋胸連脇痛期門章門絶骨胸中瘀血下三里内関胸噎不
三壯神門行間湧泉神門大淵
嗜食間使関衝中脘針
期門三壯然谷
腹脇方無熱痛治在足三陰經及五臟俞穴若
冷氣留注痛針刺付缸灸法在腹脇門求

胃脘痛肝俞脾俞下三里膈俞太冲行間飲食不下腹中雷鳴
兩乳下各一寸灸之二十壯
大便不節小便赤黃中脘針大腸俞膀胱俞魂門在九
椎下兩傍各三寸半可灸三壯吞熱不
調繞臍攻注疼痛氣海三七壯天樞百壯
大腸俞三壯太谿三壯腹脹堅臍小腹亦堅
水分中極各百壯三焦俞膈俞各三壯腎三陰交腹脹及
俞以年壯太谿太冲三陰交脾俞中脘針腸鳴痛公孫
用作長釘而釘口以手三指容入乃能
諸處流注刺痛不可忍吸毒如隨其痛每一處以三稜針刺四
五穴并八釘口肉付釘灸七壯
隨痛隨針亦付釘灸累壯神效
腫脹浮腫鼓脹乃脾胃不和水穀停
行皮膚大小便不利之致如

滿身卒腫面浮洪大內踝下白肉水腫腹脹水分三陰交陰交
際三壯立效　各百壯各治五臟
俞穴中脘針後拔其孔四肢面目浮腫照海人中合谷下三里
勿令出水陰蹻七壯　絶骨曲池中脘針髖骨
脾俞胃俞　浮腫及鼓脹脾俞胃俞大腸俞膀胱俞水分
三陰交　中脘針下三里小腸俞三陰交
積聚積主臟病聚主腑病積者飲食包結不消聚者瘀伏
膈上主頭目眩痛多自唾涎或致微熱々
瘀積成塊肺俞百壯奔豚氣小腹痛々氣海百壯期門三壯衝
期門三壯　陰五壯章門百壯腎俞年壯太冲
太谿三陰交　小腹積聚膀脊周痺咳嗽大便難腎俞年壯肺俞
甲根各三壯　大腸俞肝俞太
冲各七壯中　中極百壯懸樞三壯在十
泉衝陰曲池腹中積聚氣行上下三椎下節間伏而取之又

方　痛氣隨往隨針付缸灸必以　痞塊專治痞根穴在十三椎下

三稜針○缸灸法在腹部　塊兩傍各三寸半多灸左邊

○若左右俱有　塊頭上一穴針八二寸半灸二七壯塊中一

塊并灸左右　又方　穴針八一二寸灸三七壯塊尾一穴針八

三寸半　脘下結塊如盆　關元間使各卅壯太冲太谿三陰

灸七壯　交各三壯腎俞以年壯三陰五壯　伏梁

及奔豚積聚　章门脾俞三焦俞

中脘三陰太冲

手臂　脾主四肢以手足諸瘀腫痛皆屬脾胃

凡痛痒瘡瘍皆屬心火也

手臂筋攣酸痛專廢飲食不省人事者　急者以左手大拇指按

捻筋結住痛處使不得

動移即以針貫刺其筋結處鋒應手傷筋則廢痛不可忍處是

天應穴也隨痛隨針神效不然則再針○凡刺經絡諸穴無過

手足亦攣癃　五關三里　肩髃曲池　公孫　環跳　風市　中渚

柁此法以針傷筋時即差針不傷筋　手足指節蹉跌痠痛久不
時即寔即還刺其穴時少歇矣
愈屈其傷指限炎骨內縮即以圓針刺　肘節痠痛使病人屈肘
深刺其約紋空而拔諸折傷同　曲池穴至近
橫紋空處以針深刺穿出肘下外炎
慎勿犯筋不至十日自差神效矣　肩痛累月肩節如膠連接
不能擧　腋肩下腕上兩間空處針刺針鋒幾至穿出炎　落傷打
外一如治肘之法慎勿犯骨毋刺筋結處神效
撲傷各隨其經鍼刺又取天應穴針　兩臂及胸轉筋大陵七壯
刺後多入艾氣使其瘀血和解　膻中巨闕
尺澤并治　臂細無力　肩髃曲池列缺內關外關絶
手足筋急　尺澤支溝中渚　肘腕酸痛重　骨神門合谷
中脘針若筋急刺　曲池肺俞脾俞
天應穴並不即效　臂內廉痛炎痒　神門針中脘針　手五指不能

屈伸曲池下三里外関支溝合谷中脘斛絶骨　左手足無力　神闕
中渚手大指内歴茅一節横紋頭一壮　湧泉灸五
百壮如不愈　兩手大熱如在火中　壮文效
加灸五百壮

腰背　膀背痛者腎気虚弱而劳風坐臥觸冷之類外雖病
不難其灸膀病医灸多膀胱經及肝膽經夆中宜
用紅灸每灸斛刺每
灸紅灸七次神效

腰痛不能屈伸　腎俞夆中尾窮骨上一寸七壮自灸左右各五
分七壮　又方　曲瞅横紋頭四灸各三壮此穴
非一时以火使出一時自滅一灸灸不效其疾不愈　又方　令
患人正立以竹柱地面竪量統記之於其端着後脊骨上其竹
未灸随年壮後即藏
其竹勿令病人得知　腰脊疼痛溺濁　章门百壮膀胱俞腎俞　腰
夆中次髎氣海百壮

痛腹鳴胃俞年壯大腸俞三陰老人腰痛命門三壯腰背傴僂
交太谿太冲神闕百壯腎俞年壯
后于崑崙肝俞期門脊骨傍左右突起得高處以針深刺
各三壯七風池七壯又方灸百五壯至七八百壯若病歇時不
必盡其 腰腫痛崑崙委中太
效矣 冲通里章門
脚膝此患皆由於腎氣虛弱而寒濕外來之致
也諸筋皆屬膽諸骨皆屬腎四末屬脾胃
脚酸不能屈伸難久立而陰蹻三壯中脘斜兩曲瞅橫紋頭五壯
人分左右同吹滅火一炙炙不致日
甚疾不 脚足內外踝紅腫日久不膿不差灸騎竹馬穴七壯若
愈也 不愈時更灸和介氏
之法 脚足轉筋不忍內筋急內踝尖七壯外筋急外踝尖七壯
神效 ○承山在腨腸分肉間陷中二七壯効之

脚氣亦皆什引中脘針三陰交灸針腹下脈間必有結核

後勿爲飽食經七日更針神效 又方 以針貫刺灸針後三

七壯 以圓利針貫刺其筋四五處後令人緣

立效 手足筋攣蹇澁 抉病人病處伸若屈之屈若伸之以差

爲度 鶴膝風 膝如大瓢而膝之上下皆細身熱痛 中脘委中風

神效 以火針神效

崑崙 大杼絶骨復溜 以熱

足掌痿針 骨髓冷痛 申脈隔死腎俞 脚足寒冷不可忍 手久

拇冷撤于手足是痼冷也腎俞大杼下三里絶骨太冲

太谿陰蹻各七壯至三七壯止或用灸瘢上炒艾熨之肌膚温

而病人自言寒冷不可忍者是氣不通也 即針十宣八邪穴

立效。一身洞然

膝上腫痛身屈不行 陰陵泉七壯至七七 諸節痛 陰陵泉膽俞

壯中脘針無不神效 風池絶骨

便毒外關兵太冲太谿 又方 如多以墨筆書其病人之父 又方
照海僕參承針 姓名與不令日不膿立差
以圓針貫刺其核 四肢不收怠惰嗜臥 脾俞三陰交章門
灸三七壯永差 照海中脘針解谿

風部 諸風掉眩皆屬肝木亡危 到斜 喎僻乃証
色過度飲食失節之致 心肥人多濕瘦人多火
凡人未中風之前只腿痠麻頑痺良久乃解 此將中風之候 心
急灸三里絶骨左右四穴各三壯 用薄荷桃柳葉煎水淋洗使
灸瘡發膿若瘡好 杜 灸忌生冷雞猪酒麵房勞卜物慎勿觸風
更灸杜好瘡更灸 又忌發怒若不慎攝雖鬼莫能救
言語蹇澁半身不遂 百會耳前髮際肩井風市下三里絶骨曲
池列缺合谷委中太冲照海肝俞支溝間
使觀証勢加減 患 合谷地倉頰車大迎下 又方 以筆
左灸右患右灸左 口眼喎斜 三里間使灸三七壯 筒長

五寸一頭挿於耳孔以泥麵密封罰之四畔令不得泄 偏風口
氣甚一頭上另炙灸七壯至二七壯一如右法換治
喎 間使左取右〻取左灸三七壯立差神效
灸後令患人吹火即乃知口正此其驗矣 卒惡風不語肉痺
不知人 神道在第五椎節下間悅 遍身痒如虫行不可忍 附炎
而取之灸三百壯立差 七壯
曲池神门針 歷節風 마듸아파보이알는 中風口噤瘲塞如引
合谷三陰交 吞風池絶骨膝俞
鉅聲危海関元各三壯又灸 角弓反張天突先針亶中太冲肝
嗜唱參頭法在咳嗽部 俞委中崑崙大椎百會
中風眼戴上及不能語者灸第二椎並五椎上各七 五臟之病
壯同灸炷如半棗核大
各灸五 太息善悲行間丘墟神门下三里 搖頭手轉灸 大顀肩髃
臟俞穴 日月在期门下五分 曲池合谷

癲癇

癲癇百會神庭各七壯鬼眼三壯陽谿間使三十壯神门又方
心俞百壯肺俞百壯申脉尺澤太冲諸灸曲池七壯又足大指本節内
陰莖頭尿孔上宛宛中三七壯着火氣即絞及稻陰穴各
差不問男女重者七七壯輕者五壯七壯
七壯狂言喜笑陽谿下三里神门陽谷水溝列鬼邪間使仍針
壯缺大陵支溝神庭間使百勞後十三穴
一鬼宮人中穴 二鬼信手大指甲下八肉三分 三鬼壘足大指爪甲下八肉三分 四鬼心
太淵穴◯ 若是邪蠱便自言說由來往驗有案求去與之男從
八半寸 左邊針女從右邊針若多穴不言便通下排穴
五鬼路申脉穴火針七鋥 六鬼枕大椎上八髮際一寸 七鬼床耳前髮際穴 八鬼市承漿

九鬼營勞宫　十鬼堂上星穴火針七鋥　十一鬼茫舌下縫灸三壮　十二鬼臣曲池火針
十三鬼封舌下縫針貫舌　◎見鬼陽谷商丘三陰交　善笑百會水溝　風癲
及發狂欲走，神自高悲泣呻吟謂邪祟也，先針間使，後十三穴　罵詈不息，身
祢鬼語心俞百壮，鬼眼、後谿、大陵、勞宫、湧泉各三壮，風府　又灸唇吻頭白肉際一壮　又灸唇裡中央肉按上一壮
狐魅顛狂鬼眼三壮，神庭百壮　羊癇吐舌目瞪，聲如羊鳴，天庭、巨闕、百會、神庭、湧泉、大椎各灸，又九椎節下間
三壮，手大指爪甲合　牛癇直視腹脹，鳩尾、大椎各三壮　馬癇張口搖頭反張，僕參、風府、臍中
結四隅各三壮，妙
各三壮，金門、百
會、神庭亦灸　大癇勞宫、申脉各三壮　雞癇善驚反折，手掣自搖，靈道三壮，金門，針足臨泣、內庭

各三猪癇如尸厥吐沫崑崙僕參湧泉勞宮少衝各五癎吐沫
壯三壯百會率谷腕骨各三壯內踝尖三壯
後谿神門心俞百壯鬼目戴上不識人顖會行間
眼四穴各三壯間使巨闕皆灸

厥逆痰厥頭痛者必灸頭部能出
若乃痰凝經絡氣不流行故也
從男左女右以繩圍患人附還至乾踝處截斷以尸
吐痰厥逆甚繩頭從大椎尖下行脊骨上繩頭盡處五十壯
厥謂急死也人中針合谷太冲若脈微似絕灸間使針復四肢
厥皆灸下三里絕骨神闕百壯溜大敦神效
轉筋厥逆內庭列缺陰交至陰承山二七壯合谷太中又內
筋急灸內踝尖一壯外筋急灸外踝尖上一壯

急死

中惡 百會三七壯 間使年壯 涌泉七壯 心俞七壯 人中五十壯 隱白一壯 囊下十字紋三壯 諸穴中神闕百壯 下三里七壯最

溺水死 即解死人衣服以其腹伏着于下乾之上使其水泄出後艾灸臍中百壯即活神效

縊死 心下有微溫一日以上者猶可活徐解繩索及衣服安卧溫處摩渠緊填肛門一人緊摩兩肩臂引頭髮勿令縱又一人摩擦心肩令乡屈伸無多又兩人令唑以升管吹兩鼻中即活

中暑氣死 急灸兩乳頭各七壯

痢疾 中氣虛弱三焦不和之致 若大便秘結取巴豆肉任餅安臍中灸三壯

水痢不止 中脘針神效 赤白痢 臍中百壯神效 泄痢小腹痛 三壯關元百壯 大腸俞膀胱各至百壯止 丹田二七壯

冷痢食不化 脾俞年壯天樞五十壯胃俞三壯臍中一名神闕百壯

脫肛久

愈不穢中年壯百會三七壯膀胱俞三壯

溏泄 如鴨糞泄於白||中脘尉三陰交各脾俞三壯至三七壯

痔疾

下血無度灸脊中對臍一穴五壯或七壯永不再發

五痔便血失尿尻痛 尾窮骨百壯三白三七壯在別穴中袂邊在二十椎下兩傍各三寸半灸三壯

腸風下血痔 三白三七壯承山在足踹上兌腨腸下分肉間陷中五壯神效又對臍脊骨上灸三七壯又其兩傍各一寸三七壯又十四椎下各開一寸半二七壯年深者最有效

痔乳頭 出叫兒灸痔凸肉百壯即差神效

療痔

一昔人所傳曰 令患人正身直立以竹柱地量從折斷將其竹移後準脊骨點墨記從點處下量一寸艾灸五十壯每行此法亦常效

陰疝 腎氣虛弱常處冷地毋食冷物是謂如石按水之狀

疝氣上衝心腹急痛呼吸不通 太冲囟太冲各三壯獨陰五壯 甲根射一分灸三壯囟太冲甲

根穴在㕵別中穴 奔豚氣繞臍上衝 照海太冲各三壯獨陰

射灸神效 五壯石門七壯不臍下

六寸兩傍各一寸灸三七壯又量口吻如一字住三摺△如此

撮以一角按臍心兩角在臍下兩傍盡灸是穴二七壯 兩丸騫縮

名灸左取右右取左 以糯米水作乳餅安臍上以燈盞填厚

取左氣重七壯 疝氣衝心 五分灸大椎以微溫為限百壯至五

百壯每歲春秋灸畢至九日安 陰囊 然谷各三壯陰谷三陰交各

寒瑩慎勿出入沐浴色慾物神數 三壯氣重曲骨各三七壯

腎俞每壯膏肓俞百壯曲

泉七壯在膝內横紋頭 陰頭痛 大敦太冲 腎俞陰交 陰腫挺出 曲泉大敦氣重

獨陰 疝氣繞臍衝胸 氣海石門太冲獨陰并撲洛俱俱 癩

踏崑崙 灸天樞百壯在挾臍傍各開二寸

疝令患騎碓軸以陽莖伸置軸上點陽莖頭當点 五淋 復溜 絶
記灸軸木上隨年壯效〻又三陰交灸五十壯 骨太沖
氣海中極百壯曲骨在横骨 氣衝在挾臍傍二寸直下五
上毛際陷中七壯至七〻壯 石淋 寸〻下鼠鼷〻上一寸動脉
宛〻中七壯 以禾稈量患人口吻如一字樣一端於尾窮
至三七壯 又方 骨端向上稈盡脊上点記將其稈中摺量記
横着於脊点左右稈 溺白濁 照海期門陰蹻腎
兩端盡處三七壯 俞三陰交皆灸
霍亂 脾胃及三焦不和上 不得吐瀉以四関穴主
霍亂 吐下泄腹脹痛悶 関格者〻四関謂合谷太沖是
即以藥物回縛男左女右〻肩下 臍中七壯下
霍亂悶亂 臂上偶臥壓縛臂八睡臣即以效 又方 火即差又臍
上三寸三壯三焦俞合谷太沖并刺関衝刺 轉筋霍亂委中関衝刺
出血立差中脘斛名能治霍亂吐瀉

出血手信 霍亂心胸滿痛吐食腸鳴 中脘四関々沖出 暴泄大
絶骨太沖 血列鈌三陰交 谿
崑崙期门信 乾嘔 間使七壯茫 霍亂遺矢 下三里中脘 霍亂頭
陵泉中脘肝 不差更灸 肝信陵泉
痛胸痛呼吸喘鳴 入迎四関々沖 霍亂已死而有暖氣者 承山
胳腸中央分肉間去脚 下三里三陰交 以盐填臍中灸二七壯仍 在脚
根七寸把死穴灸七壯 又方 灸氣海穴百壯大敦灸
瘧疾 四節不穩榮 危氏刺手十指出血及看舌下有紫腫紅筋亦去之血
衛不和之致 六節外寺 灸五壯
始病日未發前一時須灸
瘧病從頭項發者 百會大椎尖頭各三壯 從手臂發者 須灸三間
間使各 從腰背發者 脾俞百 一日一發于午前者邪在陽分
三壯 壯穿中 ○ 如或間日或三日或午後或夜

間發者邪入陰分也或間日
或日夜發發者氣血俱虛也 ○溫瘧汗晚身瘧神效 痎瘧謂老瘧也佳於子午卯酉
者少陰瘧也 神道七壯 絶骨三壯 佳於辰戌丑未者 諸瘧先針間
太陰瘧也後谿膽俞 佳於寅申巳亥者厥陰瘧也 使仍針
鬼邪十三穴雖勿用 瘧母 痎水及瘀血成塊腹脇脹而痛
火鍼只用針刺累施神效 上下弦日章門針後即灸三七壯

虛勞 五勞謂五臟之勞七傷
謂憂愁思慮悲驚恐也

虛勞羸瘦耳聾尿血小便澀或出精陰中痛足膝如冰 崑崙 腎俞
年壯照 氣海
海絶骨 臟氣虛憊真氣不足一切氣病 百壯 夢與人交泄精 三陰
交三七壯 夢斷百日後更 夢遺失精 曲泉百壯 太沖 照海 腎
灸五十壯每無後泄精 俞三陰交關元腎俞

精宮一名志室在十四椎下
横量左右各三寸半灸七壮
患門穴 主年少人陰陽俱虛俳瘦面黃飲食無味咳嗽遺精潮
熱盜汗心胸背引痛五勞七傷等證灸有效取穴之法
用蠟繩或禾稈一條以男左女右從足大拇指頭比齊循足掌
當心向後貼肉引繩上至曲瞅大横紋切斷令病人解髮白分
兩邊次將以先量足繩子一頭按鼻尖引繩從頭上正中貼肉
至脊繩頭盡處以墨記以非灸穴別用稈心一條令患人自然開口横
横量旁口吻切斷中摺墨記將此稈壓於脊點處横布
右左稈兩頭盡處墨記灸隨年壯加灸七壯一云百壯
勞瘵 腹中有虫惱人至死相
傳於族類至殺害是也
勞瘵證灸腰眼穴載別 人脉微細或時無者以圓利鍼刺足少
穴中甚多遍而灸 陰經復溜穴深刺

以候回陽脉
生方可出針
虛勞百損失精勞記 肩井 大椎 膏肓俞 肝俞 腎俞 脾俞 下三里 氣海

一下

四花穴 治勞療記

第一次二穴先令患人平身正立取一細蠟繩勿令展縮以繩
頭於男左女右足大拇指端比齊循足掌向後至曲脷大橫
紋截斷令患人解髮分兩邊要見頭縫至腦後又令患人平
身正坐將先比繩子一頭於鼻尖上按定引繩向上循頭縫
至腦後貼肉垂下當脊骨正中繩頭盡處以墨點記之 非是灸穴 ○ 或為人纏足不明者當於右肩髃穴點定以繩頭按其穴上伸手引繩向下至手中指盡處截斷亦用男子之 足不明者為佳
却令患人縮合口以短蠟繩一頭自口左角按定綿
托繩子向上至鼻根斜下至口右角住入比樣截斷將此繩
展令摺中墨記將繩墨點壓於脊骨上先點處兩梢節
左右取平勿令高下繩兩頭盡處以墨圈記之 此係灸穴

二次二穴令患人平身正坐稍縮肩膊取一蠟繩繞項向前双
垂與鳩尾尖齊鳩尾是蔽骨也人無心蔽骨者從岐骨下量取一寸是鳩尾穴即双截斷
將其繩之中心着於喉嚨結骨上引繩兩端向後會于脊骨
正中繩頭盡處以墨記之是非灸穴却令患人合口以短蠟繩横
量口兩吻如一字樣截斷中摺墨記處於脊骨上先點處如
前樣布繩子兩頭盡處以墨記
之此是四花穴之横二穴也
已上第二次點穴通共四穴同時灸各七壯至七七壯至百
壯或一百五十壯爲妙候灸瘡初發時依後法又灸二穴
三次二穴以第二次量口吻如一字樣短繩中摺以墨記處於
第二次脊點上正中上下直放繩頭上下盡處以墨圈記之
此四花穴之上下二穴也
已上第三次點穴謂之四花穴也灸兩穴各百壯三次共六
穴取火日灸之百日內慎飲食房勞安心靜處將息一月後

仍覺未差復於
初灸穴取再灸
食不化 飢飽失時脾胃不和以致脾胃虛
因泄穀善飢脾胃虛因癖食不消
飲食倍多身漸羸瘦痃癖腹痛 脾俞三壯至年壯 章門 期門 太白 中脘針 腹脹不嗜
食之不化 中脘針 脾俞七壯 胃
俞年壯 脾俞三壯 飲食困倦四肢怠惰煩熱嗜臥
脾俞 魂谷 嘔逆不得食 心俞百壯 又針 食積善渴 勞宮 中渚 惡
腎俞 解谿 中脘 又神效 支溝 中脘
聞食氣 下三里 中脘針 傷飽瘦黃 章門 中脘 針神效 反胃 公孫 中脘針
黃疸 多因脾胃不和通身面目 食疸 若頭眩 酒疸 若目黃
患黃或大便黑血小便黃 若心煩 鼻塞

心中及足下熱　女勞疸者額黑身黄小腹滿急
小便難ゝ若難治　心　大槩諸疸口淡
怔忡耳鳴
脚軟虛熱　難
小便自滑　渴則治　不渴則可治
腎疸　風門五壯　腎俞年壯　尺澤一壯三　黄疸　百勞三七壯　下三　酒
疸　陰交三壯至三千壯　合谷三壯　里中脘針神效
疸身目俱黄心痛面赤斑小便不利　公孫膽俞至陽委中脘　三
骨中脘神門小腸俞
十六黄疸方云　先灸脾俞心俞各三壯次灸合谷三　女勞疸云
壯次灸氣海百壯　只針中脘穴神效　孙
關元腎俞然谷至陽　在食疸下三里神門間
七椎下從而取之三壯　使列缺中脘針
瘡腫　痛痒瘡瘍皆屬心火主
治在各隨其經及心經

癰疽疔癤之初出看其經絡部分各隨其經行針無間日如或
針間日則無效矣勿論擇日諸忌逐日刺針或一日再刺以瀉
其毒則不至十日自安若針間日或針五六度而病者以苦半
途而廢至於死亡如或不死腐惡肉生新肉延於累月艱苦萬
狀連針十餘日之苦與其死亡或至辛苦孰輕孰重悔之無及
若病人不欲針治者急灸騎竹馬穴七壯無不神效也

又方

初出三日前用手第四指納口浸津液塗腫上晝
夜不輟使不知不過四五日自安方莫無過於此

癰疽毒腫初出三日前急灸其腫箇三七壯自安無針手方萬莫適於此其
初發至小如粟粒人皆忽待至其發毒必至死域追悔莫及若已過三日即灸騎竹馬穴各七壯無不神效
癰疽諸腫或不痒不痛色青黑者肉先死終不救其初發急灸騎竹馬穴各七壯
鬚際腫唇腫面腫最難危証慎勿輕破須各隨其經絡逐日行針以瀉其毒氣效若柔能

鍼治付自付茶以待膿潰要用蟾酒五六介並食已潰或未潰皆效

背腫亦行遂日針經絡自然而未能善治竟至熟膿以大針決破裂過赤暈之蓄即取大蟾六七介生擣用並芥汁並食惡肉盡消而新肉已生可以起死回生

背腫物多狀如粟米若瘡出於腫上自生穿孔以手指探捉取自其各孔膿汁現出於休取各其孔膿汁還入是爲熟膿矣以大針裂破赤暈之蓄

凡大小腫不問日多即灸騎竹馬穴七壯無不效者

騎竹馬穴法

以直柤先量患人尺澤穴橫紋比起循肉至中指端截斷令患解衣裙齊佈騎坐於直竹之上瘦人用細竹肥人用大竹爲尾窮骨可堪接坐然後將其先量柤從脊豎立於坐竹之上柤端盡處之脊

上点記（此非灸穴）更用赤禅量病人男左女右中指中節兩紋為一寸又加一寸合為二寸將其二寸中摺墨記着於先点脊上橫布禅兩端盡處（是灸穴）以各灸七壯以不可多灸以此法灸之時無不愈若蓋此二穴心脉所過凡癰疽之疾皆由於心氣留滞於生此毒灸此時心脉流通即时安愈可以起死回生矣

諸危悪証　凡腫不起不痛不高底陷破爛肉色紫黑在内发肉先死必死之疾也病人底常时易治不時難治也

肺癰　脇腋引痛呼吸喘促身熱如火咳嗽唾痰不能飲食晝歇夜刻即灸（騎竹馬穴七壯尺澤太淵内関神門并針刺腫）（通氣以泄毒氣若不愈更灸騎竹馬穴七壯）脹

脉宜（洪緊）（沉滑）欲知膿計自初痛日過四十五十日後察病人眼

目（白睛並精赤微蒼黑細如絲）（赤血絡纏於白睛已膿）即以邊利大鍼刺破痛邊乳傍腋下向前肋間使之出膿後即揷紙撚揷轉該邊日行之使不塞氣也用石灰（岩上白苔）（清）不拘多少濃煎連飲限差

陰腫或臂腫或脚肉色如常而漸至浮大者或有微浮者若痛於骨肉之間晝歇夜劇不省人事然至四五十日成膿然而或月時易膿或月時不易膿外見其痛處形如赤絲纏細血絡縱横亂于其上時是熟膿矣人或未詳其膿先以細針試刺未及膿境而抽針膿汁緣何而出乎自謂不膿柳白以濕痰凝聚萬方治療終不見效延過日月漸至困骨而死須針未危之前用手之法以遠刃大針先要揣度漸漸深插至其膿境針鋒易入如陷虛空已入膿處然後仍亂針鋒裂破而出使之出膿膿汁既歇即以紙撚插於針孔使不閉孔逐日換插使出惡汁惡肉自腐新肉自生時紙撚漸至減入自出黄汁然後復全矣雖至蘇境慎勿妄怒噴其顔色不然時更作腫痛口腫脉宜滑若緊急最危若蝦遊脉雀啄脉一動一止三動一止者不出日死

内腫成膿鍼丸令口居舌下連二所死則膿汁自下

田骨疱

四骨之後針破無益然嘖其出死莫若針破冀復僥倖萬一而
嘖其病家商議僉曰諾然後針破出膿而鍼不快出不然馬危
矣於徐徐出汁出膿之後未滿十日而死者膿無一毫間隔
者也過十日而生者肉有毫髮未膿處也

凡小瘍腫有痛瘀者或無痛者多發于耳下及臂或脚苦痛十
餘日或至十五日後成膿然不可以一例論之大槩先以手
指按探腫暈而堅處堅固且有指痕成凹起不解者是不膿
也按指漸膿處忽覺指陷處指復起而似軟蘊成凹捨馬處
起之狀是乃膿也

腸癰小腹連痛腰或塞一脚身熱如火小便如而久晝歇夜劇
三十餘日後成膿未膿前頭灸七壯神驗
已膿後下附一尖二肘百壯神效濃汁穴注

疔腫生面上口角合谷下三里神門 ○生手上曲池三七壯穴 ○生背上肩井七壯
委中靈道觀病之輕重重者倍加灸之許灸騎竹馬穴七壯

㾦疔狀如以蔿草雞卵箇箇之間結之形長而紅及易肘内易 日久則腫膿之後則針破出膿未膿灸之膿丹焉穴灸之七
壯即念同治手凡入手足及一身之中骨節腫膿針破後膿惟盡
出而浮氣未消出前則病入閃其疼痛不忍屈伸以待自差
則膿汁脂膜填滿於骨臼筋膠於骨節伸者絶不得屈屈者
終不得伸平生永爲病廢之人須及時膿汁未盡出可菜汁
不已之除即令傍人强扶屈伸頻頻限差則免廢
諸瘡努肉如蛇頭出寸用硫黄研末努肉上薄塗即縮
腫堅有根名曰石癰灸如豆上百壯如石子碎出
手足或一身狀如桃栗不紅而痛三四日間成膿針破
出膿汁名風丹及火丹毒以三稜針亂間亂刺多及暈畔多 出惡血翌日更看赤氣仍在如初亂
走馬瘑瘡刺棄血如真神效
附骨疽早付匹吾三白穴在間使後寸寸一灸隨年壯立差
諸處瘀腫不痒不痛

久住成膿鍼破膿色與血相和或有蒼色此吉也有白色而不調正似腐糊者死也只遍身疥瘡肺俞神门曲池大陵
腋腫馬刀挟瘿其ヶ刂旁絶骨神门神效
熱風癮疹曲池曲澤合谷列缺肺俞魚際神门内関
火風瘡其日舌舌自少搔痒不止如粟米者多发於臂及足脛外邊與背部之絶不发脇腹及臂及脚
四邊故名曰火風瘡遂秋氣尤痒成瘡俗名牟
白癩先针周匝多灸四畔
疥瘡曲池灸二百壯神门合谷三七壯灸之
灸间後即用熟艾搓作長条缠住環圓如重於炉灰上次用信
石叫坐作条播其環文之上放火于艾端又咸穿孔大瓢其甚
上馬烟出瓢孔即以白癩照燻於其烟
之初不愈如初射後又照燻如初神效
風癩風瘡一名大傷於隆冬
心肺受邪以鼻塞之並夜寝自鼻出血眉毛墮落一身搔痒成瘡
三稜针间一二日针刺身上肉黑处壅肉汗出百

日又針至骨如初汗出百日鬚眉還生後即以灸亦隨於肉果
叓亦佳調損の一流針灸法慎勿觸風濕有大效證穴委中尺
澤太沖背針出血曲池神門中渚合谷內關中
脉太淵照海絶骨崑崙心俞肺俞胃俞脾俞

癰疽疔瘡瘰癧等病八穴灸法

頭部二穴諸病發于頭部用禾稈一條自左耳尖起端右旋經右
耳尖還至起端叓截断令患人男左女右用一夫出法以手四指橫握
其稈兩端以禾截断將稈中摺中心墨点着於結喉下左右
兩端旋後會于脊骨上点記灸是非穴別用禾稈男左女右量手中指
中節為一寸又加一寸中摺量記壓於先点脊骨上橫布左
右稈兩端盡叓穴是喉病出左灸左出右灸右出左右亦灸左右

手部二穴病發于手部用禾稈自肩髃穴至手第三指頭爪端截
断以其稈中心安於結喉下至項後稈兩端會于脊骨点記如頭部法

背部二穴自大椎下至尾窮為背部自天突穴至陰毛際為腹部兩腋下屬背腹部病發

于背或腹用禾稈自左乳頭把端周身經右乳還把端爲截
斷以稈中心爲結喉下稈兩端旋後會于脊骨上点記如頭部法
足部二穴瘡發于足部並立兩足亦合相着爲立以稈從左足
大拇指頭把端從足際右旋至右足大拇指端還至把端爲
斷之以其稈中心爲結喉下旋背髮毛一如頭部法初灸痛灸到不
痛不痛者灸到痛或五百壯或七八百壯大壯多灸左右癰疽未成
始發者灸者不潰自愈已潰者灸者生肌止痛亦無再發矣

瘰癧

耳縁珠瘡百勞三七壯至百壯肘尖百壯又先問瘡初出核以
針貫核正中即以石雄黃末和熟艾作炷灸核上針穴
三七壯諸核從此亦治矣 瘿瘤主于丘吝不可針破之者肆毒 肉瘿含害針灸者結殺人 血瘤五足四肢
針者出血 天井風池肘尖百壯換治
不已者死 瘰癧繞項起核名蟠蛇癧下三里百勞神門中渚外

內傷瘀血

胸中瘀血 巨闕下三里肺
俞膏肓俞内關

消渴 三焦不和五臟津液焦渴
水火不能交濟之致也 腎虛消渴 然谷腎俞膀俞肺
俞中膂俞在第廿

消渴飲水 人中兑照隱白承漿然
谷神門内關三焦俞

椎下兩傍各二寸 食渴 中脘針三焦俞胃俞
扶脊把肉灸三壯 太淵列缺針背腧

汗部 表氣虛弱則自汗也 肺主皮毛表虛則
裏氣外東則多汗也 自汗是

轉筋汗不出 魚際太淵孔最三壯陽陵泉 煩心汗不出 孔最三
膈俞兩筋臂轉穴互相加減用 壯曲差

心俞太淵神门巨闕又手足指間射　骨寒熱汗注復溜下三里神门　汗出鼻衂承漿合谷崑崙上星

神门太沖　身熱如火汗不出　命门中脘膽俞孔最三壯肺俞太谿合谷支溝　盜汗肺俞三陰都挾巨闕

傍五分寸直下又寸二灸三壯　虛汗合谷復溜下三里並補陰都曲泉並三壯照海魚際　咳嗽汗不出魚際

竅陰膽俞商陽上星肺俞心俞肝俞曲泉三壯孔最三壯

傷寒及瘟疫　冬傷於寒春必病瘟

太陽經病　一日二日發熱惡寒頭疼腰脊強痛　尺脈俱浮屬膀胱經　陽明經病　二日三日身熱目痛鼻乾不得臥　尺脈俱長屬胃土　少陽經病　三日四日脇肋痛而耳聾或口苦舌乾或往來寒熱而嘔　尺

脉俱弦屬　太陰経病四日五日腹滿咽乾手足尺脉俱沉細
膽木　自湿或自痢而渴或腹痛　尺脉屬脾土　少
陰経病五日六日口燥　尺脉俱沉屬　厥陰経病六日七日　尺脉
舌乾而惡寒　屬腎水　煩滿囊縮
俱微緩　是三陰三陽病也　方書云初起不傳足経
屬肝木　不傳手経
又云一日治風　二日治三　三日治中渚　四日治少商　五日治神
府穴　間穴　臨泣　隱白　門太谿
六日治靈道中　在表主腕陽谷支溝陽谿陽輔在
封間使穴　裏主脏商丘復溜経渠靈道間使
痓病似中風病　口噤反張又似癇病　以傷寒逐傳寒流注太冲
中湿病　日例行針　内庭
穴此二穴總治能退寒熱○在手　太冲内庭手　在足太冲内
針　三里亦針　庭亦針在

背太冲内庭间使补针在腹太冲内庭下三里补针傷寒北色發熱飲食咽塞而還
出鼻氣然谷針使之飲食即吞神效陰症傷寒彌留不能退熱乃中氣不足
之致傷中百壯不愈加灸五十壯或填鹽煉傷傷寒過六日不解者期门関元太冲下三里内庭
餘熱未盡曲池合谷太冲下三里内庭傷寒悲恐太冲内庭少衝通里口氣曲澤神门項強
目瞑風门秀中太冲内庭下三里三陰交熱病煩心足寒多汗先針然谷太谿行間補熱病
煩心汗不出中衝勞宮少衝関衝大陵陽谿曲澤孔最三壯至五壯即汗又方五日已上汗
不出太淵留針一時若未痛五日曲澤穴禁針熱病極熱頭痛引飲三日以柔寮纏肩下

肩臂上左右尺澤穴上下青絡血出利多
出血豪如糞汁神效出血與汗出同於心

大小便膀胱有寒三焦邪在腑曰陽脉紫邪在
熱結小便不利関格不通臟曰陰脉會合谷太冲

大小便不通膀胱俞三壯丹田二七壯胞门五十壯營衝在足
门踝前後陷中三壯經中穴在臍下寸半兩傍各
三寸灸百壯
大腸俞營衝三壯小腸俞三壯經中
大腸俞三壯大小便不利在臍下寸半兩傍各三寸灸百壯中髎
小便黄赤不禁脘骨膀胱俞三焦
俞承漿小腸俞小便不通臍下陰门丹田神膀胱俞胞
闕營衝小便難灸對臍脊尿血胃俞関元曲泉勞宮三焦俞腎
皆灸骨上三壯俞气海年壯太冲三壯中府三
壯膀胱俞神闕百壯三
小腸俞腸鳴溏泄腹痛陰交三壯

身部 心腎受邪水火不能交濟積聚緩急周痺不仁
偏枯四肢拘攣致令至於邪留而畜留痒
身有四海 氣海血海照海髓海謂絶骨穴以灶氣
蓋謂真氣不足一切氣疾宜灸氣海
身体不仁 先取京骨後取中 魚 商 反折 肝
封絶骨皆針瀉之 痺悩背 際 煩滿 丘 命 癱瘓 合谷
曲池下三里 周痺 脾俞 振寒 臨泣 如解 湧泉 嗜臥 太谿照海天井脾
崑崙太冲 臨泣 注穴 脾俞 命肝俞三陰交
嘔吐 心腹痛而嘔者宜熟 凡嘔吐 陰氣上逆而
或痰飲寒冷腸胃而 陽氣不勝故
上吐下閉 関格宜瀉四関穴 嘔吐 中脘內関針三 乳 嘔 尺澤
謂合谷太冲是也 陰交留針神效 章门
閒使関衝中渚隱 魚際天樞勞宫行間神
白亂下一寸三壯 吐血 门大陵尺澤上星七壯 加瘡後錄 ○ 煩

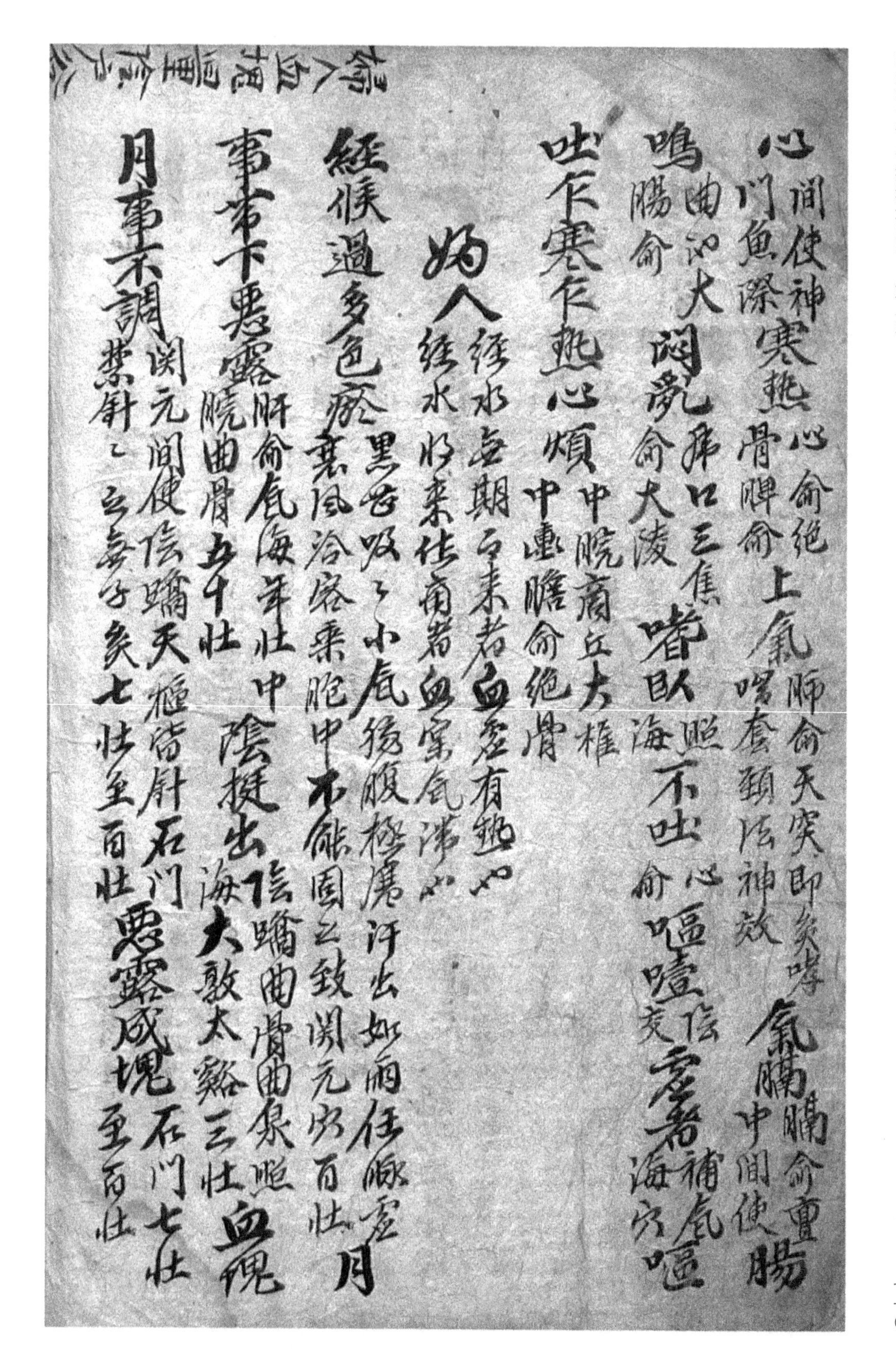

癥瘕腸鳴泄痢繞臍絞痛 天樞百壯章門大腸俞曲泉曲池對臍脊骨上三七壯灸宜生陽陵陰

臍下冷疝 太冲氣海衝陰、交 在臍下一寸灸百壯 赤白帶下 曲骨七壯太冲關元復溜三陰交天樞百壯

轉脬小便難 關元二七壯 月經不通 合谷陰交血海氣衝 崩漏 太冲血海陰谷然谷三陰腎交

俞支

漭漏白帶 三陰曲、交骨 壯至七七壯 血淋 丹田七壯 至百壯 胞衣不下 足小指尖三壯中極

肓口任陰谷 下三里至陰合谷三陰交曲 血閉無子 曲泉

井如妊湧泉 催孕 骨七壯至七七壯即有子

子 胞門子戶曲骨商丘中極灸百 遺尿 曲骨七 胞中惡血痛 石門

壯至三百壯或四度針即有子 七壯

二七壯至百壯陰都挾巨闕一寸五分直下二寸三壯禁針、之 難產 手

民經身無子 四滿在挾臍傍五分直下二寸灸三壯 產 生

出曰横産足先出曰逆産即用細針刺兒手心或足心一二分
三四炙即以鹽塗針穴擦摩後輕輕入送手兒縮須生仍以鹽
塗母腹 又足小指尖灸 太冲合谷肩井
上臣産 又三壯即須生 墮胎後手足如氷厥逆針五分若針隱
白悶亂急以針刺 死胎 三陰交合谷
三里穴下其衣 崑崙太冲 産後諸疾期門五壯 手上逼心
悶亂補合谷瀉三陰交巨闕針 足外踝上各三寸一壯即
悶亂留七呼灸七壯至七七壯 欲斷産
斷産丹田針刺

乳腫

乳癰足臨泣神門太谿下三里四 婦岩年四十以前猶可治四
關俞灸騎竹馬穴七壯 十以後即難治是早年
寡婦及無産 中極陰交百壯 石
女患此即死 産後腹痛 氣海 百壯 因産惡露不止 門七壯至百壯

無乳汁亶中七壯至七七　數落胎每日三內即灸三陰交七壯
壯禁針少澤補　中極曲骨各
五十壯膀　陰中乾痛惡合陰陽　曲骨五　血漏赤白　營重五
中三百壯　十壯　十壯
小兒　小兒初生七日內膀中胞係自枯自落其日即以牛
角灸膀中七壯其炷每火至半即去永無後痛
小兒胎癇嫁癇驚癇　灸兒眼四穴各三壯每次　四灸一時吹火盡燒　大丹毒謂游風入
胸腹則死　即用利針周匝紅處多出惡血　脘　百會七壯膀中
翌日更現紅赤處如右針刺效　肛　每年壯或五十壯
或百　皆去吳且近吾手大指甲後第一節　胃
壯　雀目　四指紋頭白肉際各一壯　肝俞九壯　羸瘦食不化　命
長谷挾膀傍各　陰卵偏大入腹　太重神陰氣衝　驚風　神道在第
二寸灸七壯　三陰交關元　五椎節間

灸七壯至百壯即效　〇又急危難救　灸兩乳頭三壯男左女右灸之　眊驚手掌目不合大手
指次指端各三壯間使合谷太冲大淵　鬼眼各三壯間使卅壯
胎癇百會九壯陽莖頭七壯　小便不通百會
七壯營重各三壯丹田二七壯湧泉三壯臍門五十
壯又用巴豆肉擣作餅或炒鹽步填臍中灸五十壯　口噤然谷　驚
癇脘骨頂中央旋毛中三壯耳　癥瘕神道在五椎節下間
癇後走絡脈三壯太冲三壯　一名莊命灸七壯　善驚
然谷　多笑百會卒症太冲　兩目皆赤合谷崑崙神門風池絕骨　兩眼白翳到春秋遮海
第九椎節上七壯　齷斷識臭重入一旁宮各
瞳又取肝俞穴七壯　一壯　喉腫灸對鴉脊骨　喉腫上灸三壯或
七灸第五椎上七七壯　四五歲不言心俞足內踝
壯風癇目戴上百會七壯崑崙三壯　尖上各灸三壯

陰腫崑崙太冲太谿 赤白痢疾 後中七壯至百壯三陰交七壯 遺尿 氣海百壯大敦三壯 吐乳 中庭
在囟中下一寸 班疾八根 大杼七壯至三七壯詳 達夜啼呼使
六分灸五壯 着犯灸各治其經絡 其
又覓其見持刀潛所藏家離常勿使人知之 浮腫 水分三壯三
見啼即以然後潛還繫其所常出永勿啼呼 陰交三十壯
脾俞 兒眼三壯 吐沫尸厥 巨闕七壯中 先驚後啼 百會七
三壯 久瘧 內庭七壯 膻中五十壯 壯間使
斷 百會七壯 五癇 食癇 先寒熱洒淅乃發者
交 角弓反張 天突七壯 屈指如有物形鳩尾
上五分三壯間使神 豬癇 尸厥吐沫巨 旁倍中脈 雞癇 足
庭灸三壯三陰交 厥三壯太淵 犬癇 各一壯 驚
反折手掌自搖絕骨中脈 羊癇 吐舌目瞪羊鳴大椎三壯
內庭百會間使太冲太淵 解谿又芽乃椎下間三壯 牛癇

直視瞪眼鳩尾三壯　馬癇張目搖頭反折馬鳴除恭風　五癇神
三陰交大椎三壯　府三壯神門金門後中三壯　門
間使兒　驚癇瘈瘲平引칠ㅎ工吞宮崙前頂長強　中
眼中脈　神門百會三壯神庭七壯本神　腹滿不食　脘
針絶滑　負臍神門勞宮太沖
下三里　吐血尺澤心俞五十壯
急驚慢驚兩証氣絶者先診太衝脉不絶者可治　百會三壯神庭七壯鬼眼
三壯肝俞七壯兩乳頭三壯男　百壯
左女右第二椎并五椎各七壯　或脇中神效
痘疹약질簡之突起光澤者無患若痘色
如血点且凹漸至黑陷者難救也
惟疾凡一身之病晝輕夜重者難治各隨其經而病勢漸至加
重脳亦煩悶痛惟幼不治者乃陰陽失攝陰邪而動之致

急用神應经治鬼邪法先刺间使後十三穴亦須其次第次鍼々行針若失次則無效亦針右亦穴元病之所管经要穴病重者針不過十餘度々愈病輕者針不過四五度々效愈且陰下縫穴累施無效然後行之且夫中脉上星曲池穴宜火針七鋥々或不施火針即以圓利針或三々後針累施不失其次第則每有神效七程調誘若灸七壯之說以火針亦依其法々針刺八肉不出皮外以針鋒補瀉還納依其七五是也大人小兒惟疾同治必以壯年精神此法行針餘者乃能脈效矣

咀呪之瘧亦須用鬼邪之法先針间使後十三穴火鋥一依其法行之

雜病

蝎螫蛇犬蜈蚣咬傷痛不可忍者各隨其所傷經絡針刺用瀉
法使不欲呼吸者使毒氣隨
縫之直　犬咬初日七壯翌日　狂犬咬初灸七壯日灸　咬處
瀉者也　加一壯逐日灸　一壯至百壯　蛇咬在左
針刺右邊相對處出血又勿論輕重即針不咬过回
刺頭項上旋毛中神效　又太冲陰陵泉穴大效矣

折量法

頭有頭部尺寸　腹有腹部尺寸　榱直寸尺俱不同各有其
要　惟背部手足部並以同身寸取之

頭部

前髮際至後髮際折作十二寸　若前髮際不明者取
眉心上行三寸後髮際不明者取大椎上行三寸前後髮際
不明者共折作一尺八寸用之

頭部橫寸以眼內眥角比至外眥角為一寸用此
神庭至曲差〻〻至本神〻〻至頭維共四寸半

背部

自大椎下至尾骶共二十一椎通折作三尺
上七椎每椎一寸四分一里共九寸八分七里
中七椎每椎一寸六分一里十四椎與臍平共二尺一寸一分四里
下七椎每椎一寸二分六里
第二行挾脊各一寸半除脊骨一寸共折作四寸分兩傍
第三行脊挾各三寸除脊骨一寸共折作七寸分兩傍

膺部

自天突至膻中為准折作六寸八分下行[illegible]寸六分為中庭上
取天突下至中庭共折作八寸四分

腹部中行

自心蔽骨下至臍共折作八寸人若無蔽骨者取歧骨下至

心共折住九寸取之

自德中至毛際橫骨橫紋折住五寸用

膺部腹部橫寸並用乳間橫折住八寸用

鍼灸吉日 丁卯 丁亥 庚午 庚子 甲戌 甲申 丙子 丙午

丙戌 壬午 壬子 辛戌 辛卯 戊戌 戊申 己亥 己巳

丁丑 丙申

鍼灸忌日 每月初六日 十六 十八 二十二日 二十四 小盡日 及五辰

五未 ○ 又忌弦望晦朔 入節前後各一日 ○

間云各五日 ○ 男忌除戌 ○ 女忌破巳

瘟瘽日 正羊二戌三居辰 七酉八猴九在亥 十二月當居卯位

四寅五兔六蛇行 丁子十一丑中存 犯着瘟瘽無人葬

不向 正五九月東 二六十月西

三七十一北 四八十二南

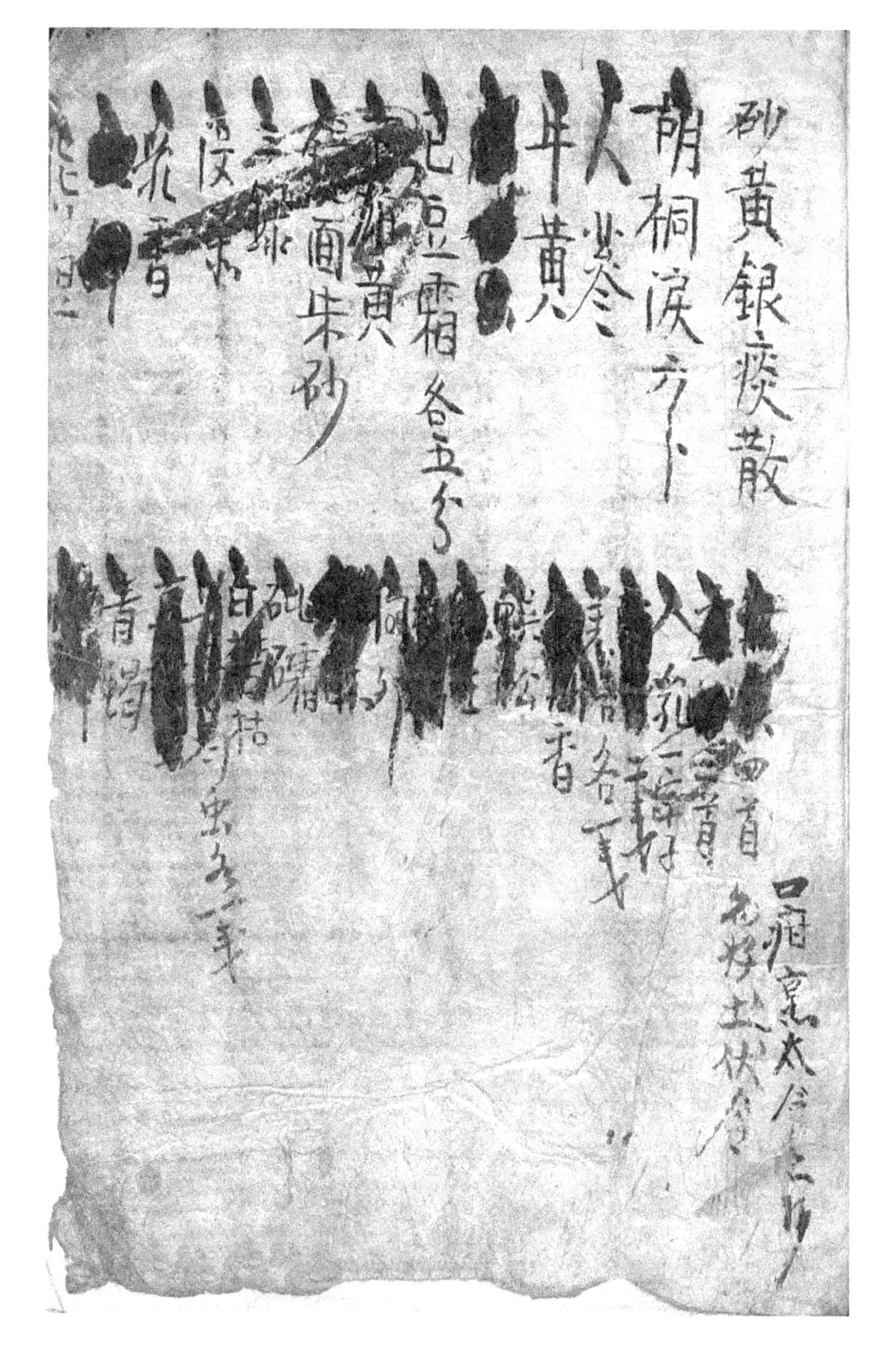

每月諸神直日避忌旁通圖

月	正	二	三	四	五	六	七	八	九	十	十一	十二
月厭	戌	酉	申	未	午	巳	辰	卯	寅	丑	子	亥
月忌	戌	戌	戌	丑	丑	丑	辰	辰	辰	未	未	未
月殺	丑	戌	未	辰	丑	戌	未	辰	丑	戌	未	辰
月刑	巳	子	辰	申	午	丑	寅	酉	未	亥	卯	戌
大殺	戌	巳	午	未	寅	卯	辰	亥	子	丑	申	酉
六害	巳	辰	卯	寅	丑	子	亥	戌	酉	申	未	午
血忌	丑	未	寅	申	卯	酉	辰	戌	巳	亥	午	子
血支	丑	寅	卯	辰	巳	午	未	申	酉	戌	亥	子
天醫	卯	寅	丑	子	亥	戌	酉	申	未	午	巳	辰
天滅	丑	卯	申	酉	丑	卯	申	酉	丑	卯	申	酉

逐日人神歌

初一十一廿一大拇鼻文柱手小指　初三十三二十三股內牙齒足肝

初二十二廿二外踝髮際外踝　初四十四廿四腰間胃脘陽明手

初五十五廿五口舌遍身陽明足　初七十七廿七內踝氣沖及在膝

初六十六廿六手掌胸前又在胸　初八十八廿八手腕股內併前陰

丹溪心法

而九廿九二九在尻五足之際脛[illegible] 比爲大主 目 耳 不[illegible]

而十廿三十髖背內踝足趺見

子十二時人神

子踝 丑腰 寅目 卯面 辰頭 巳手[illegible]

午胸 未腹 申心 酉背 戌頸 亥股[illegible]

十干日不宜用針他之病多友[illegible]

甲不治頭 乙耳咽喉 丙肩 丁背與心 [illegible] 癸日不宜

戊 己腹脚 庚腰臍 辛膝 壬[illegible]腎脛[illegible] 十干不

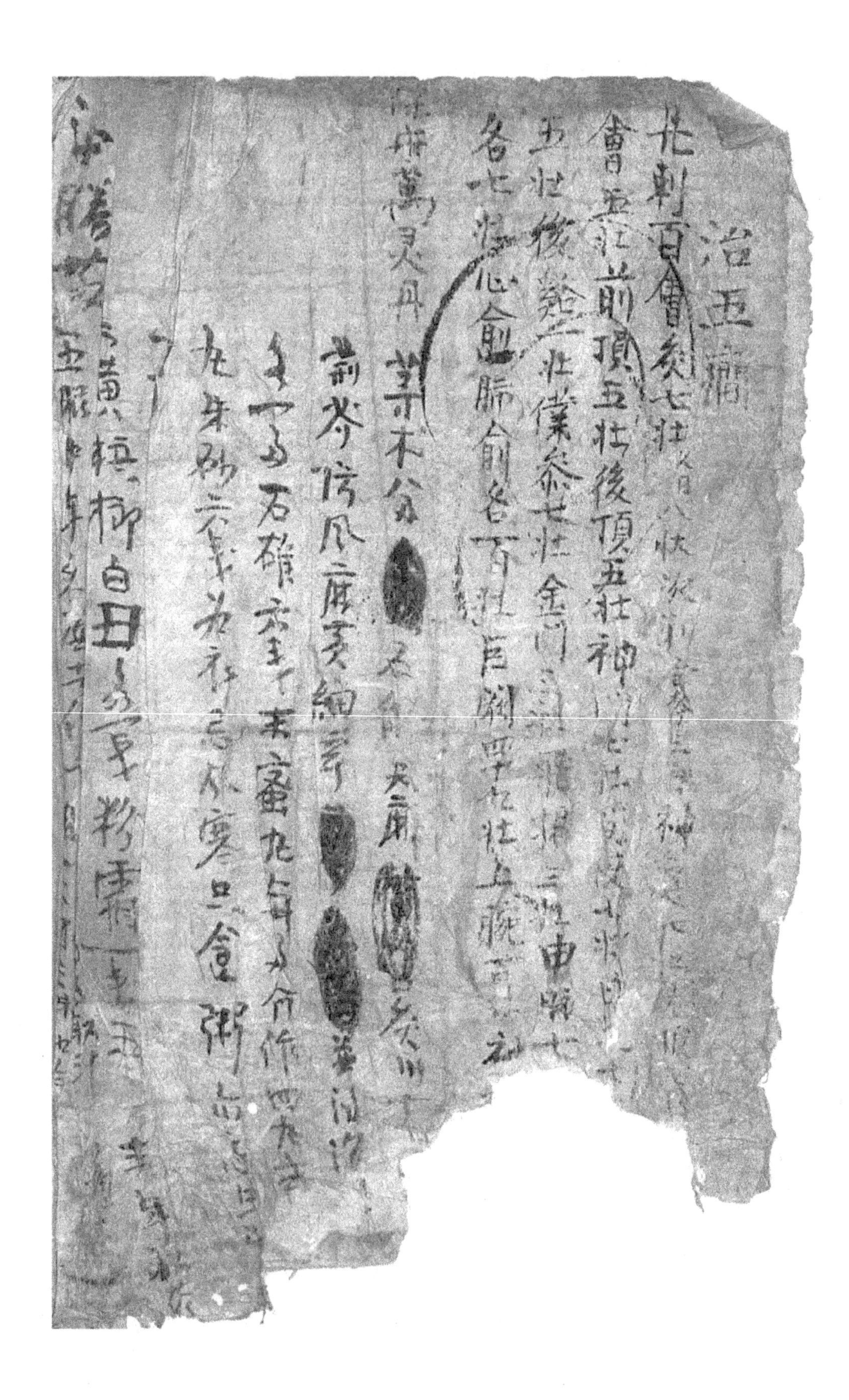

海外漢文古醫籍精選叢書·第二輯

針灸法總要

（越）佚名氏　撰

内容提要

《針灸法總要》全一册，由越南佚名氏撰於明命八年（一八二七）。此書主要彙聚中國明代針灸醫籍中的精華，所述内容涉及針灸禁忌、經絡腧穴、取穴定位、主治病證、奇穴治法等方面，是一部頗具實用價值的針灸臨床著作。

一 作者與成書

《針灸法總要》目前僅見一種鈔本。據日本學者真柳誠先生考察：此書有雜紙，第四葉記「嗣德三十三年（一八八〇）歲時庚辰二月云云」；第五葉記「述前賢之妙法／針灸法總要／訓後學之通知」，背面記「明命捌年（一八二七）柒月貳拾陸日奉寫／右弟子（以下破損）撰」，書末有「甲辰年三月云云」「嗣德參拾壹年（一八七八）歲時月月之山」等識語。此本爲一八二七年成書的越南書籍，可能是一八八〇年的筆寫。❶ 但在筆者目前所獲鈔本中，并未得見真柳誠先生所述有關書名與時間信息

---

❶ 真柳誠．ベトナム國家圖書館の古醫籍書誌[J]．茨城大学人文学部紀要．人文コミュニケーション学科論集，二〇〇六，（四十五）：一一六．

的葉面。

二　主要内容

《針灸法總要》全書一册，書首無序，書末無跋。具體内容主要包括十個部分，即：針灸禁忌，五輸穴與五行五季配屬，靈龜（或作「瓪」）八法主治病證，十二經脉流注，督脉、任脉循行流注，經絡起止，明堂尺寸法，奇經八脉（八脉交會），奇穴治法，十三鬼穴、十二天星穴等特定穴歌訣。

第一，爲各種針灸禁忌。具體有：人神所在避針灸訣，十二支人神所在忌，十干人神所在忌，針灸吉日，男女同宜開日，男用破日女忌，針灸凶日，滿日閉日忌，女用除日男忌，尻神圖切忌，占八卦尻神所在忌，禁穴法，禁針法和禁灸法。書中還列出針灸操作的注意事項，包括左手按艾右手執火、男女灸法順序不同、執火祝詞。

第二，爲五輸穴與五行、五季配屬。先羅列木、火、土、金、水五類輸穴，木穴有少商、三間、中渚、大敦、（足）臨泣等；火穴有魚際、少府、陽谷、陽溪、勞宫等；土穴有曲池、神門、小海（書中誤作「少海」）、大陵、天井等；金穴有經渠、商陽、靈道、少澤、間使等；水穴有尺澤（書中誤作「人澤」）、二間、曲澤、液門、曲泉等。再列五季刺法，即春刺井水，夏刺榮火，仲夏刺輸土，秋刺經金，冬刺合水。

第三，爲靈龜八法主治病證、家傳針灸各穴法。在靈龜八法主治病證部分，本書主要摘録明代徐鳳《針灸大全·竇文真公八法流注·八法主治病證》的内容，包括公孫、申脉、後溪、照海、列缺等穴的主治病證。家傳針灸各穴法部分主要包括在人身形圖法、灸治腹症之法、治風症之法等。以上兩部分内容雜糅混合編排，且常在段首冠以一至三字的喃文，用來提示該段的起始。

第四，爲十二經脉流注。列出十二條經脉各自的總穴數，且以文字和圖示形式標識并載述十二經肘膝關節以下重點穴位的取穴定位。其中，足太陰脾經九穴，足厥陰肝經八穴，其餘十條經脉均爲六穴。具體爲：手太陰肺經流注，左右共二十二穴，注明少商（書中誤作「中商」）、魚際、太淵、經渠、列缺、尺澤（圖示中未標出）六穴的定位；手少陰心經流注，左右共十八穴，注明少衝、少府、神門、通里、靈道、少海（圖示中未標出）的定位；手厥陰心經包絡流注，左右共十八穴，注明中衝、勞宫、大陵、内關、間使、曲澤（圖示中記爲「少澤」）的定位；手少陽三焦經流注，左右共四十六穴，注明關衝、液門、中渚、陽池、支溝、天井（圖示中未標出）的定位；手太陽小腸經流注，左右各十九穴（合三十八穴，書中誤作「十七」），注明少澤、前谷、後溪、腕骨、陽谷、小海（圖示中記爲「養老」）的定位；手陽明大腸經流注，左右共四十穴，注明商陽、二間、三間、合谷、陽溪、曲池的定位；足太陰脾經流注，左右共四十二穴，注明隱白、大都、太白、公孫、商丘、陰陵泉的定位，圖示中尚有三陰交、漏谷、地機三穴，此三穴無文字説明；足厥陰肝經流注，左右共二十六穴，注明大敦、行間、太衝、中封、中都、曲泉的定位，圖示中尚有蠡溝、陽關二穴，此二穴無文字説明；足少陰腎經流注，左右共五十四穴，注明涌泉、然谷、大谷、水泉、復溜（書中誤作「復留」）、陰谷（圖示中誤將該穴標在膝關節以上，與文字説明不符）；足陽明胃經流注，左右共九十穴，注明厲兑、内庭、陷谷、衝陽、解溪、足三里的定位；足少陽膽經（書中誤作「足少陰膽經」）流注，左右共八十六穴（書中誤作「八十穴」），注明陽陵泉、足竅陰、俠溪、足臨泣、丘墟、陽輔的定位；足太陽膀胱經流注，左右共一百三十四穴（書中誤作「一百二十穴」），注明至陰、通谷、束骨、京骨、昆侖、委中的定位。

第五，督脉、任脉的循行流注以及穴位總數和重點穴位的定位。督、任兩條經脉無圖示，僅有文字説明。書中先指出督脉的起止循行。該脉共計二十七穴，分六個部位羅列諸穴，其中鼻柱下部有二穴，即素髎、水溝；伏人頭部有五穴，即後頂、强間、腦户、風府、瘖門；伏人背部列出三穴，即大椎、兑端、齦交；額上行有五穴，即神庭、上星、囟會、前頂、百會；頂後至項有五穴，即後頂、强間、腦户、風府、啞門（與伏人頭部五穴重複）；脊背下有十二穴，如陶道、身柱、神道、靈台等。在上述六個部位中還列有其他經脉的穴位，如巨髎、迎香、口禾髎等。此外，書中還有側部、頸項部兩個部位，其中所記穴位皆非督脉之穴。督脉之後爲任脉的起止循行。該脉共計二十四穴，分列頦前、頷下、膺腧三個部位。書中列出任脉八穴的定位，如承漿、廉泉、天突、璇璣、華蓋（書中作「花蓋」）等。

第六，爲經絡起止。書中列出十二經脉的循行所起時辰、起止穴位、大致循行路綫及主治病證。例如，手太陰肺經「寅時起中府，循臂下行至少商穴止」，手陽明大腸經「卯時起少商，交商陽，循肘上行至迎香止」等。每條經脉之下，羅列諸穴的定位，有的穴位指出取穴法和主治病證。如有關手太陰肺經俠白穴，曰：「在天府下，去肘五寸動脉。治咳逆乾嘔，煩滿心痛。取法：先於兩乳頭塗墨，令兩手直伸夾之，染墨處是穴。」有關足陽明胃經頰車穴，云：「耳下八分，面頰端陷中，開口有空，側卧取之。主口痛，不可嚊，牙疼，頷腫，項强。」有關手厥陰心包絡勞宫穴，言：「手掌後横紋中心，屈中指取之。主咽嗌痛，二便見血，咳喘溺赤。」任、督二脉除未指明起止循行外，其他内容記法與前述十二經脉相同。

第七，爲明堂尺寸法。書中列述頭部、頭部横寸和背部直寸三種尺寸法。

第八，爲奇經八脉。此雖名「奇經八脉」，但其内容實爲八脉交會，出自徐鳳《針灸大全》卷之四「竇文真公八法流注・八法主治病證」。書中列出任、督、衝、帶、陰維、陽維、陰蹻、陽蹻八脉與十二經相通的八個經穴，并在每個經穴之下先指出經穴的定位、取穴法及總體主治，其後羅列具體病證的針灸穴位處方，但書中每一節開頭標出的病證數，與其後實際所列病證數并不一致。如公孫與衝脉相通，「主治三十六症，凡治後症，先取公孫穴，次取各穴應之」，其後列出「一切冷氣心疼」等三十一種病證的針灸處方；又如，内關與陰維脉相通，「與公孫合於心胸胃，主治二十五症」，其後列出「中滿不快，胃脘傷寒」等二十四種病證的針灸處方；臨泣與帶脉相通，「主治二十五症，與外關合於鋭眦、耳後」，其後列出「足趺腫痛，痛不能消」等二十三種病證的針灸處方；外關與陽維脉相通，「主治十七症，合臨泣」，其後列出「臂臑紅腫，支節疼痛」等三十四種病證的針灸處方；後溪與督脉相通，「主三十二症，與申脉合於目内眦」，其後列出「手足攣急，伸屈難」等十二種病證的針灸處方；申脉與陽蹻脉相通，「主二十五症」，其後列出「腰背强，不可俯仰」等十五種病證的針灸處方等。此外，這部分内容與前述「靈龜八法主治病證」皆出自明代徐鳳的《針灸大全》，但兩部分的字體有别，似爲不同之人筆寫抄録。

第九，爲奇穴治法。此部分包括膏肓、患門、四花、騎竹馬、精宫、鬼眼、痞根、肘尖、鬼哭、鬱中等奇穴的取法與主治，以及疰忤、偏墜、翻胃、腸風諸痔、痞塊、牙疼、衄血、咳嗽、心疼、瘰癧、瘕風等病證的取穴和治法；又載述頭痛連齒痛、中風、癇疾、呃逆、泄瀉、霍亂、婦人、小兒、脱肛、赤白汗斑、諸瘡、癲狗等病證的針灸治法。

第十，爲特定穴的歌訣。書中最後列舉十三鬼穴、十二天星穴以及四總穴、三才、三部、九募穴、十二原穴、八會穴、四根穴、三結穴共八首特定穴的歌訣。

三　特色與價值

《針灸法總要》總體以漢文撰成，雜以少量越南喃文。此書是一部實用針灸臨床專著，其主體來源於中國針灸醫籍或其他醫籍中有關針灸的内容。書中所摘録的内容鮮少注明出處，除「奇經八脉」下有小字「出徐氏」三字點明出處外，其餘内容并未明確標出來源。經筆者考察，書中所録内容，在明代徐鳳《針灸大全》、高武《針灸聚英》、李梴《醫學入門》、楊繼洲《針灸大成》、龔廷賢《壽世保元》等書中均可窺見，并有大段文字相同或類似。但是，此書所輯録的内容并非原樣照搬中國醫書，而是從作者的編撰需求出發，經過了一定的加工改編。今分析此書特色及其與相關中國醫籍的淵源關係如下。

第一，在《針灸法總要》一書中，靈龜八法主治病證、十二經脉流注圖、奇經八脉、書末的特定穴（包括三才、三部、九募穴、十二原穴、八會穴、四根穴、三結穴）等，多出自徐鳳的《針灸大全》。例如，在「靈龜八法主治病證」部分，開頭一段文字「公孫二穴，通衝脉，脾之經……凡治各病，以公孫穴爲首，以後各穴應之」及最後一段文字「上八脉主治症，用之無不捷效……不可獨拘於針也」，與《針灸大全·竇文真公八法流注·八法主治病證》一節的内容基本一致。但除上述兩段文字外，「靈龜八法主治病證」部分在闡述具體病證治法時，并未完全照搬《針灸大全》的內容，而是主要選擇其中公孫、申脉、後溪、照海、列缺五穴的主治病證。可見，作者在抄録時有一定目的性，選取的是其關注或臨證親驗針灸治療有效的病證；此部分的行文也與《針灸大全》略有差異，往往以喃文冠於各段之首。十二經脉流注圖的文字內容（包括各經取穴與諸穴定位）與《針灸大全》卷之五「論子午流注之法」基本一致；而且，每條經脉的圖示，也與《針灸大全》相關圖例的構圖基本相同。「奇經八脉」標題之下明確注明「出徐氏」，其內容主要摘録自《針灸大全·竇文真公八法流注·八法主治病證》，兩書之間僅有微小的文字差異，并不影響主旨大意，如與《針灸大全》相較，此書删除了穴名之後的穴數，僅保留穴名。書末的三才、三部等特定穴，主要摘録自《針灸大全》卷之二「標幽賦」，二者具體內容亦基本一致。

第二，在《針灸法總要》一書中，「經絡起止」「奇穴」等主要抄録自李梴《醫學入門》。其中，「經絡起止」部分，主要摘録自《醫學入門》卷之一「經穴起止」。此書在抄録時，删除了十二經脉、督脉、任脉的經穴歌訣和任、督二脉的循行；部分腧穴的內容有所删減。如此書足陽明胃經的「頭維」一穴，僅記穴名而未見其定位、刺灸等內容。在「奇穴」部分，有關膏肓、患門、四花、騎竹馬、精宫、鬼眼、痞根、肘尖、鬼哭諸奇穴的取穴法、灸療法、主治病證等內容，與《醫學入門》卷之一「治病奇穴」原文基本一致；關於頭痛連齒痛、牙疼、痞塊、衄血、中風、癎疾、咳嗽、泄瀉、霍亂等病證以奇穴治療的記載，與龔廷賢《壽世保元》卷十「灸諸病法」大同小異；涉及婦人諸證、小兒諸證、脱肛、赤白汗斑、諸瘡、瘰癧、癲狗等治療的內容，與《壽世保元》卷十「灸諸瘡法」中的相關記載大致相同。

第三,《針灸法總要》中有些内容因未加標識而無法判斷具體出處。如此書「血支」「血忌」部分,與明代竇漢卿《針經指南》、朱橚《普濟方》卷四百十二、《針灸聚英》卷三等的記載大致相同;「血支」内容在《針灸大全》卷之一、《針灸聚英》卷四下、《醫學入門》卷之一中亦有類似記載。在此書的「明堂尺寸法」中,僅摘録頭部、頭部横寸、背部直寸三種骨度尺寸法,相關内容廣泛見載於中國衆多醫籍,如明代陳會《神應經》、徐春甫《古今醫統大全》卷之六、李梴《醫學入門》卷一、張介賓《類經圖翼》卷三、楊繼洲《針灸大成》卷四以及清代吴謙《醫宗金鑑》「外科卷下」等。以上内容在多種醫籍中均有記載,因習見習用,後世轉録較多而此書引用後并未加標識,故目前尚難以判斷其究竟出自何書。

綜上可知,《針灸法總要》一書實爲彙集中國明代針灸醫學精華的實用針灸專著,目前能確定的引録文獻主要有明代徐鳳《針灸大全》、李梴《醫學入門》和龔廷賢《壽世保元》。

徐鳳所撰《針灸大全》,又名《徐氏針灸大全》《針灸捷法大全》,成書於明正統四年(一四三九),全書六卷。該書輯録前賢關於針灸理論和臨床的論述,主要有針灸歌賦、折量取穴、經脉流注、針法灸法、穴名考訂等,内容十分豐富,保留了明以前大量的針灸資料。此外,該書多以歌賦形式寫就,朗朗上口,便於記誦流傳。《針灸法總要》中的靈龜八法主治病證、十二經脉流注圖、奇經八脉和特定穴的内容,都摘録改編自此書。

李梴《醫學入門》,成書於明萬曆三年(一五七五),全書八卷。該書以明代劉純《醫經小學》爲藍本,以歌賦爲正文,并酌加注文以補充闡釋,是學習中醫的門徑之作。全書主要内容有醫論、醫家、臟腑、診法、針灸、外感、傷寒、内傷、雜病、婦人、小兒、外科諸證及其治法等。該書卷一所論針灸,對後世針灸醫學影響較大，常被中、日、韓、越的針灸著作轉録引用。如越南醫籍《針灸法總要》一書中有關「經絡起止」「奇穴」的内容就主要徵引自《醫學入門》。

龔廷賢《壽世保元》，成書於明萬曆四十三年（一六一五），全書十卷。該書論述了中醫基礎理論，内科雜證及婦科、兒科、外科疾病的證治，以及民間單方、雜治、急救、灸療等。《針灸法總要》「奇穴」一節，涉及内科、外科、婦人、小兒病證的灸療法，有很多内容來源於龔廷賢《壽世保元》卷十「灸諸病法」和「灸諸瘡法」。

中國周邊國家對中醫學的吸收，常常是首先汲取適於臨床運用的方法而捨弃有關醫理闡發的内容，越南也不例外。如《針灸法總要》十分重視臨證實用性而較少有理論的闡述，故書中常常捨弃中醫原著中的相關理論，而僅保留作者認爲最適於越南臨床運用的有效方法，這些方法往往經過作者親試驗證且療效可靠，是對中國醫學的高度凝練，也是中醫學中最爲精華的部分。

縱覽《針灸法總要》全書，僅在經絡、腧穴方面有部分基本的理論闡述，如針灸宜忌、經脉起止循行、腧穴定位等；在諸病治驗方面則僅列出具體針灸處方，并無辨證論治、選穴原則、配穴方法、虚實補瀉等理論探討。如「奇經八脉」處羅列八脉交會穴主治病證，於病證之下徑列穴名，全無前述幾方面的説明。又如對龔廷賢《壽世保元》的引用，則專門從該書中徵引臨床有效的灸療法，以治療臨床諸多常見病證。可見，越南醫學在學習、吸收中國針灸學知識時，更加注重臨床上某穴治某病的可操作性，較少探究其内在的複雜機制。

中國歷代針灸醫籍的編撰，常先論述經脉、腧穴基本理論，如宋代王執中《針灸資生經》先按身體各部及十二經脉列舉周身腧穴；明代徐鳳《針灸大全》首以歌賦形式，闡述周身經穴、經脉循行、經穴起止、十五絡脉、氣血多少等。或先祖述《黄帝内經》《難經》，追溯理論淵源，如明代高武《針灸聚英》援引《黄帝内經》《難經》之論，參合己見，論述臟腑、手足陰陽經脉循行、中指同身寸、十二經脉腧穴等内容；明代楊繼洲《針灸大成》先祖述針道源流，其次彙粹《黄帝内經》《難經》中關於經脉、針刺等方面的内容。以上諸書，大多首先鋪陳大段經脉、腧穴等方面的理論，其後才涉及針灸禁忌、刺灸治療等實踐内容。而《針灸法總要》開篇即列人神所在避針灸訣、血支血忌以及禁針法、禁灸法等。可見，此書撰者對針灸治療的安全性問題尤爲重視，希望越南人首先要了解和掌握針灸避忌、禁針禁灸等注意事項，然後才談得上對經絡腧穴、操作技術和主治病證等方面的學習。

四　版本情況

《針灸法總要》撰於越南明命八年（一八二七），現存嗣德三十三年（一八八〇）筆寫的鈔本一部，藏於越南國家圖書館，本次影印即以此本爲底本。

此本藏書號「R.374」。真柳誠先生對此書有詳細的記載，言：寫本一册，後補越南包背四針眼裝。深棕色表紙。無帙。無外題……無序、目録。内題無編著者名，正文爲漢文五十四葉……無跋……紙張爲薄葉楮紙，全體黄變。無界，無邊，無魚尾。每半葉十行，每行約二十五字，小字雙行。四周雙邊。有「THUVIEN/QUOCGIA」（國家圖書館）的藏書印記。全書有朱點、朱引。無蟲損，略破損，版心撕裂。❶ 此外，書中部分葉面的天頭處有後人用阿拉伯數字和漢文大寫數字標出的葉碼。此書第二葉左側破損，右側天頭處有勾畫痕迹。書中用朱筆句讀。文中所見經脉名稱，常以朱筆竪綫勾畫，部分穴名則用朱筆「○」標識。

綜上所述，《針灸法總要》是越南的一部實用性較强的針灸專著。作者首先關注的是針灸禁忌問題，其後主要載述了經絡腧穴、主治病證和操作技術等。書中内容主要摘引自中國針灸醫籍，如明代徐鳳《針灸大全》、李梴《醫學入門》、龔廷賢《壽世保元》等，取中醫針灸之精華并通過實踐加以總結，富有特色。今將此書影印出版，希望可爲讀者了解越南針灸醫學的發展特點提供珍貴的文獻資料，同時也希望在一定程度上反映出越南醫學在學習、吸收中國醫學時更注重臨床實用的特點。

杜鳳娟　蕭永芝

❶ 真柳誠.ベトナム國家圖書館の古醫籍書誌[J].茨城大学人文学部紀要.人文コミュニケーション学科論集，二〇〇六，(四十五)：一一六.

人神所在避針灸訣

初一在足大指　初二在外踝　初三在股　初四在腰

初五在口裏　初六在手　初七在内踝　初八在腕

初九在尻神　初十腰背　十一日鼻柱　十二髮際

十三日牙齒　十四胃脘　十五在身徧　十六在胸

十七在神起　十八在股内　十九日在足　二十内踝

二十一在手小指　廿二日在外踝　廿十三肝足　廿四在手陽明

二十五在足陽明　廿十六在胷　廿七在膝　廿八陰枝柱止

廿九膝頸脛　三十日足趺

正月戊寅日忌足　二月後春分己丑日忌　三月己卯日胃堂忌

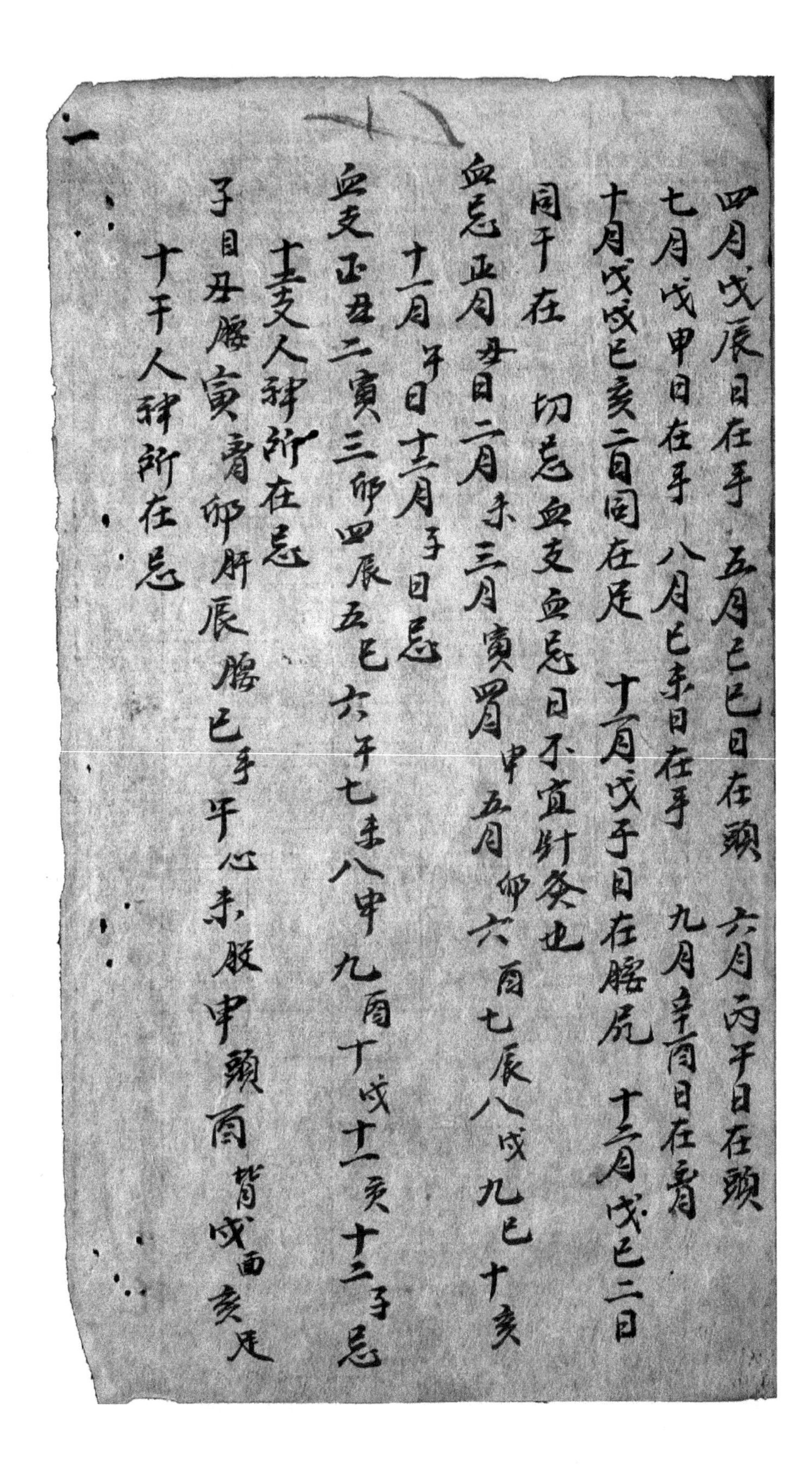
四月戊辰日在手　五月己巳日在頭　六月丙午日在頭
七月戊申日在手　八月己未日在手　九月辛酉日在胷
十月戊戌己亥二日同在足　十一月戊子日在腰尻　十二月戊己二日
同干在　切忌血支血忌日不宜針灸也
血忌正月丑　二月未　三月寅　四月申　五月卯　六月酉　七月辰　八月戌　九月巳　十月亥
十一月午日　十二月子日忌
血支正丑　二寅　三卯　四辰　五巳　六午　七未　八申　九酉　十戌　十一亥　十二子忌
十二支人神所在忌
子目　丑腰　寅胷　卯肝　辰腰　巳手　午心　未股　申頭　酉背　戌面　亥足
十干人神所在忌

甲頭乙耳丙肩心丁足背戊腹肝己腹肺庚腰膂辛肘脾

壬腰癸手足　針灸吉日　男女同宜開日　男用破日女忌

針灸忌日　滿日閉日忌　女用除日男忌

此乃神農明剛尻神一歲起坤二歲起震三歲起巽逐年順飛九

宮周而復始行年到處謂之年神所在切忌針灸若悞犯之重

則喪命輕則癰瘓之疾病也　尻神圖切忌

坤一歲十歲同 十九　震二歲十一歲同 二十　巽三歲十二歲同 三十　中四歲十三歲同 四十

乾五歲十四歲同 五十　兑六歲十五歲同 六十　艮七歲十六歲同 七十　離八歲十七歲同 八十

坎九歲十八歲同 九十　占八卦尻神所在忌

坤在踝　震在牙腨　巽在乳頭　中在肩尻神　乾在面背目

二

兑在手髆　艮在頂胺　离在膝脚　坎在肝脚趾

凡灸法以在左手按又右手执火男則灸自上以至下女則灸自下以

至上以順陰陽之易除也　凡执火祝曰

南方丙丁火德神官身長九尺九目九睛鄭身流火燒熨邪精

又火到處百病消散萬病消除急急如律令

一灸東方甲乙木二灸南方丙丁火三灸西方庚辛金四灸北方壬癸水

五灸中央戊己土灸又到處百病消散萬病消除急急如律令

禁穴法　膝户　尾府　鳩尾若窩不宜灸心腧臨泣忌窩委中

穴無辞不可灸若欲灸一莊[illegible]澤　陽冲　属兑

禁針法　神庭顖息少滴承[illegible]人迎[illegible]膻中少分神厥气冲五

3

里三陽格拳筋以上等穴不宜針也

禁灸法

素髎攢竹睛明迎香肩貞脊中白環天牖乳中鳩尾少商天府

少海陽池地陰陵泉髀關啟门以上等穴不宜灸也

木穴少商三間中渚大敦臨泣湧泉束骨等穴屬木

火穴魚際少府陽谷陽谿勞宮支溝行間陽輔大都解谿然谷崑

崙以上等穴屬火　土穴曲池神门少海大陵天井太冲陽陵泉

太白三里太谿委中以上等穴屬土

金穴經渠商陽靈道少澤間使關冲中封竅陰商丘厲兑復溜

至陰以上等穴屬金　水穴尺澤二間前谷曲澤腋门曲泉俠谿陰

陵陽谷通以上等穴屬水

春刺井木　魚際少商少冲大敦隱白湧泉中冲
夏刺滎火　魚際少府大都然谷勞宫
仲夏刺腧土大淵神門太冲太白太谿太陵
秋刺經金　經渠靈道中封商丘復溜間使
冬刺合水　尺澤少海曲泉陰陵陰谷曲澤間使穴除那鬼大腸
膽胃膀胱三焦經
　　靈龜八法主治病証
公孫二穴通衝脉脾之經在足大指内側本節後一寸陥中令病人坐
合兩掌相対取之主治三十六症凡治各病以公孫穴爲首以後各穴應之
　　家傳針灸各穴法
在人身形圖法

三

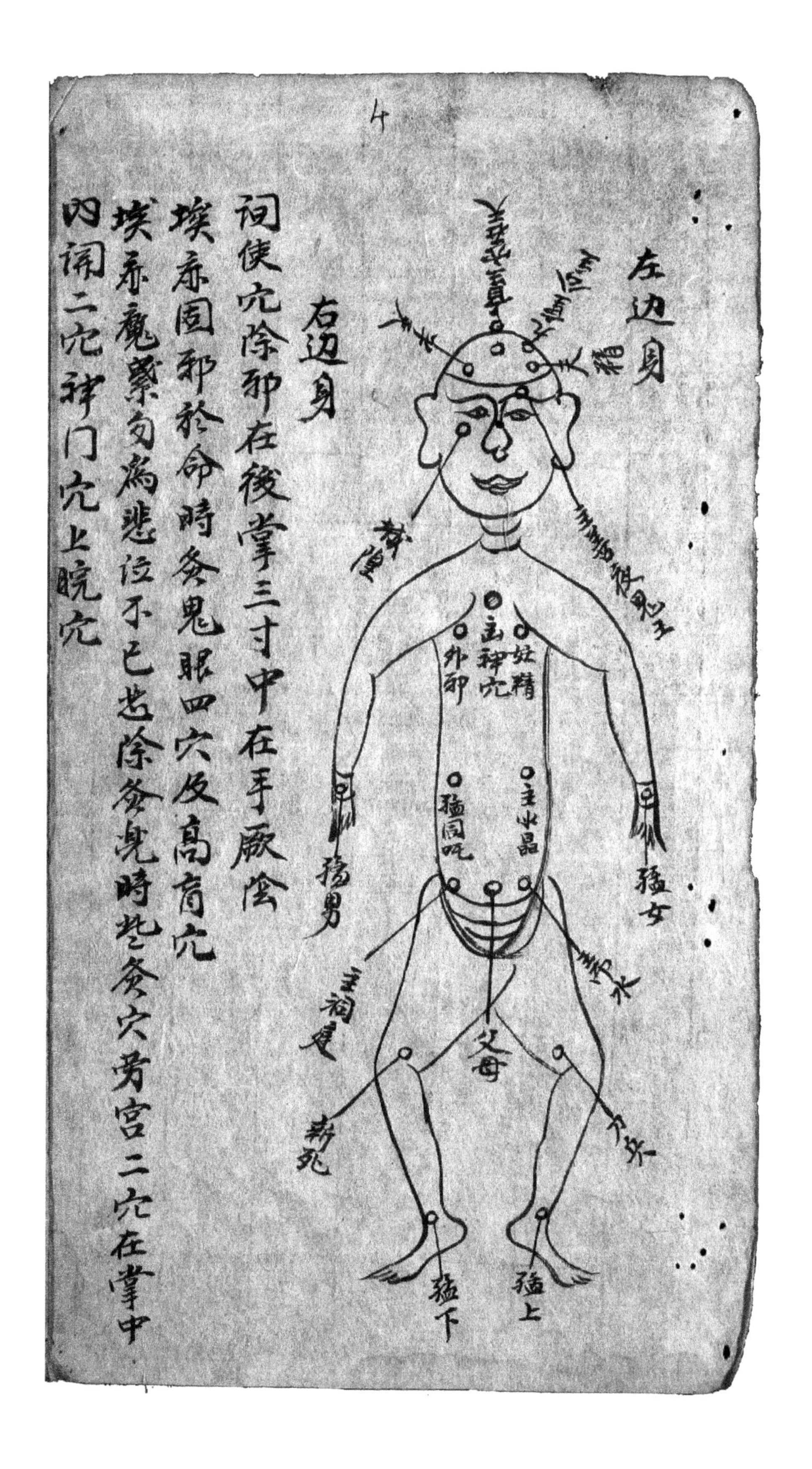
左边身

右边身

间使穴除邪在後掌三寸中在手厥阴

埃恭固邪於命時灸鬼眼四穴及高肓穴

埃恭魔鬃句為悲泣不已也除灸鬼時些灸穴劳宫二穴在掌中

内关二穴神门穴上脘穴

埃赤沛疟顛狂補褁府鋌四常吐容灸豐隆二穴在外踝上八寸反

百會詞使商丘神廷身柱等穴

○埃赤逆走痛尼灸臨泣曲池合谷陽陵等穴

埃赤腿膝旁蘭畀疮痛尼肾腧環跳陽陵懸衡崑崙

埃赤頭蹭胺盈意畀尼痛時灸鬼眼四穴膝瑚三里陽陵太冲

尋尼赤灸足平法仙。埃哏噎托趍頬車二穴合谷二穴人中一穴百會一穴

埃赤口噤不語灸人中百會瑚元粲海詞使等穴

○埃赤旁脆雅厄某悪群蔭悲除究洸泚海赤塔御朕尼萎朱

若赤灸朱典病扇夹安。埃赤男女证厄男左女右旁時若台

囿歎畀男平尼屋中疼痛帯扇墜精灸烈鈌究在手側宛上

四、

5

指相止處是穴行祠二穴灸朱宴穴即時吏安
回歇婦女產危陰中挺出時療工恙時坐曲泉二穴太冲二穴然谷二穴
照海等穴．　疾赤胃暑霍亂吐瀉灸中脘合谷曲池二穴委中
百劳十宣号十指手足三里○疾赤下痢易脆赤白相雜痢如割
灸穴氣海照海天樞水道外陵三陰三里百會以上等穴
疾赤泄痢眼花水穀不化脾腧胃腧三里若有腹痛內庭三陰等穴
○黑砂腹痛頭疼發熱惡寒腰背強痛不得睡卧灸百劳一穴天府二穴
委中二穴十宣十穴等穴○白砂腹痛吐瀉四肢厥冷十指甲黑
不得睡卧灸大陵二穴百劳一穴大敦二穴十宣十穴等穴
黑砂頭痛發汗口渴大腸泄瀉惡寒四肢厥冷不得睡卧名曰絞

五

腸砍或腸腹響鳴時灸委中二穴膻中百會丹田大衰竅陰丁宣一寺穴。埃赤痛心厄県悪灸公孫二穴大陵二穴中脘在臍罗

埃赤痛心灸巨厥穴公孫上脘一穴在臍上五寸五分為真既悉宜灸

埃赤旁膝平厄灸中脘穴三陰交在内踝上三寸為眀

埃赤旁鄙小腹灸少海氣海寺穴。埃食積生痛心灸公孫觧谿中脘三里寺穴。埃赤腹痛頭疼灸百劳一穴十宣十指手足

埃赤旁膝裏朔膻中百會丹田大衰十宣寺穴

埃赤厥灸丁宁灸大陵百劳大敦十宣寺穴

埃赤腹中滓痛灸脾腧在第十一椎下两旁各一寸五分為見

埃赤氣塊心腹脹痛灸三里在眼膝下各三寸為見

疾赤血痢氣急皆胸脹痛灸公孫穴大敦行間等穴
疾腹脹脾胃厥冷痛灸公孫大敦等穴。疾心腹痛腸筋滿悶
痛魏屬灸脾兪三里等穴。疾赤積聚痛連腹中脹滿息
連脐通時然二灸三焦穴脾兪小分等穴。究釐心疼一切冷氣
灸大陵二穴中脘隱白二穴等穴。疾痰隔從悶胸中悉痛然灸
勞宮膻中間使二穴。疾腸腹脹滿氣不消化灸天樞內庭二穴小分二穴
疾腸筋下痛起止張雅灸支滿二穴章門二穴陰陵二穴等穴
疾泄瀉不止中悉後重灸下脘一穴天樞二穴照海二穴等穴
疾胸中刺痛悉夕不息灸內關二穴大陵二穴或中二穴等穴
疾胸中刺痛兩脇脹滿氣攻疼痛灸陰陵二穴章門二穴絕骨二穴

六

埃中滿不快翻胃吐食灸中脘一穴太白二穴中魁二穴等穴

埃氣隔五噎飲食不下灸膻中二穴三里二穴太白二穴等穴

埃胃脘停痰口吐清水灸巨闕一穴膈兪二穴中脘一穴等穴

埃中脘停食疼刺不已灸解谿二穴太倉一穴三里二穴等穴

埃嘔吐痰涎眩暈不已灸豐隆二穴中魁二穴膻中一穴等穴

埃心痺令人心內怔忡不已灸神門二穴心兪二穴百會一穴等穴

埃脾痺令人怕寒痛腹灸商丘二穴脾兪二穴三里二穴等穴

埃肝痺令人氣色蒼惡寒共恐灸中封二穴肝兪二穴絶骨二穴

埃肺痺令人心寒怕人驚灸列缺二穴肺兪二穴合谷二穴等穴

埃腎痺令人遍熱腰脊強痛太冲二穴腎兪二穴中脉二穴等穴

埃胃暑大熱霍乱吐瀉灸委中二穴百労一穴中脘二穴等穴曲池二穴十宣十穴三里二穴合谷二穴等穴

等証多瀉灸三里多吐時灸玉堂一穴膻中一穴轉筋時灸承山

埃腹中寒痛泄瀉不已灸天樞二穴中脘一穴三陰交二穴関元一穴

埃小便腹冷疼痛灸気海一穴関元一穴腎兪二穴三陰交二穴

埃痃癖肚泄証灸公孫二穴照海二穴天樞二穴百會穴等穴

埃腹脹気消傷寒入表口噤灸公孫二穴照海二穴内関二穴等穴

埃毬肚気急腹脹灸内関二穴気海一穴等穴

埃腹脹彭々灸水分照海膻中中脘行同三陰交等穴

埃血破心腹満真魁脹已灸膈兪穴即效

七

埃蠱脹彭彭灸氣海一穴 照海二穴
埃臟毒膿痛便血不已灸承山二穴 肝腧二穴 長強一穴 膈腧二穴
埃臟毒痔運瘡瘻脫腳灸內關二穴 承山二穴等穴
埃大便室秘腸尾下血腳脫閑之灸長強一穴 承山二穴 等穴
以上灸治腹症之法　以下治尻症之法
埃手足拘急灸豁後穴 三里二穴 曲池二穴 合谷二穴 陽陵穴 或加灸
尺澤穴 外關穴 絕骨穴 中渚穴 等穴
埃式對真痲四肢拘急灸曲池 合谷 三里 行間 尺澤等穴
埃臂痛時灸肩髃 或足疼時灸陽輔穴 豐隆穴等穴
埃麻腰膝病台灸環跳穴 崑崙穴 陽陵穴 养光穴 名大海穴

埃骨節痛時灸 三陰交穴 在内踝上三寸爲晃

埃赤肩臂痛台灸肩髃二穴環跳二穴。埃赤蹐遂泣命灸

曲池外関合谷中渚等穴。埃鶻頭膝瘀内赤腫痛座消兆罒

時𢐀灸肩井三陰交大衰等穴。埃赤蹐頭痛醫灸臨泣行同

。埃頭共蹐灸太冲臨泣大陵中渚曲池合谷三里等穴

埃赤紅頭囯難意罒顛悼筵算補料時𢐀灸太冲臨泣崑崙

陽陵等穴 号罒痊湼。埃赤痛膝昌䄜如補灸京骨穴

埃痛膝疼妥罒頭蹐疼灸腰腧一穴神效。埃赤腰痛起止艱難

灸腎腧 二穴 然谷 穴 膏骨穴等穴。埃赤腎虛痛膝相連灸腎腧 二穴

命门 一穴 神堂 二穴 。埃赤脚腰痛𧾷跌将座特灸崑崙二穴

埃附骨疽同病骨昌座妄兇罢灸大陵懸鍾等穴
埃瘫痪骨節疼痛灸䰟户穴百劳杼谷等穴○埃腰背强不俛仰
灸腰腧膏肓委中次紫脉出血○埃肢節煩痛牽引腰脚痛此灸
肩髃曲池崑崙陽陵泉等穴○埃手足攣急屈伸艱難灸三里二穴
曲池二穴合谷二穴尺澤穴行間穴陽陵泉二穴○埃手足俱顫不能步行
握物灸陽谿穴曲池穴腕骨穴十宣穴大淵穴人中穴童子髎二穴
合谷二穴○埃腰背項背疼痛灸腎腧人中肩井委中等穴
埃腰疼頭强不得回顧灸承漿委中腰腧腎腧等穴
埃寒熱頭惡無汗灸合谷三里等穴○埃頭痛寒熱灸神道二穴同俠二穴
埃頭疼熱多無汗灸中冲穴在手中指内廉之端去爪甲角如韭葉

八

候赤焯凛戊泒産固夾疠缸边液尼亀呐腥屹証時些灸劳宫
二穴在掌心中手 或手足厥冷肫苔灸大都穴。候赤熱病頭尼些灸
支满合谷前谷腕骨等穴。候熱多無汗灸三里或式頭疠腠
灸懸顱穴。候熱多酉腫頭痛灸懸釐穴。候頭痛盃同灸
百會公孫二穴。候赤泅髓焯轄時灸百劳絶骨公孫合谷曲池六等
候痝疾大熱不退灸回使二穴 百劳六絶骨穴。候痝疾先寒後熱
灸後谿曲池劳宫等穴。候痝疾先熱後寒灸曲池百劳絶骨等
。候痝疾骨節疼痛灸卧户百劳然谷等穴。候痝疾頭痛眩橐
吐痰不已灸合谷中脘烈缺等穴。候痝疾口渴不已灸閙中人中
詗使等穴。候胃痝令人善饑而不能食灸厲兑胃俞大都等穴

九

俟腎虚頭痛頭重不舉灸腎兪大谿烈缺百會等穴。俟陰厥頭暈及頭目昏沉灸大敦肝兪百會等穴。俟頭項痛正名曰頭風灸上星百會腦空湧泉合谷等穴。俟傷風四肢煩熱頭痛宜灸經渠曲池合谷委中等穴。俟目風腫痛胬肉攀睛宜灸和髎二穴 睛明二穴左右目内眦中 攢竹二穴 肝兪合谷外關照海烈缺委中十宣等穴。俟目暴赤腫及疼痛灸迎香二穴 攢竹二穴

。俟濕氣在安四肢腫滿辛酸競皮時宜灸穴曲池二穴 臨泣二穴 行間二穴 三里上下四穴。俟腳氣腰膝灸承山一穴 三里等穴

俟腳氣腰膝麻氣在安灸肩井陽陵陽輔崑崙照海太冲三里

俟腳濕寒并熱大痛灸少海太冲陰交等穴

疾脚氣寒虚灸觧谿穴 照海穴 ○疾畏虚胃因牢脚氣紅腫灸
照海氣中大谿血海公孫三陰交等穴○疾乾脚氣病於足頸檜
其畏麻頸麵時些灸照海膝關崑崙絶骨陰交等穴
疾赤口眼喎斜半身不遂意畏証凡左喎灸右右喎灸右肩髃二穴
曲池百會三里環跳凡市小溪承漿合谷絶骨以上等穴同一症治之
疾中凡半身痿雅灸完骨三里絶骨行間合谷凡市三陰等穴
疾中凡偏枯疼痛灸絶骨曲池大椎肩髃崑崙三里等穴
疾中凡手足攣癈痺不能握物灸臑會八髎腕骨行間合谷陽
陵泉等穴○疾中凡口眼喎斜攣連不已灸頰車地倉等穴
疾中凡不省人事灸中冲曲會大敦印堂等穴

疾中風不語灸少商前頂人中亞門顱中合谷等穴○疾亦風癇

弓叉張眼目盲視時灸百會百勞合谷十宣行間曲池陽陵泉等穴

疾癇病虛空建我戰動驚即時口吐涎沫發瞀時發灸百會上星

神庭等穴○疾風癇和平大呼馬走足安洗暑時灸合谷三里大淵

等穴○疾亦顱癇半風發灸穴風法還發灵兩足中指相傳於

湧泉加合谷即前灵台○疾亦癇病陽暑晝發夜發灸調而灸畫

發時灸申脈穴夜發時灸照海穴

○疾亦嘔吐痞灸上脘穴氣寒灸玉堂穴○疾嘔吐脾胃虛灸內關內庭

氣海中脘公孫等穴○疾嘔吐痰涎頭眩暈灸豐隆陽谷公孫膻

中等穴○疾亦胃反嘔乾并吐灸中庭通谷膻中間使少分等穴

疾五癇等症口中吐沫灸後谿鬼眼四穴神門心腧等穴

疾雷風暈眩吐痰涎灸中脘大椎百會風門等穴○疾咳唾歇燒

卒咳卒嘔消空灸三里脾腧等穴○疾吐謂歇燒意畏消灸穴

肾腧膀腧等穴○疾遍身浮腫意謂山牢氏畏胃氣消虛此灸

申脉公孫人中等穴○疾赤渴煉三焦消其症不同消脾消中消胃

素问云 胃腑渴虛飲食大升不得充飢 胃臟渴飲百杯不能止

渴 房勞不稱心意此謂三消也乃吐燥為渴不能充化故此成也

灸人中公孫脾腧中脘照海大谿關冲三里等穴

疾赤臟毒腫痛虛便血不止灸承山肝腧膈腧長强等穴○疾五種等

症攻痛不已灸合陽二穴 長强穴 承山二穴 ○五癇等证口中吐沫灸穴

十一

後谿神門心腧鬼眼四穴并穴。心性口木痴悲泣不已灸大鍾通里神門後谿并穴。心驚狂不識親疎灸少冲心腧中脘十宣十穴健忘易失語言不悅灸心腧通里少冲并穴。心氣虛損或歌笑灸通道心腧通里并穴。心中驚惧言語錯乱灸少海少府心腧後谿心中虛傷内神不安灸乳根通里膻俞心俞并穴。心驚中风不省人事灸中冲百會大衰并穴。心臟諸虛心性驚悸灸陰郄心俞通里膽俞并穴。埃虛膽寒四肢頭掉灸腹腧通里嘻泣并穴五臟結熱吐血不已灸臟俞血會心俞肝俞脾俞肺腧胃腧膈俞并穴。埃六腑結熱妄行不已灸血會膽俞并穴胃腧小腸膀胱腧三焦俞大腸二穴取六腑二穴并穴。鼻衄不止名曰妄行灸少澤心俞膈俞并穴

12

○吐血昏暈不省人事灸湧泉膈俞通里大衰肝俞，并穴

虚損逆吐血不已灸高骨膈俞丹田肝俞○吐血衄血陽乘於陰妄

行灸中冲肝俞膈俞三里三陰并穴○寒血吐血陰乘於陽名曰心肺

二經嘔吐灸少商二穴心俞二穴神門二穴肺俞二穴膈俞二穴三陰交二穴并穴

○埃舌強難言及生白灸關冲承漿聚泉并二穴○重舌脹舌極難言

灸十宣十穴海泉一穴　左舌理中金津一穴　舌下右邊玉液一穴　在舌下右邊

○口內生瘡名曰枯曹風灸兌端二穴支溝二穴承漿一穴十宣十穴并穴

○破傷風因他有福鬧津身并血热頰強灸大衰二穴合谷二穴行间二穴

十宣十穴太陽紫脈中脈二穴謂膀胱之經在足外踝下陷微前赤白

肉際是穴主治二五症

腰皆不俛仰灸腰俞膏肓委中決紫脉出血

肢節煩疼引腰脚痛灸肩髃曲池崑崙陽陵泉中封等穴

偏枯疼痛無時灸絶骨大淵曲池肩髃三里崑崙等穴○中風四肢

麻痺不仁灸陰交素膠上廉魚際風市膝關三陰交等穴○中風

手足痺不能握物灸臑會腕骨合谷行間風市陽陵泉等穴

牙齒兩頷腫痛灸人中合谷呂細即太谿也○上片牙痛及牙關緊

急不開灸大淵合谷呂細等穴○耳聾耳鳴亦疼痛灸聽宮腎俞

三里翳風等穴○下片牙疼及頰項紅腫痛灸客主人二穴合谷聽會

後谿 二穴 通督脉小腸之經在手小指本節後握拳尖上見穴是合

疾手握拳取之 主治三十二症

十二

13

手足攣戾屈伸艱難灸三里曲池尺澤行間合谷陽陵泉等穴

中風角弓反張眼目盲視灸百會合谷百勞曲池行間十宣陽陵泉

○中風緊口不開言語灸地倉二穴宜針透頰車二穴人中一穴合谷二穴等穴

且夫中風者有五不治者也開口閉眼散尿遺尿喉中雷鳴呼吸皆惡疾

也且夫中風者為百病之長至其變化不同焉或中於臟中之或腑或

中痰氣或怒中痰涎吞遮其源而害成者也如中於臟者則人不

省人事痰涎壅喉中雷鳴四肢雖瘓不知疼痛言語塞澁故曰

難治也中於腑者則令人半身不遂口眼喎斜知瘡痒痛能言語

形色不變故曰易治也治之先審其症而後鍼刺之其症生五臟

六腑形症各有名號先察其形体而後會其症應依標刺之則大效也

一肝中之狀無汗惡寒其色青名曰怒中○二心中之狀多汗怕驚
其色赤名曰思慮中○三脾中之狀多汗身熱其色黃名曰喜中
四肺中之狀多汗惡風其色白名曰氣中○五腎中之狀多汗身冷
其色黑名曰氣中○六胃中之狀飲食不下痰涎上壅其色黃
名曰食后中○七膽中之狀目眼牽連鼻鼾不醒其色綠名曰驚中
腰脊項背疼痛灸腎俞人中肩井委中等穴○腰痛頭項強不得
回顧灸承漿腰俞腎俞委中等穴○腰痛起止艱難灸然谷膏肓
委中腎俞等穴○足背生毒名曰發背灸內庭俠谿行間委中等穴
○手足生毒名曰附筋發背灸天府曲池委中二穴等穴治之若不愈灸
照海陰蹻等穴脉腎之經在足內踝下微前肉際陷中是穴主治三十症

〇小便淋瀝不通灸陽陵泉三陰交關冲合谷等穴〇小腹冷痛小便頻數灸氣海關元三陰交腎俞等穴〇膀胱七疝賁豚等症灸大敦蘭門丹田三陰交湧泉章門大陵等穴〇偏墜小腎腫大如斤灸大敦曲泉然谷三陰交歸來蘭門膀胱俞腎俞等穴〇偏風四肢煩熱頭痛灸經渠曲池合谷委中等穴〇腸中偏痛不痢不已灸內庭天樞三陰交等穴〇赤白痢疾腹中冷痛灸水道氣海三里外陵二穴天樞三陰交等穴〇臍中兩乳紅腫痛灸少澤大陵膻中等穴

〇乳癰紅腫小兒吹乳灸中府膻中少澤大敦相來搵指頭尽處是穴兩筋主治三十三症以前大敦穴

腹中寒痛泄瀉不已灸天樞中脘關元三陰交等穴

十四

婦人寒血積痛敗不止灸肝俞胃俞膈俞三陰交等穴

咳嗽寒痰膈閉痛灸膻中三里肝俞等穴○久嗽不愈咳唾

血痰灸風門大椎膻中等穴○哮喘氣擁痰壅盛灸豐隆俞府

三里等穴○吼喘胸膈急痛灸人中天突肺俞三里等穴

吼喘氣滿肺脹不得臥灸俞府風門大椎膻中中府三里百會曲池

○鼻塞不知香臭灸迎香上星風門等穴○鼻流清涕腠理不密噴

涕不止灸肺俞大椎三里等穴○婦人血瀝乳痛不通灸大澤大陵

膻中關沖等穴○乳頭瘡名曰妬乳灸乳根少澤商井膻中等穴

○胸中噎塞痛灸大陵內關膻中三里等穴

○五癭等症

15

夫項癭之症有五一曰石癭如石之硬二曰氣癭如綿之軟三曰血癭如赤脉細絲四曰筋癭乃無骨五曰肉癭如袋之狀乃五癭之形症也灸扶突二穴 天突一穴 天窓二穴 缺盆二穴 腧府二穴 膺腧二穴 膻中一穴 合谷二穴 十宣十穴 等穴。口內生瘡臭穢不可近灸十宣人中金津玉液承漿合谷等穴。三焦極熱舌上生瘡灸關冲外關人中迎香金津玉液等穴。氣冲人臭不可近灸少冲人中通里十宣金津玉液等穴

中暑自熱小便不利灸陰谷百劳中脘委中氣海陰陵泉等穴

小兒急驚風手足搐搦灸印堂百會人中中冲大敦太冲合谷等穴

小兒慢脾風目直視手足搐口吐沫灸百會上星人中大敦脾腧等穴

一治吐瀉已過十死一生四肢厥冷大便小便及吐已閉塞灸氣海一穴手

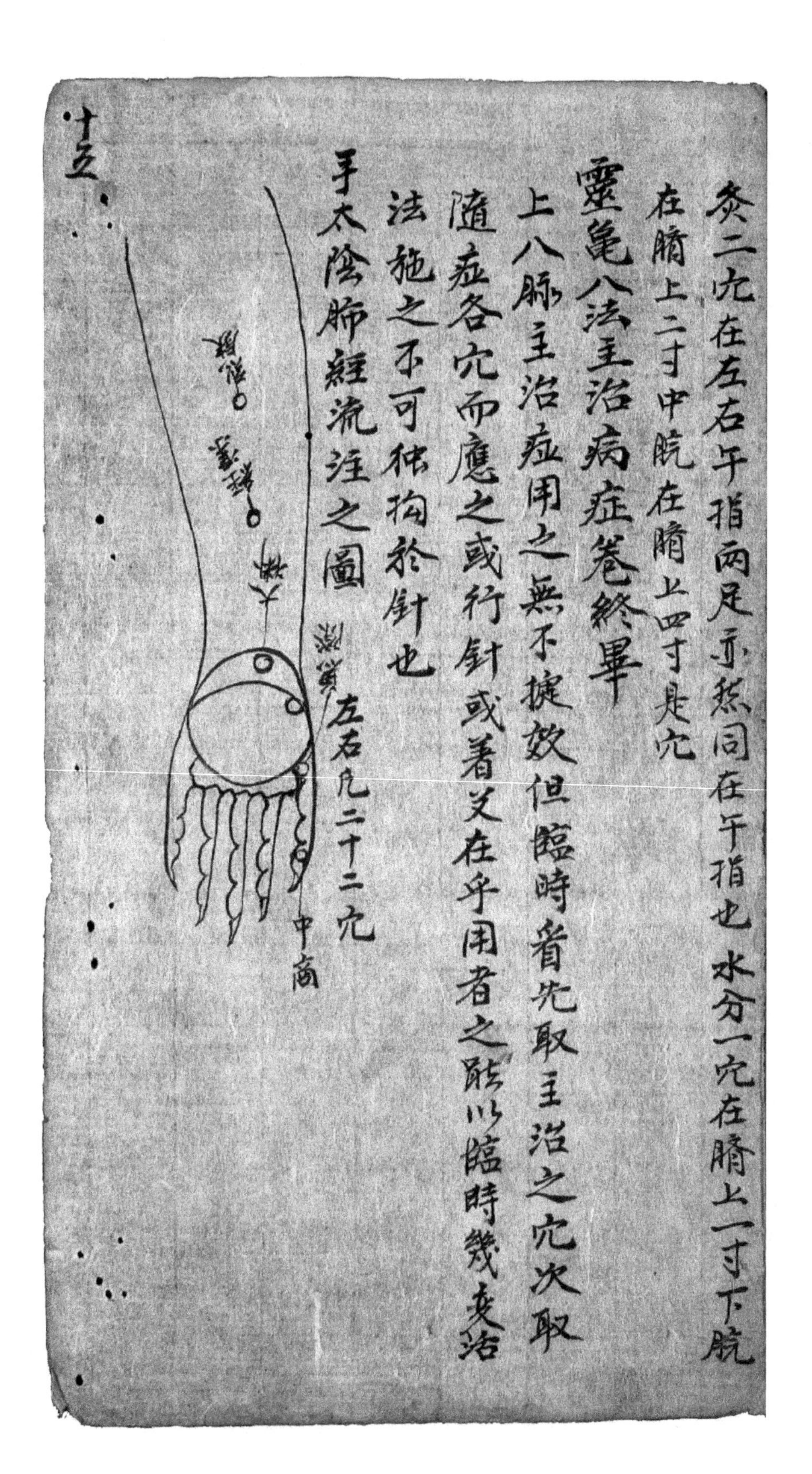

灸二穴在左右午指兩足亦然同在午指也　水分一穴在臍上一寸下脘

在臍上二寸中脘在臍上四寸是穴

靈龜八法主治病症卷終畢

上八脉主治症用之無不捷效但臨時背先取主治之穴次取

隨症各穴而應之或行針或著艾在乎用者之能以臨時幾變治

法施之不可執拘於針也

手太陰肺經流注之圖

左右凡二十二穴

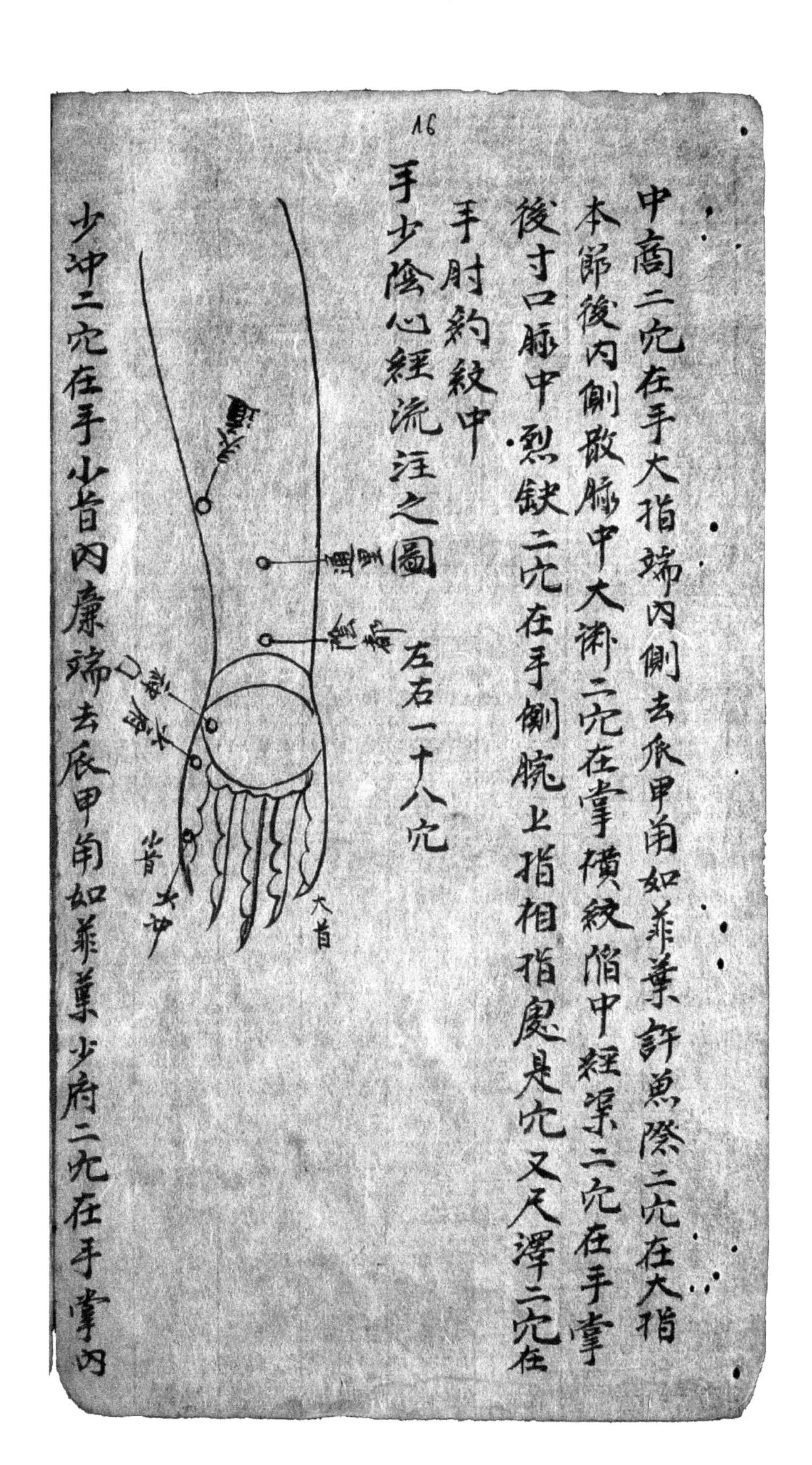

16

中商二穴在手大指端內側去爪甲角如韭葉許魚際二穴在大指本節後內側散脈中大淵二穴在掌後橫紋陷中經渠二穴在手掌後寸口脈中烈缺二穴在手側腕上指相指處是穴又尺澤二穴在手肘約紋中

手少陰心經流注之圖

左右一十八穴

少沖二穴在手少指內廉端去爪甲角如韭葉少府二穴在手掌內

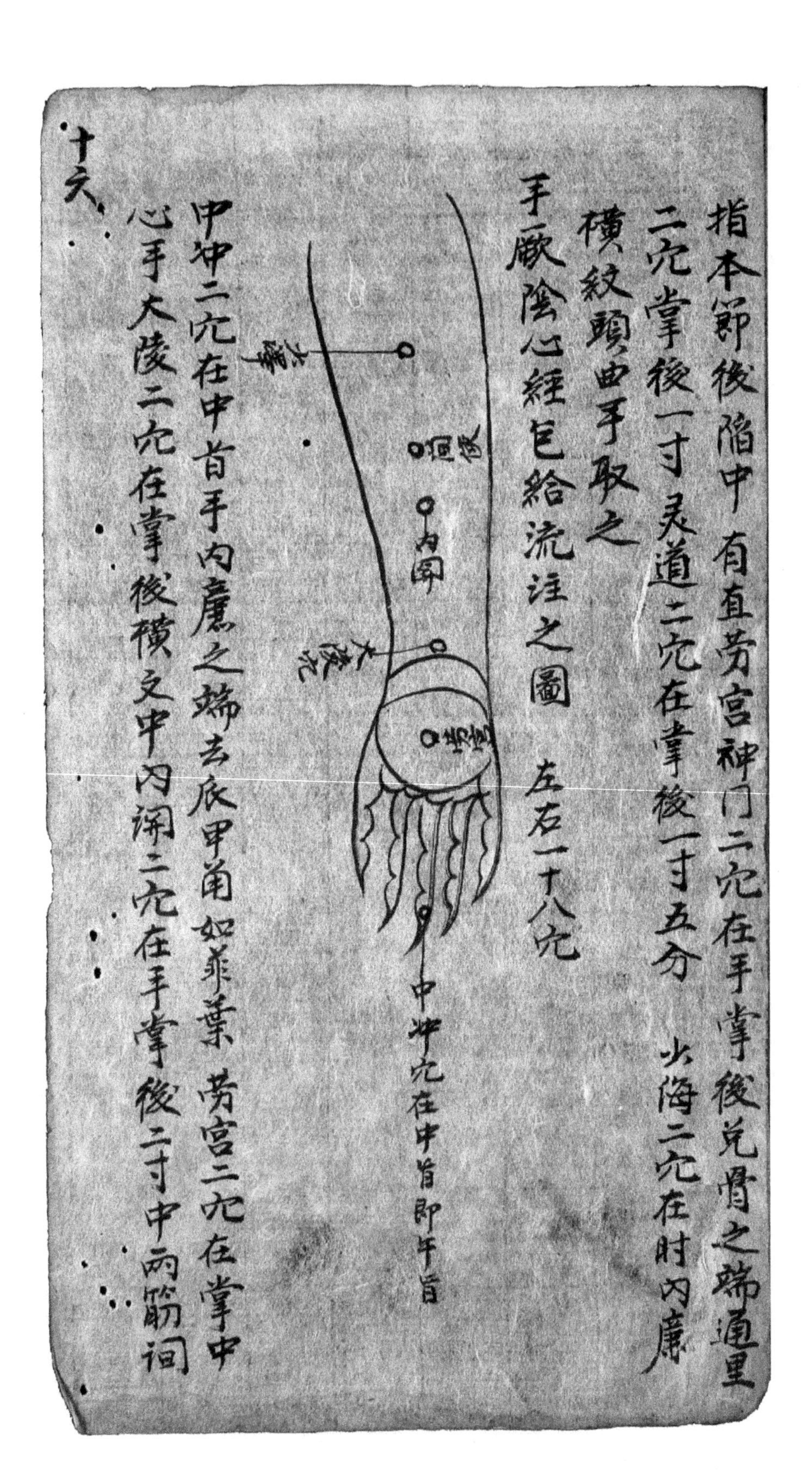

十六

指本節後陷中　有直勞宮神門二穴在手掌後兌骨之端通里

二穴掌後一寸　靈道二穴在掌後一寸五分　少海二穴在肘內廉

橫紋頭曲手取之

手厥陰心經包絡流注之圖　左右一十八穴

中冲二穴在中指手內廉之端去爪甲角如韭葉　勞宮二穴在掌中

心手大陵二穴在掌後橫文中　內關二穴在手掌後二寸中兩筋間

17

間使二穴去内關一寸在掌後三寸曲澤二穴在手肘内廉陷中曲肘是穴

手少陽三焦經流注之圖　凡左右四十六穴

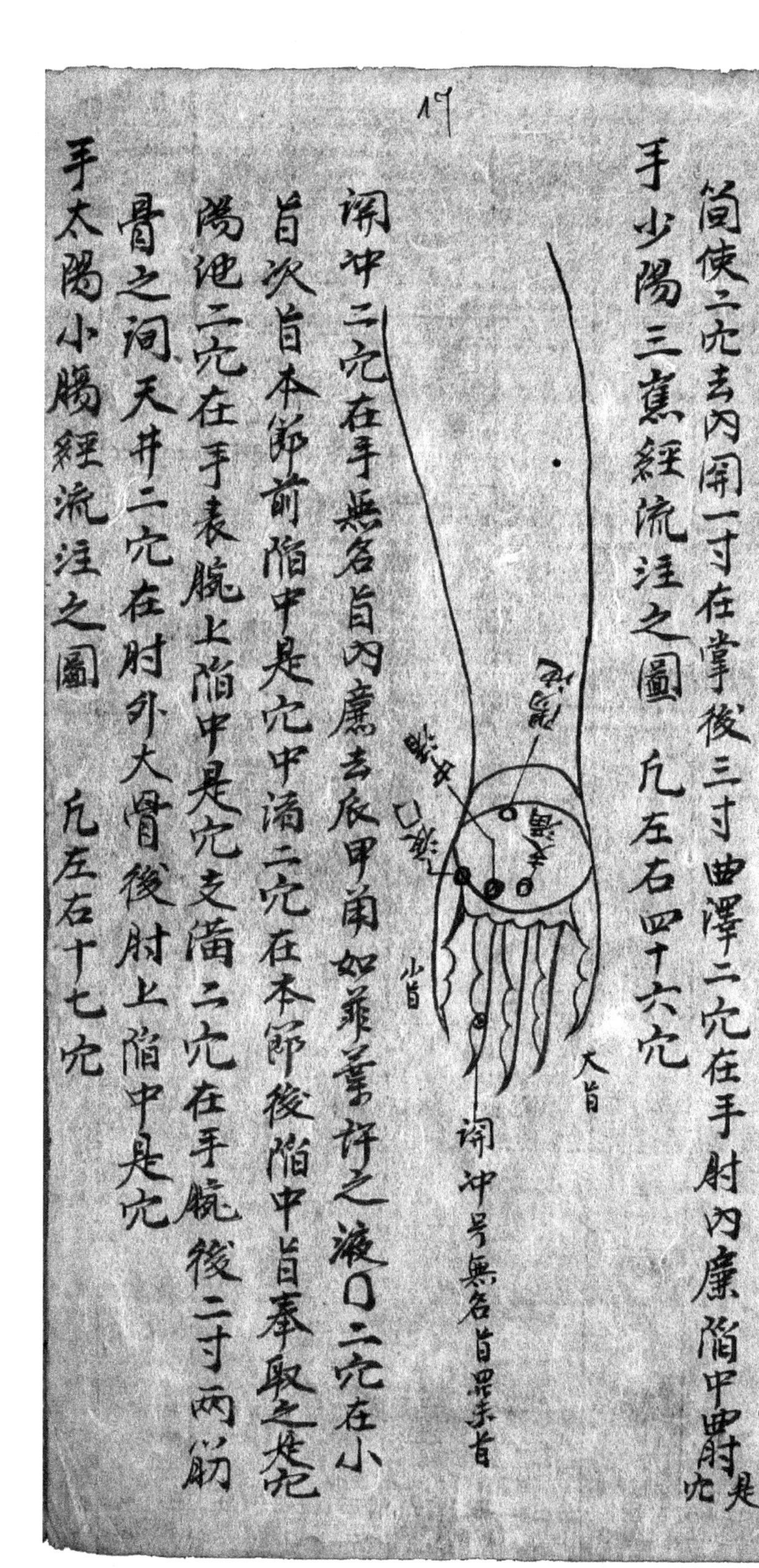

關冲二穴在手無名指内廉去爪甲角如韮葉許之液門二穴在小指次指本節前陷中是穴中渚二穴在本節後陷中指拳取之是穴陽池二穴在手表腕上陷中是穴支溝二穴在手腕後二寸兩筋骨之間天井二穴在肘外大骨後肘上陷中是穴

手太陽小腸經流注之圖　凡左右十七穴

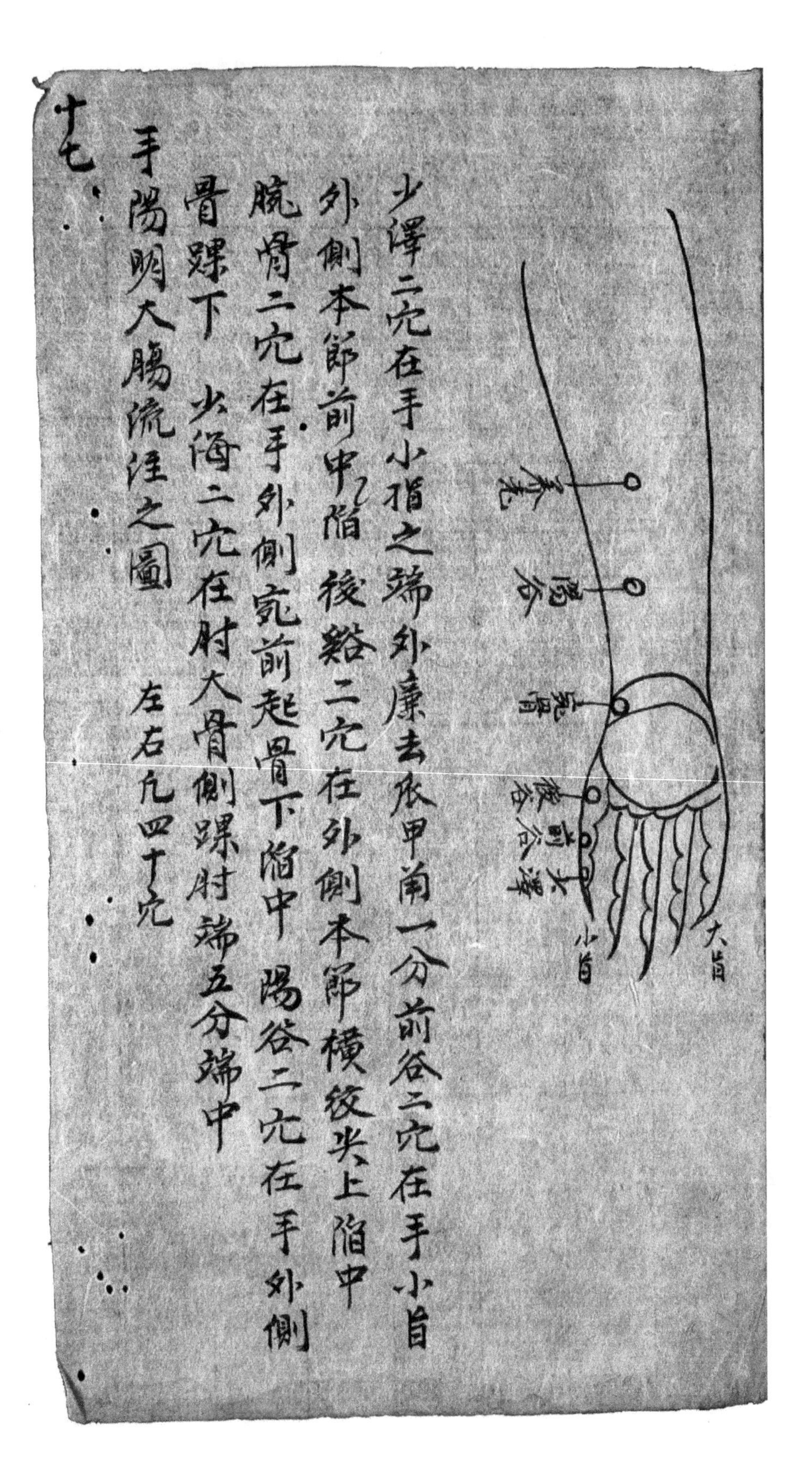
十七

少澤二穴在手小指之端外廉去爪甲角一分 前谷二穴在手小旨外側本節前中陷 後谿二穴在外側本節橫紋尖上陷中

腕骨二穴在手外側腕前起骨下陷中 陽谷二穴在手外側骨踝下 少海二穴在肘大骨側踝肘端五分端中

手陽明大腸流注之圖 左右凡四十穴

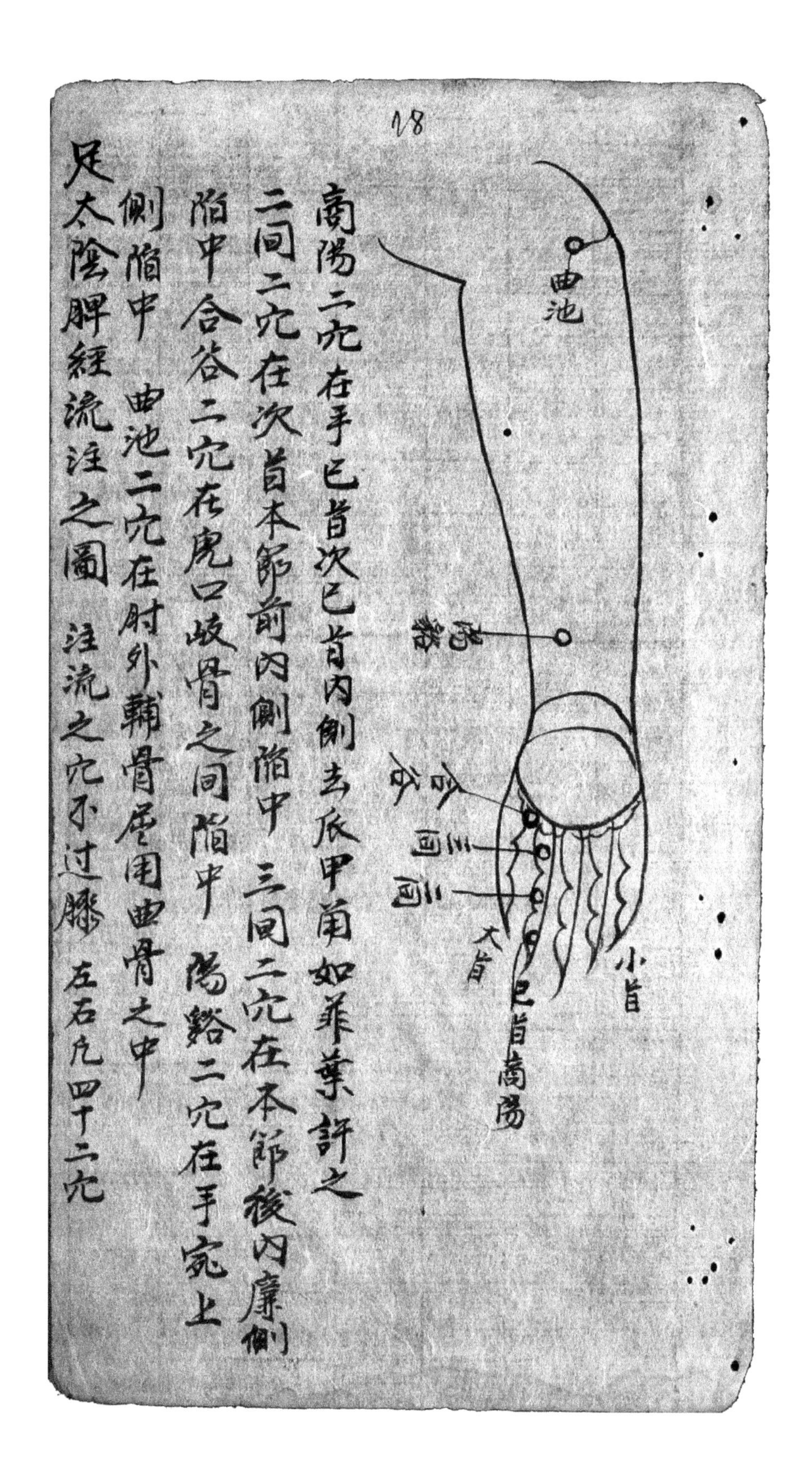

商陽二穴在手巨旨次巨旨內側去爪甲角如韮葉許之
二間二穴在次旨本節前內側陷中　三間二穴在本節後內廉側
陷中合谷二穴在虎口岐骨之間陷中　陽谿二穴在手腕上
側陷中　曲池二穴在肘外輔骨屈肘曲骨之中
足太陰脾經流注之圖　注流之穴不过膝　左右凡四十二穴

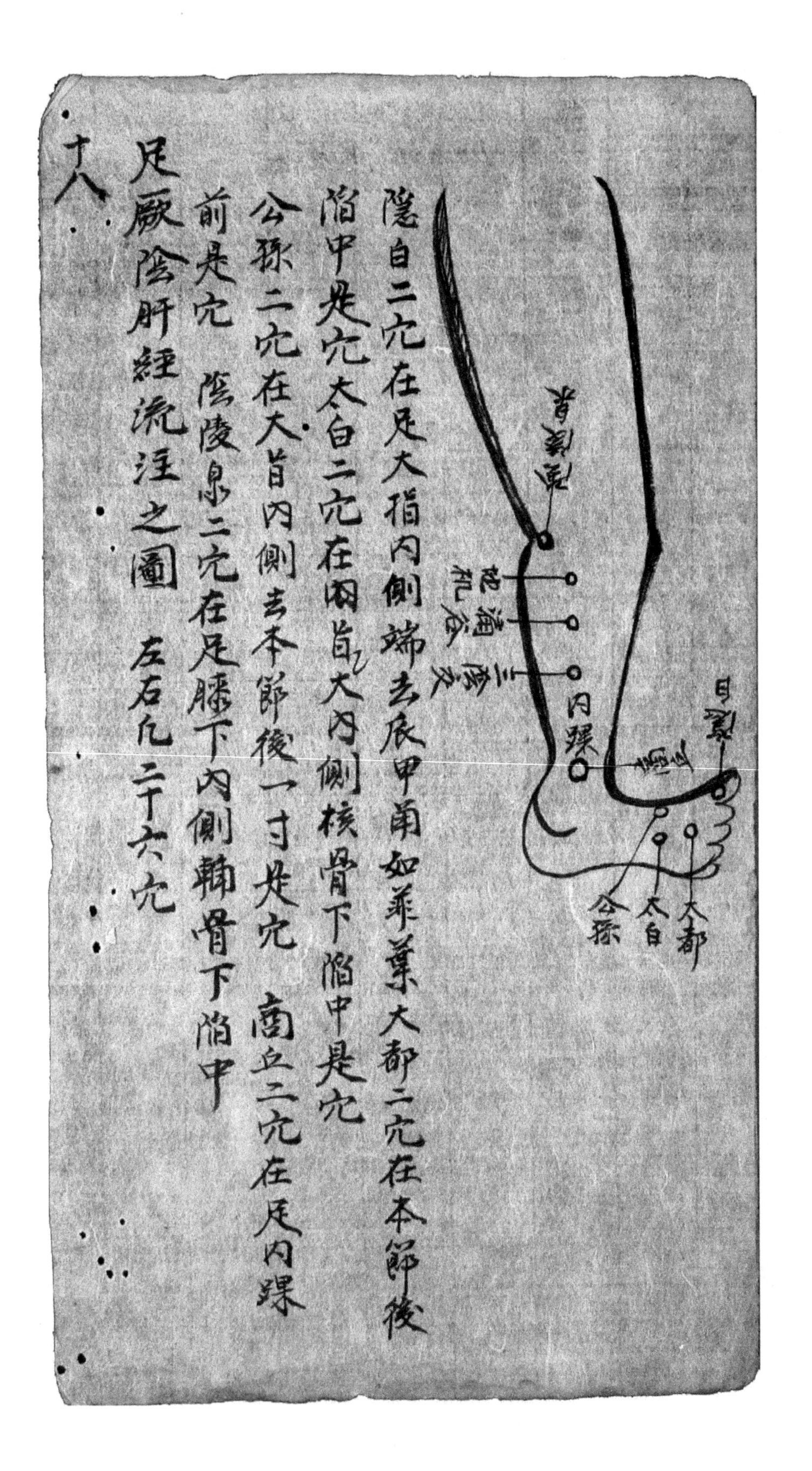
十八

隱白二穴在足大指內側端去爪甲角如韭葉大都二穴在本節後陷中是穴太白二穴在內指乙大內側核骨下陷中是穴公孫二穴在大指內側去本節後一寸是穴　商丘二穴在足內踝前是穴　陰陵泉二穴在足膝下內側輔骨下陷中

足厥陰肝經流注之圖　左右凡二十六穴

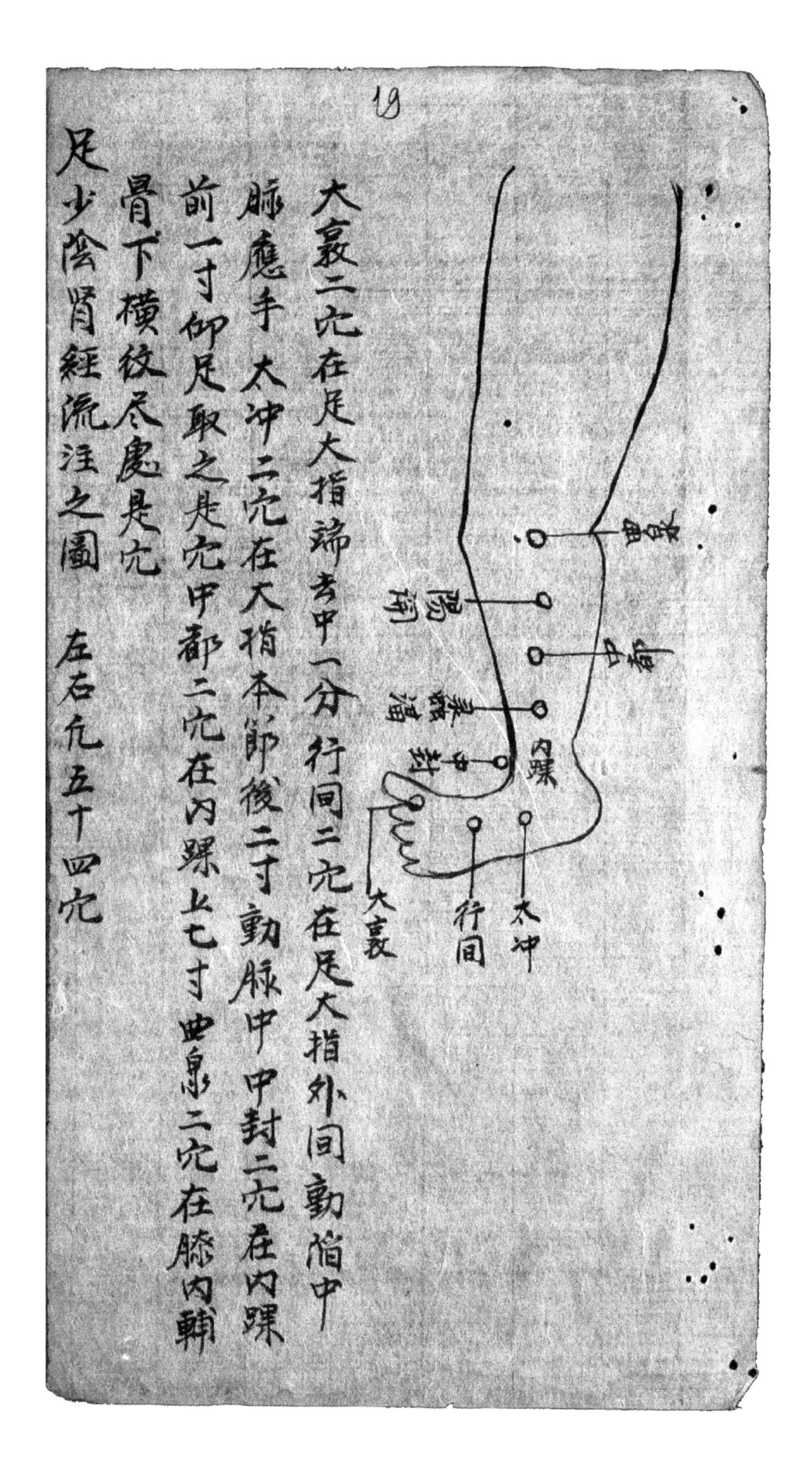
19

大衮二穴在足大指端去中一分行同二穴在足大指外同動陷中
脉應手　太冲二穴在大指本節後二寸動脉中中封二穴在内踝
前一寸仰足取之是穴中都二穴在内踝上七寸曲泉二穴在膝内輔
骨下横紋尽處是穴
足少陰腎經流注之圖　左右九五十四穴

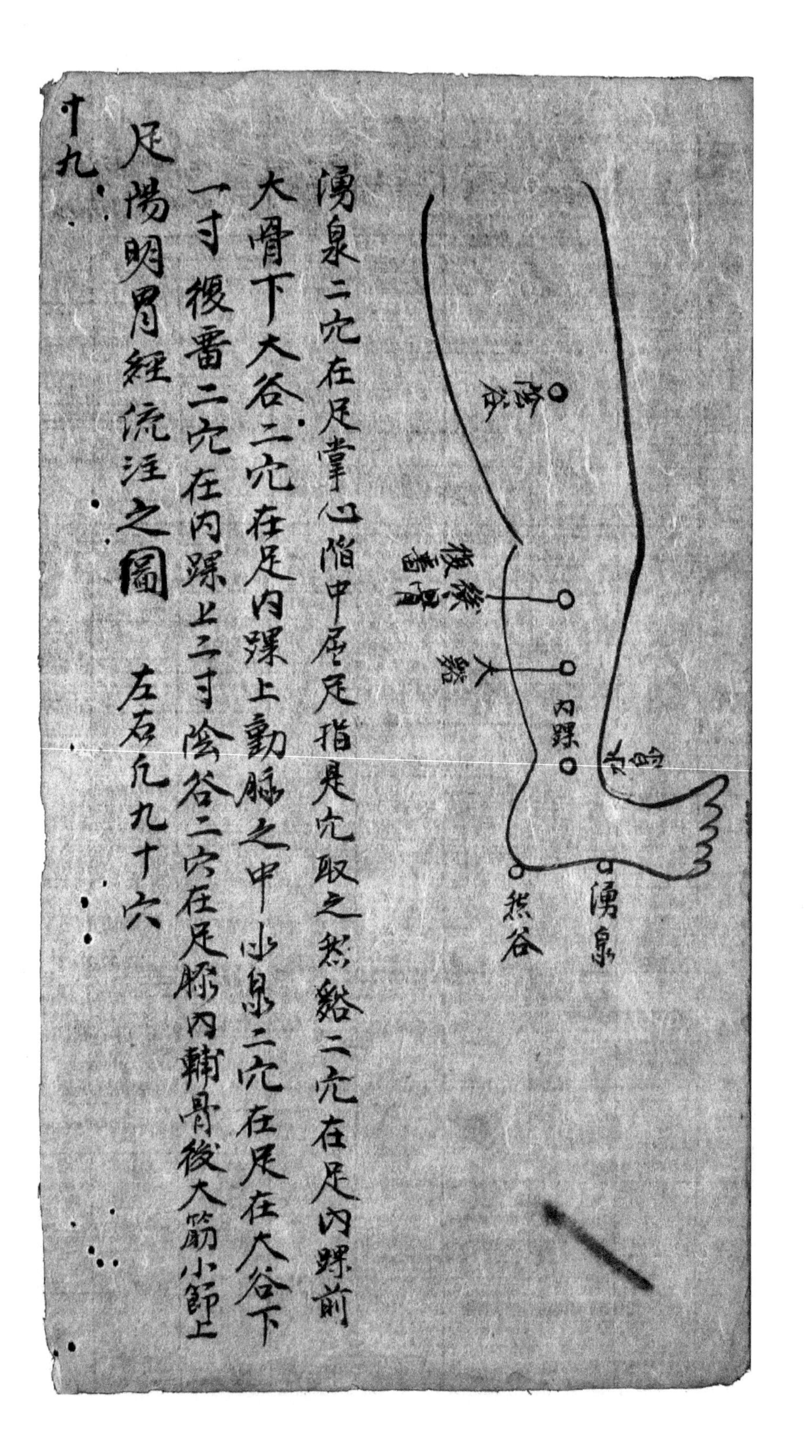

湧泉二穴在足掌心陷中屈足指是穴取之然谿二穴在足內踝前大骨下大谷二穴在足內踝上動脈之中少泉二穴在足在大谷下一寸復畱二穴在內踝上二寸陰谷二穴在足膝內輔骨後大筋小節上

十九

足陽明胃經流注之圖　左右凡九十六穴

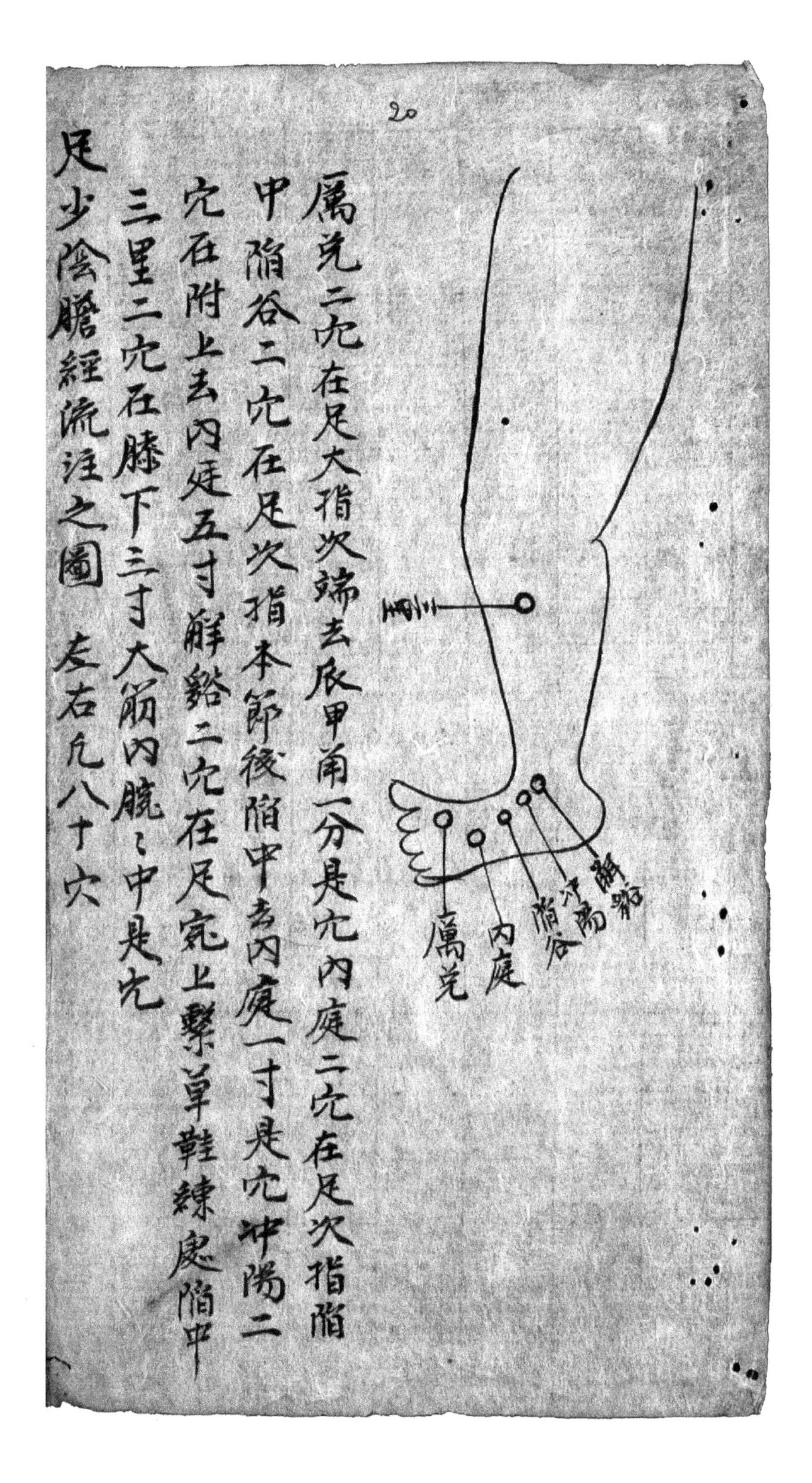
20

厲兊二穴在足大指次端去爪甲角一分是穴内庭二穴在足次指陷中陷谷二穴在足次指本節後陷中去内庭一寸是穴冲陽二穴在附上去内庭五寸觧谿二穴在足亮上繫草鞋練處陷中三里二穴在膝下三寸大筋内䯒〻中是穴

足少陰膽經流注之圖　左右凡八十穴

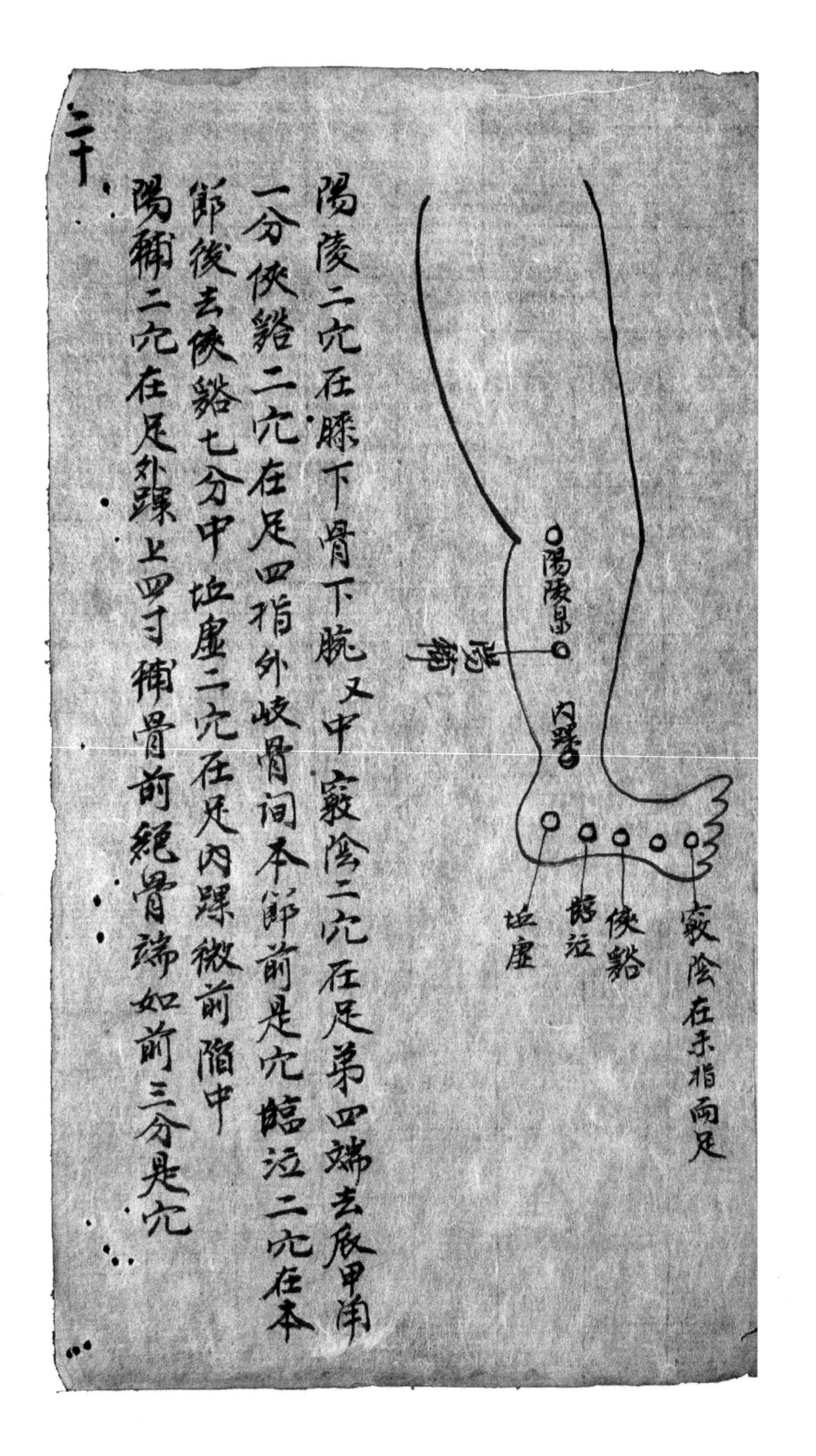

二十

陽陵二穴在膝下骨下腕又中 竅陰二穴在足第四端去爪甲角一分 俠谿二穴在足四指外岐骨間本節前是穴 臨泣二穴在本節後去俠谿七分中 坵虛二穴在足內踝微前陷中

陽輔二穴在足外踝上四寸輔骨前絕骨端如前三分是穴

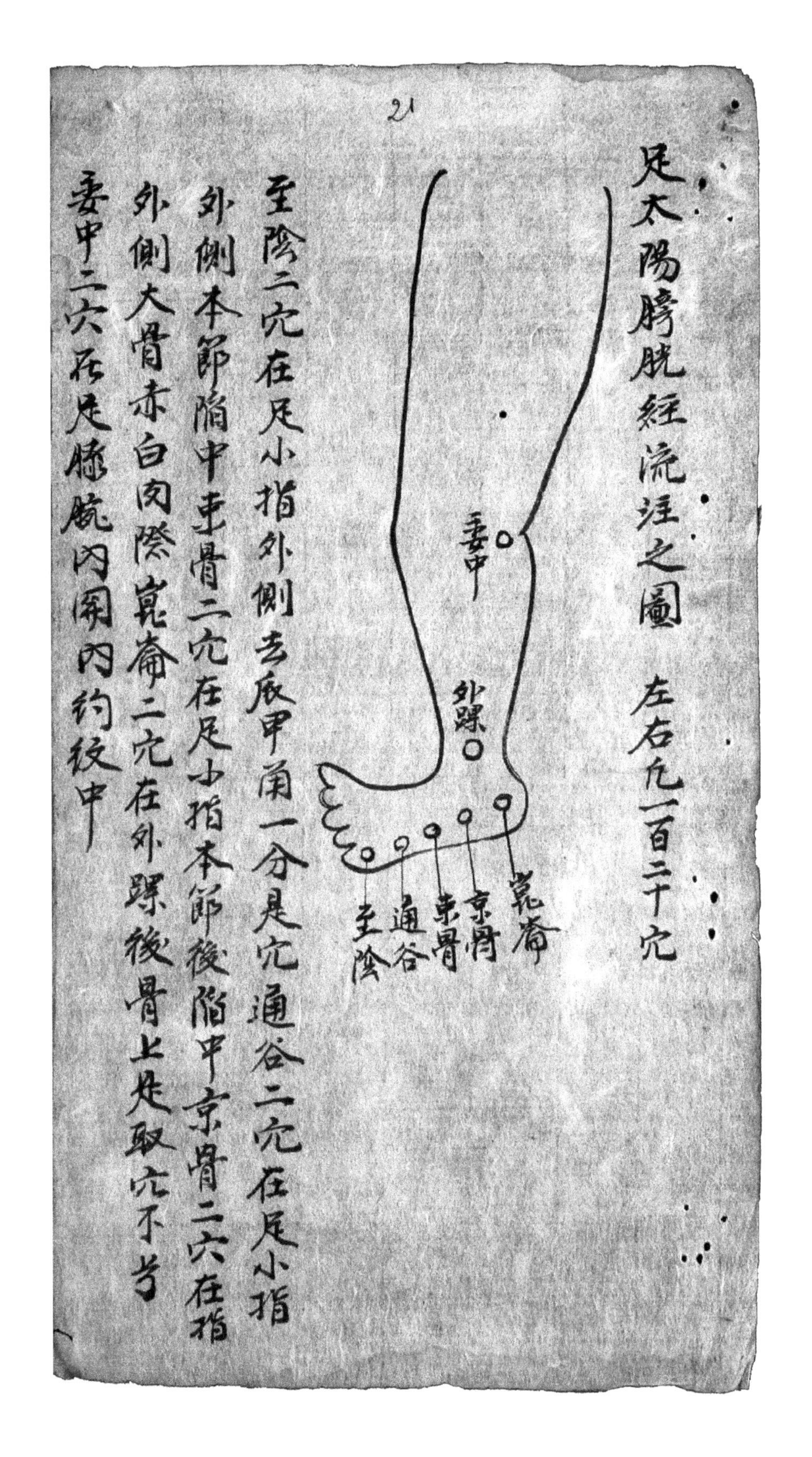

足太陽膀胱經流注之圖　左右凡一百二十穴

至陰二穴在足小指外側去爪甲角一分是穴通谷二穴在足小指
外側本節陥中束骨二穴在足小指本節後陥中京骨二穴在指
外側大骨赤白肉際崑崙二穴在外踝後骨上是取穴不肯
委中二穴在足膝膕內閑內約紋中

督脈者起於下極之間腧並於脊骨裏上之至風府入腦上巔循額鼻柱屬陽脈之海也中行九二十七穴

○鼻柱下部

素髎 在鼻柱上端

水溝一穴 一名人中在鼻柱下人中督脈手陽明之交會直唇取也

巨髎二穴 夾鼻傍八分直瞳子是也

迎香二穴 在禾髎上鼻孔傍五分

禾髎二穴 直鼻孔夾水溝傍五分

地倉二穴 夾口吻四分是穴

陽白二穴 在眉上一寸直目瞳子是也

承泣二穴 在目下七分直目瞳子是也

四白二穴 在目下一寸直目瞳子是也

大迎二穴 在曲頷前一寸三分骨陷中動脈手

頭維二穴 在額角髮際夾本神傍一寸五分是也

絲竹空二穴 在眉後陷中

瞳子髎二穴 在目外眥五分是也

顴髎二穴 在面頄骨下廉陷中是也

二十一

側部

上関二穴 在耳前上廉起骨開口直空是也

下関二穴 在耳前下廉合口有空張口而閉也

耳門二穴 在耳前起肉當耳中缺者是也

聽宮二穴 在耳珠中子大如小豆是也

頰車二穴 在耳下曲頰端陷中是也

頷厭二穴 在耳前曲角顳顬下廉是也

懸顱二穴 在曲角上顳顬中是穴

懸厘二穴 在曲角顳顬下廉是也

天衝二穴 在耳後入髪際二寸是也

率谷二穴 在耳上入髪際一寸五分是也

曲鬢二穴 在耳上髪際曲陷中是也

角孫二穴 在耳郭中間上開口有空是也

伏人頭部

後頂一穴 在百會後一寸五分枕骨上是也

強間一穴 在後頂一寸五分是也

腦戶一穴 在枕骨上強間後一寸五分是也

風府一穴 在腦戶後一寸五分入髪際一寸大筋内是也

二十二

瘖门一穴 在項髮際宛中入系舌本也

絡却二穴 在通後一寸五分是也

玉枕二穴 在絡却後一寸五分夾腦户傍一寸三分宛骨上入髮際

天柱二穴 在大筋外廉夾項髮陷中是也

承灵二穴 在正營後一寸五分是也

腦空二穴 在承灵後一寸五分夾玉枕傍骨下陷中是也

風池二穴 在顳顬後髮際一寸是也

竅陰二穴 在完骨上宛骨下摇動應手也

浮白二穴 在耳後入髮際一寸

完骨二穴 在耳後入髮際四分

顱息二穴 在耳後青脉是也

瘈脉二穴 在耳本雞足青脉是也

翳風二穴 在耳後尖角陷中接之引耳中痛是也

頸項部

廉泉一穴 在頷下結喉上一名舌本也

人迎二穴 在頸大脉動應手夾結喉傍以候五臟氣也

水突二穴 在頸大筋前直人迎下氣舍上是也

氣舍二穴 在頸直人迎夾天突陷中是穴

扶突二穴 在氣舍後一寸五分仰而取之天鼎 天窓二穴 在頸大筋前曲頰下扶突後動應手陷中

天鼎二穴 在頸缺盆分四直扶突後 天容二穴 在耳下曲頰後是也

天牖二穴 在頸筋缺盆上天容後天柱前完骨下髮際上是也

伏人背部

大椎一穴 在第一椎陷中是也 兌端一穴 在唇上端

齗交一穴 在唇內齒督任二脉之會

額上行

神庭一穴 直鼻髮際五分督脉足太陽之明三脉之會 上星一穴 在神庭後入髮際一寸五分是穴

顖會一穴 在上星後一寸五分是也 前頂一穴 在顖會後一寸五分

百會一穴 一名三陽五會太陽之交會 在前頂後一寸五分頂中央旋毛陷中容豆督脉足

二十三

項後至項

後頂一穴 一名交衝在百會後一寸五分 強間一穴 一名大羽在後項一寸五分

腦户一穴 一名匝風一名合顱在枕骨上強間後一寸五分 督脉足太陽之會

風府一穴 名曰舌本入項髮際一寸 腦户五會項大筋内宛宛之上

瘂門一穴 在風府五分入髮際五分入系舌本陽維之會仰頭而取之

背脊下

大顀一穴 在第一顀上陷中三陽督脉所出

陶道一穴 在項大顀節下間 足太陽之會 俛而取之 身柱一穴 在第三顀節下間俛而取之

神道一穴 在第五顀節下間俛而取之 靈臺一穴 在第六顀節下間俛而取之

至陽一穴 在第七顀節下間俛而取之 筋縮一穴 在第九顀節下間俛而取之

24

脊中一穴在十一顀節下俛而取之禁灸　懸樞一穴在第十三顀節下俛伏而取之

命门一穴在十四顀節下俛伏而取之不可灸令人傴僂　陽關一穴在十六顀節下俛伏而取之

腰腧一穴在二十一顀節下同　長強一穴在脊骶端

任脉起中極之下以上毛際循腹裏上關至內喉屬陰脉之海也

中行凡二十四穴

頤前　承漿一穴一名日天池在頤前唇下陷中足陽明之會

頷下　廉泉一穴在頷下結喉上舌本腧維任脉之会仰而取之

膺腧　天突一穴一名五戶在項結喉下四寸宛宛中

璇璣一穴在天突下寸陷下　花蓋一穴在璇璣下一寸

紫宫一穴在花蓋下一寸六分　玉堂一穴一名玉英在紫宮下一寸六分

膻中一穴 一名元見 在玉英下一寸六分 在兩乳直

經絡起止

手太陰肺經 寅時起中府循臂下行至少商穴止

中府乳上三肋間去雲門下一寸陷中

雲門巨骨下氣戶傍二寸陷中治嘔逆上氣胸脇臟背痛嗽喘

天府在腋下三寸動脈舉手以鼻取之

俠白在天府下去肘五寸動脈治咳逆乾嘔煩滿心痛

取法先於兩乳頭塗墨令兩手直伸夾之染墨處是穴

尺澤肘橫紋中大筋外。孔最側腕上七寸

列缺側腕後一寸半塩指相叉尽處筋骨罅中主風症偏頭疼口禁口

喎癎瘲驚癇肘臂痛項強喉痺咳嗽半身不遂

經渠寸口下近関上脉中

大淵手掌後横紋尖中陷 青白翳赤筋咽乾嘔噦咳喘唾血胸痺狂言口噼

魚際手大指本節後内側散脉中 〃 少商手大指端内側去爪甲如韭葉 〃

手陽明大腸經 卯時起少商交入商陽循時上行至迎香止

商陽塩指内側去甲角如韭葉 〃 一名絶陽 如治青盲可灸三壯左取右右取左

二間塩指内側本節前陷中灸三壯主猴痺顑腫臂背肩痛寒鼻衄口喎

三間塩指内本節後陷中主喉痺齒痛胸滿唇焦口乾目痛身熱氣喘

洞泄寒瘧

陽谿手腕上側兩筋陷中主頭目耳聾舌病痎掌熱肘臂不舉狂言見鬼

胸滿心痛

26

合谷大指㸦指岐骨陷中主頭痛面腫目痛爛弦努肉生翳拔睛倒

睫一切目疾聾諍重口舌裂舌縱下牙疼瘦唇吻不收口禁喉痺

瘧疾瘻痺小兒驚風卒死婦人通經下胎 妊娠忌

偏歷腕後三寸主頭痛面腫口喎喉痺腸鳴腹痛咳逆肩不舉顛狂見鬼

溫留腕後五寸主前治

下廉曲池前五寸兌肉分外斜主頭風肘痛溺赤鳴腸氣是注痛

上廉曲池前四寸 治同下廉

三里池前三寸兌肉端主肘攣齒痛頰腫瘰癧

曲池轉屈肘兩骨中紋也頭盡處以手拱胸取之主頭痛喉痺肘疼肩腕

痛皮燥

肘髎肘大骨外廉近大筋下陷中主肘節風痺臂痛攣急五里肘上三

寸向裏大筋中央主臂痛瘰疬目視䀮

臂臑肘上七寸䐃肉端平手取之寒熱頸痛項拘急臂痛

肩髃肩端兩骨陷中舉臂取之主偏風手攣臂無力筋骨痠疼

肩中熱頭不可顧一切風熱

巨骨肩端上行兩骨陷中主胸中瘀血肩背疼痛

天鼎側頸直缺盆扶突後一寸主暴瘖氣哽喉痺腫

扶突曲頰下一寸仰而取之主古本出欬逆喘急喉中鷄鳴

禾髎直鼻下夾水溝傍五分

迎香禾髎上一寸鼻傍陷中

27

足陽明胃經 辰時起迎香交承泣上行至頭維対人迎循胸下至足厲兌

頭維

下関 耳前動脉下廉合口有空張口則閉主耳聾有膿口牙疼

頰車 耳下八分曲頰端陷中開口有空側卧取之主口痛不可嚼牙疼

頷腫項癢　。承泣 目下七分上直瞳子 四白 目下一寸

巨窌 夾鼻口傍四分近下有動脉主偏風口喎失音不言飲食漏落

瞤動 灸炷不可大如粢治灸前將七〻壯忌房事毒冷

大迎 曲頰前一寸三分骨陷中動脉灸三壮主頭痛目瞤口喎口禁下牙齒

痛瘰瘧數欠氣尾瘥頷腫

人迎 結喉傍寸半大筋外 又一名五會

水突氣舍直人迎下氣舍上二穴中主咽腫咳逆氣喘

氣舍直人迎夾天突傍陷中主喉痺項强瘻癧逆氣

缺盆肩前橫骨陷沿喉痺便號

氣户巨骨下夾俞府傍二寸陷中仰而取之主胸脇脹滿喘氣有聲

庫房氣户下一寸六分主咳喘唾膿血胸肢支滿

屋翳房下一寸六分主身腫皮痛不可近衣喘唾膿血

膺窗屋翳下一寸六分主胸脇癰腫腸泄乳癰

乳中 即乳頭 乳根乳下一寸六分主胸滿乳癰

自缺盆至此俱膺部三行

不容平巨闕傍三寸採身取之主口乾嘔吐咳喘胸背引痛 痛 脇腹

刺痛有痰癖積氣疝瘕

承滿容下一寸主喘逆唾血脇痛腸鳴

梁门滿下一寸主胸脇下積氣腸滑泄

関门梁下一寸主積氣腸鳴逆氣臍急痛

太乙関下一寸主癲狂吐舌心煩

滑肉乙下一寸主嘔逆　或以不容至天枢七穴折量之

天樞平臍傍三寸主面浮唾血狂言嘔吐霍乱泄利久積冷氣繞臍

切痛腫心腹脹腸胃逆氣女漏赤白

外枢陵下一寸主腹痛心如懸下引臍痛

大巨枢下二寸主煩渴癩疝小腹滿小便難陰下縱

水道　枢下五寸　主腰背痺二便不利小腹滿引陰痛

歸來　枢下七寸　賁豚卵上入引莖痛婦人血肢積冷

氣中　枢下八寸動脈　主腹脹脇下堅癩疝陰腫陰痿莖痛水脹

熱淋不得尿婦人月水不通妊子氣亂絞痛胞衣不出

自不容至此俱腹部三行

髀關　膝上伏兔後跨骨橫紋中

伏兔　膝髀肆上六寸何裏　×陰市　膝上三寸直伏兔陷中拜而取之

梁丘　膝上三寸兩筋間　主乳痛筋攣膝痺

犢鼻　膝頭眼外側大筋陷中　×。三里　鼻下三寸骭骨外廉分肉間

上巨虛　里下三寸　舉足取之　主脇痛腹滿手足不仁

29

條口里下五寸〻下巨虛里下六寸

豐隆外踝上八寸骨陷中主狂悪谷道

解谿足腕上系草鞋帶處內庭上六寸半主諸痛腫霍亂轉筋

衝陽庭上五寸骨间動脉。陷谷庭上三寸骨陷中

內庭足次指三指岐骨陷中

厲兌足大指次指端去甲角如韭葉鼻不利浮黃喉痺經寒脹滿足冷中悪

足太陰脾經　己時起衝陽通交隱白循䏚膝上升至腋下大包止

隱白足大指端內側去甲角如韭葉〻〻大都大指內本節後陷中主腹脹吐泄心痛

太白核骨下陷中主頭項胸脇腰腹痛

公孫白後一寸骨陷中主頭面腫胃腕痛瘧瘕膈悶腸風[illegible]下血五積痃

癖胞衣不下

商丘　内踝下微前陷中　顛癇　痿　瘕　血痢　痔　蝕　陰股内痺　狐疝　上下小腸竪痛下引陰中

三陰交　内踝上三寸骨後筋陷中　主膝内廉痛　身重　痿　腸脈　溏泄　女漏不止。漏谷　内踝上六寸骨下陷中　果

地機　膝下五寸大脯骨後　伸足取之　主顛疾　精不足　女血瘕　按之如湯沃股膝陰痛。陰陵泉　膝下内側輔骨下陷中　曲膝取之

血海　膝臏上三寸内廉骨後筋前白肉際　血閉不通　崩漏　下目少不閉　氣逆　腹脹

箕門　海上六寸　陰股内動脈筋間　主淋　小腸腫痛　已上足脾部

衝門　大横下五寸　横骨兩端約紋中　主腹滿　陰疝

30

府舍橫下三寸三分主疝癖冷痛奔泄欲道

大橫平臍傍四寸半主腸熱甲欲走大島取不可訣。腹哀日月下一寸半

食竇大谿下一寸六分舉臂取之胸脇𦚾滿如雷鳴

太谿胸鄉下一寸六分陷中仰而取之主喘氣乳腫瘡潰貫膺

胸鄉周榮下一寸六分陷中仰而取之主胸脊痛

周榮中府下一寸六分陷中仰而取之

大包側脇部淵腋三寸主腹大胸脇痛內實身疼

。手少陰心經 午時起大包交腋下走極泉循臂行至少衝穴止

極泉腋下筋間動脉入胸處

青靈肘上三寸伸肘舉臂取之頭痛目黃肩不能舉

少海 肘内廉横紋頭尽處陥中 曲手向頭取之 主頭項強 肩背肘腋引痛

靈道 去掌後一寸。通里 掌後一寸 主頭痛 肘腋痛。陰郄 掌後五分動脉中

神門 掌後兌骨端動脉陥中 主喉痺 心痛 数噫 恐怖 少氣 手臂寒 喘逆 小兒五癇。少府 手小指本節直勞宮陥中 主嗌中有氣 如息肉狀

少衝 小指端内側去爪甲角如韭葉 主舌痺 口熱 咽酸 掌熱 咳 氣煩悶 肘臂熱 臂痛 淚出 灸一壯。少衝 熱手掌 胸痺 煩悶 滿悶 痺 逆氣

。手太陽小腸經 未時 起太陽交小指少澤 循肘上行 至面聽宮

少澤 手小指端外側去爪甲角如韭葉 主瘧痺 目翳 口乾 舌強 喉痺 嗌如瘚

瘀咳欬 小指不用 灸一壯

前谷 外本節前陥中 主目鼻耳喉咽 頸項肘臂症

21

後谿 本節橫紋尖巻處握掌取之 灸一壯

腕骨 掌後外側高骨下陷中握掌向内取之主眼瞖臂腕痛五指不可屈伸

陽谷 手腕外側兌骨下陷中。養老 腕骨後一寸陷中主手攣肩痛

支正 腕骨後五寸

少海 肘内大骨外去肘端五分陷中屈肘取之主頭痛項强肘臂癰瘍

肩貞 肩髃後二骨解間

臑俞 肩髎後大骨下胛上廉陷中舉臂取之主肩腫肘疲

天宗 秉風後大骨下陷中主肩重肘後廉痛

秉風 天宗前小髃後舉臂有空主肩痛不舉

曲垣 肩中央曲胛陷中按之痛手痛主肩胛拘急

肩外俞胛上廉去脊傍三寸。肩中俞胛内廉去脊傍二寸陷中

天窓完骨下髮際上頸上大筋處動脈陷中主耳鳴頰腫咽痛引肩項

天容耳下頰車後陷中。顴髎面頄兊下下廉陷中ㄨ聽宮耳前珠子傍

足太陽膀胱經 申時起自宮交睛明循至足至陰止

睛明目内眥紅肉陷中ㄨ攢竹眉頭陷中

眉沖眉頭上神庭曲差ニ間ㄨ曲差前髮際夾神庭傍一寸半

巨處上星傍一寸半。承光在處一寸半。通天光後一寸半主頭痛鼻塞

絡却通後一寸半　玉枕絡後一寸半

腦户一寸三分起肉枕骨上主目失明枕頭主半邊項痛如拔

天柱頸大筋外夾後髮際陷中主頭旋目昏鼻塞項疼項急

已上藏部二十

32

大杼第一節外一寸半陷中

風門二節外寸半主傷寒頭疼項强鼻塞流涕目青衄血咳嗽吐逆

肺俞三節外寸半主胸痺背僂肘户骨蒸肺嗽喘咳

厥陰俞四節外寸半主嘔逆　心腧五節外寸半　督俞六節外寸半主脹痺氣逆

膈俞七節外寸半主喉痺胸脇痛肩不可俛側痰瘧痃癖氣塊膈上痒

已上七椎每椎一寸四分一厘

肝俞九節外寸半主中風目眩目昏　胆俞十節外寸半主黄疸

脾俞十一節外寸半　胃俞十二節外寸半　三焦俞十三節外寸半

腎俞十四節外寸半當腎主目昏耳聾腰痛腳膝拘攣便赤白濁尿血遺精

身重而小　已上七椎每椎一寸六分四厘

氣海俞十五節外寸半主腰痛痔病

大腸俞十六節外寸半主腸鳴腹脇遶臍中痛

關元俞十七節外寸半主婦人瘕聚諸病　小腸俞十八節寸半

膀胱俞十九節外寸半　中膂俞二十節外寸半伏而取之　白環俞二十一節外寸半

已上七椎每椎一寸二分六厘

上髎腰陷下第一空俠脊兩傍陷中髎二髎火髎下接下挾是主鼻衄嘔逆腰痛

婦人絶子胞損　次髎第二空陷中主腰足不仁

中髎第三空陷中主五勞七傷六極

下髎第四空陷中主婦人下髎汁不禁青汁陰痛痛引小腹腸鳴腹脹欲泄

會陽陰尾骨外寸半主腸澼便血　已上俱背部二行

附分二節外三寸搨之內廉陷中正坐取之主肩背拘急頸項強痛　魄戶三節外三寸

看骨節外手當腳上自大椎下至命門折作十四椎每椎一寸三分取之

膏肓四節外三寸

神堂五節外三寸　譩譆六節外三寸膊內廉以手按之令人抱肘作譩譆之聲

則指下為主目眩鼻衄背脊痛喘急寒瘧溫瘧尾瘧溫瘧久瘧

33

膈関七節外三寸正坐開肩取之。魂門九節外三寸。陽綱十節外三寸

意舍十一節外三寸　胃倉十二節外三寸　肓門十三節外三寸　志室十四節外三寸

胞肓十九節外三寸陷中伏而取之　秩邊二十節外三寸伏而取之主腰痛尻重 已上俱背部三行

承扶尻下陰股紋中　殷门承下六寸　浮郄委陽下一寸屈膝取之

委陽膝腕紋上夾外廉兩筋間委中外二寸屈身取之主陰跳小腹堅痛引陰中溺遗腋

腫癃痎。委中膝腕内胴横纹中央動脉

合陽直委中下一寸主腰脊强股脛痠女崩中

承筋脛後腨股中央從脚跟上七寸

承山腨股下分肉间拔足去地一尺取之主小腹疝氣脚弱脛痠跟痛足下热不能久立

飛陽外踝上七寸骨後主历節尻是楷不能屈伸暗膝痛

金门外踝下骨空陷中主癲疾驚痫反張孑歷暴风轉筋霍乱脚脛痠身戦

而能久立

崑崙外踝跟骨上陷中動脉主頭痛目眩鼻衄腰脹腨跟腫脚不得履地

小兒頭眩陰腫脚不得癎尸厥中惡吐逆咳喘暴痛

僕參足後跟骨下陷中拱足取之主足痿轉筋

申脉踝外下微前容爪甲白肉際陷中 金門足外踝下

京骨足外側大骨下赤白肉際陷中主頭痛目眩白翳從內眥始項背腳痛

束骨小指外本節後陷中 通谷小指外本節前陷中

至陰足小指端外側去爪甲角如韭葉主頭風鼻塞耳鳴脇痛

足少陰腎經 內踝起至陰交湧泉循膝上行至胸俞

湧泉脚掌中心屈足捲指取之主目眩喉痺胸滿心痛咳嗽身熱女子如妊娠

五指端盡痛足不得履地引入腹痛

然谷內踝前起骨下陷中主舌腫唾血洞泄跗腫

太谿內踝後五分跟骨上動脈主咽腫嘔吐中口如膠咳嗽唾血胸咳血痰

316

癃疝藏　太鍾　谿下五分

水泉　谿下一寸　主月事不來之即心悶痛目不能遠視陰挺出小便淋瀝腹中疼

照海　內踝下四分微前小骨下青白肉際陷中　主大風偏枯不遂女子淋瀝陰挺出陰暴起

復溜　內踝上二寸動脈中

交信　內踝上二寸後少陰前太陰後筋骨

築賓　內踝上腨分中骨後大筋上小筋下屈膝取之　主小兒疝痛不得乳顛狂嘔沫足腨痛

陰谷　膝內輔骨後大筋下小筋上動脈屈膝取之　主腳痛如推股內廉痛　已上俱足膝部

橫骨　陰上橫骨中央宛曲如仰月陷中曲骨外一寸半

大赫　氣穴下一寸　主虛勞失精陰上縮莖中痛

氣穴　四滿下一寸　右各氣穴　右各寸半

四滿　中注下一寸　主腹痛奔豚婦人臍中惡氣血疝痒

中注　肓俞下一寸

肓俞　平神闕外寸半

商曲　石關下一寸

石關　陰都下一寸

陰都　陰谷下一寸　主灸噎嘔沫心滿氣逆腸鳴

通谷幽门下一寸。幽门平巨阙外寸半主嘔涎唾沫泄有膿血　已上俱腹部二行
步廊神封下一寸六分去中庭外二寸　神封灵墟下一寸六分
神藏彧中下一寸六分　彧中俞府巨骨下去璇璣二寸　已上俱膺部二行陷中仰而取之

手厥陰心胞絡　亥時起俞府交于乳傍天池循手下行至中冲止

天池乳外一寸側腋脇陷中主胸滿腹腫上氣喉中有聲
曲澤肘腕内横紋中尖動脉曲肘取之郄门大陵後五寸
間使陵後三寸主胸痺肘痛　内関陵後二寸
大陵掌後横紋两筋两骨陷中主頭痛目赤舌本痛喉痺喘急肘挛
一切虚熱無汗瘧疾
勞宫手掌後横紋中心屈中指取之主咽嗌痛二便見血咳喘溺赤
中衝手小指端去爪甲角如韭葉陷中

手少陽三焦經　亥時自中冲交並冲循臂上行至面耳门止

關冲手四指端外側去甲角如韭葉主頭痛目翳口乾痛肘臂痛痠
液门手四指本節前陷中主頭目耳聋痛咽腫臂痛
中渚四指本節後陷中握掌取之主頭重目昏咽腫指痛
陽池手掌背横纹陷中主肩臂手腕痛
外關阳池後二寸主肘腕痠重手指尽痛
支溝阳後三寸兩筋骨间。會宗溝外傍一寸空中
三陽陽池後四寸主嗜卧身不動。四瀆肘前五寸外廉陷中
天井肘上大骨後一寸兩筋陷中屈肘取之
清泠淵肘上三寸伸肘擧臂取之
消濼肩下臂外开(?)腋斜肘分取之主頭痛項如拔
臑會臂前去肩頭三寸主瘿瘤痎(?)肘臂痠无(?)
肩髎肩端外陷臑會斜擧臂取之主臂痛重不擧

天窌缺盆上毖骨下陷中。天牖耳下頸大筋外髮下上一寸ㄨ
翳風耳珠後陷中按之引耳中主耳鳴聾口喎下牙疼痛頰腫牙車急痛
瘈脉耳本後雞足青脉上ㄨ顱顖耳後青脉間主頭目昏耳鳴
孫角耳廓上中間髮際下開口有空主目翳牙痛項腫
絲竹空眉尾骨後陷中　禾窌耳門前兌髮下橫動脉
耳門耳前起肉當缺處主耳聾有膿汁出

足少陽膽經 子時自耳丁交童子窌循頭耳側脇下至竅陰

瞳子窌去目外眥五分
聽會耳珠前陷中動脉開口有空側卧取之主耳聾牙車急痛
上關耳前起骨上廉開口有空主耳目口唇
頷厭對耳額角外在懸顱間主目眩。懸顱斜上額角中在懸厘間
懸厘從額上頭角下陷主偏頭痛目外眥赤痛

36

曲賓耳上八髮際曲頰陷中鼓頷有空以耳掩前尖處足主暴瘖噤
齲頰頷腫口禁牙車急痛　本神直目眥外一寸半直耳上入髮際四分主吐
率谷耳上八髮際一寸半
涎小兒驚癇　陽白眉上一寸直瞳子主瞳子痛
目窗臨泣後一寸　正營目窗後一寸　承靈正營後一寸半主眩尾頭痛
天衝承靈後寸半耳上如前三分主頭痛牙腫
浮白耳後入髮際一寸主寒痛耳鳴項癭肩背痛手癱足痿中滿
喘息咳逆痰沫　完骨耳後入髮際四分主頭面痛頰項腫痛
竅陰完骨上枕骨下搖耳有空主頭痛如椎頷痛引耳：鳴舌本出血心煩肘痺
腦空承靈後玉枕旁枕骨下陷中搖耳有空主腦風頭痛
風池耳後一寸半橫夾風府髮際陷中主腦風目眩項強背僂
肩井缺盆骨後寸半以三指按取之當中指下陷中主五勞七傷項強腳氣上攻

淵液　側腋下三寸，横乳外宛宛中，举臂取之
輒筋　淵液前一寸，主胸暴滿，喘息不得卧
日月　期門下五分，乳下三筋端，主腹热欲走，四支不收
京門　監骨下腰中，侠脊處，季肋端，主腸痛，腹脹引背，不得息
帯脉　季肋下一寸八分　五枢　水道外寸半，主寒疝，陰卵上入小腹
維道　章門下五寸三分，主嘔逆不止　居髎　章門下八寸三分陥中
環跳　髀枢硍子骨下宛宛中，側卧，巻上足，伸下足取之，主尻湿冷疝，
偏風不遂，腰胯痛，外踝痛，髀枢痛
風市　膝上外廉兩筋中，以兩手着腿，中指尽處是穴，主癘風瘡
陽関　陽泉上二寸，犢鼻外廉陥中
陽陵　膝下一寸，外廉兩骨陥中，蹲坐取之，主膝伸不屈，冷痺，偏風，頭痛，
寒热，口咽不利

37

阳交与外丘並斜向三阳分两肉间外踝上七寸

外丘足外踝上七寸骨陷中　光明外踝上五寸主瘦痺不仁

阳辅外踝上四寸辅骨前绝骨端如前三分有动脉主腰疼痛痠痠

悬钟外踝上三寸动脉中

丘墟外踝下微前陷中去临泣三寸主二歷不坐不能起临泣侠溪上寸半陷中

地五侠溪上一寸　侠溪足小指四指本節前岐骨陷中主頰腫眩痛婦人目

水不通小腹堅痛　竅阴第四指端外側去甲角如韭葉

足厥陰肝經　丑時起竅阴交大敦上行至期门止

大敦足大指端外側去爪甲如韭葉後三毛中主卒疝偏墜便效遺溺阴跳上入

腹連臍痛病左灸右右灸左有治婦人血崩五淋

行间大指次指岐骨间动脉陷中

太衝行间上二寸動脉中主咽乾腋腫肝瘦女人崩漏

中封 足内踝前一寸陷中仰取　蠡溝 内踝上五寸

中都 内踝上七寸脛骨中　膝關 犢鼻下二寸向裏陷中

曲泉 膝内輔骨下横紋尖陷中屈膝取之主陰股痛脇滿瘀閉四支不擧膝痛

筋攣失精下利婦人血瘕按之如湯浸股内

陰包 膝上四寸股内廉兩筋間　五里 氣衝下三寸陰股内動脉中

陰廉 氣衝下三寸動脉中主婦人絶産灸三壯即有子　羊矢 氣衝下一寸

章門 臍上二寸横取六寸側脇季肋端陷中側卧屈上足伸下足擧臂取之

主喘息嘔吐咳逆胸脇滿痛喘息煩熱心痛傷飽黄瘦脊脇四支解

惰少氣厥逆肩臂不擧寒中善噫洞瀉身瞤清滴

期門 巨闕外四寸半 不容外一寸半 乳下二肋端主胸熱脇脹氣短便難陰下濕賁豚上下産婦好痰

督脉 属陽

長强 脊骶尾骨下陷跌坐取之灸百壯慎房室主痔根忌發生心痛腸

風下血五痛痔蝕

腰俞二十一節忌房事主脊痛溫瘧　陽關十六節主膝痹

命門十四節主頭痛如破身熱如火汗不出瘈瘲裏急腰腹引痛

懸樞十三節主腰脊不得屈伸　接脊十二節　中樞十節　脊中十一節

筋束九節主驚癇狂顛脊強　至陽七節主脛痠

靈臺六節主溫瘧汗不出

神道五節主腰急恍惚悲愁健忘驚悸寒熱往來　身柱二節

陶道二節主頭痛項如拔目昏如脫

大椎一椎上平肩節中主五勞七傷溫瘧瘈瘲時悶項強

已上背部中行每歧空中挽而取之共二十一椎通折三尺上七椎每椎

一寸四分一厘中四椎與脇平下七椎每椎一寸二分六厘夾脊第二行

各開四寸第三行各開七寸取之

瘂門　項後入髮際五分宛宛中　風府　腦户下一寸半大筋内宛宛

強間　後項下一寸半主頭痛必刺項必捺　後項　百會下一寸半主風眩目眩項痛

百會　前頂上寸半頭頂中心旋毛中類尖氣升令人眼睛主喉旺風痛角弓反引

　手嗜多哭狂言善忘時即兆吐沫頭旺心煩鼻窒耳聾

前頂　顖會上寸半骨陷中主頭風項痛小兒驚痛

顖會　上星上一寸主鼻窒目眩

上星　神庭上五分多炎氣升眼睛主頭皮腫鼻窒目痛目睛痛

神庭　直鼻入髮際五分主風痛頭風角弓反引　素髎　鼻準上陷中

水溝　鼻準下人中中直唇取之主消渴身腫唇動鼻窒口喎

兑端　上唇中尖尖上主唇吻強上齒齲痛

斷交　唇内齒上縫中尖為任督之會口癖鼻生息肉額疾項強頰腫兒

面瘡

任脉

會陰 肛门前前阴後両阴间　曲骨 中惢下一寸毛際陷中

中極 臍下四寸主淋疾便赤尿道痛臍下積塊婦人因産惡露不止遂成疝瘕或月事不調血結成塊拘攣腹疝月事不下胞子門瘁産门不通賁豚搶心腹脹洩赤便閉失精恍惚尸厥

関元 臍下三寸主臍下㽲痛或結血状如覆杯婦人赤白帯下因産惡露不止及肢脹小腹拱拱而偏痛尿血腎胃氣淋血淋便数泄痢賁豚身拱頭痛積聚

石門 一名丹田 臍下二寸主大便閉氣結腹堅㽲拘急嘔吐賁豚疝氣道行五臓結臍疝痛急衝不得息　女人灸下絶産

氣海 臍下一寸半主藏氣虚憊一切氣疾小腹疝氣道行五臓切痛婦人惡露不止遶臍疼痛氣結成塊小便赤痛　不可卧灸

陰交臍下一寸主臍下熱水氣痛婦人月事不調崩中帶下遶臍冷痛

神闕即臍中央主腸大遶臍痛水腫臌脹　水分鳩尾下六寸水脹大々大良

下脘鳩下五寸主腸胃不調穀不消腸鳴腹痛　建里鳩下四寸又

中脘尾下三寸主飲食不化腹熱有蚘蟲胃霍亂黄疸伏梁疝氣冲胸

上脘尾下二寸主脹滿霍亂吐利三虫

巨闕尾下一寸主心痛虫痛虫毒霍亂

鳩尾臆前蔽骨下五分無蔽骨從歧骨下一寸又

已上腹部中行俱灸三壯云

神庭尾上一寸膻中下一寸六分陷中主胸脇支滿

膻中玉堂下一寸六分陷中横直兩乳中間主肺癰咳嗽上氣唾膿胸

中氣滿如塞

玉堂紫宮下一寸六分陷中主胸滿喘息膺骨痛吐逆上氣

紫宮華蓋下一寸六分陷中主胸脇滿痛　華蓋璇璣下一寸陷中

已上膺部俱宜仰取之

旋璣 穴下一寸陷中 主胸皮滿痛喉痺咽腫

天突 頸結喉下一寸宛宛中 乃陰維任脉之會 主咳嗽上氣噎 室喉

內水雞聲 肺癰 墮膿 氣噎 咳逆喘息及肩背痛

廉泉 頷下結喉上舌本間 主舌下腫難言咳嗽喘息 涎沫舌根急諸疾 灸不下

承漿 下唇下宛宛陷中開口取之 灸三壯 多則恐作陰眇脉斷 令人不痊 又旺山 宜一分半大

主偏風口喎 面風口不開 口中生瘡

一膺臆部天寸 兩乳間橫折作八寸取之 天突至膻中直作折六寸八

分 下行一寸六分爲中庭 上取岐骨 下至臍中 至橫骨 共折作五

寸取之

如手足背部橫寸并用同身寸

明堂穴寸法

頭部

前髮際至後髮際折作一尺二寸，若髮際不明，取眉中心上至大椎共折作一尺八寸取之

頭部横寸

以兩眼内眥角至外眥角為一寸，神庭至曲差，曲差至本神，本神至頭維，各去一寸半，自神庭至頭維共四寸半

背部直寸

大椎至尾骶共二十一椎，通折作三尺，上七椎每椎一寸四分一釐，中七椎每椎一寸六分一釐，十四椎與臍平，共二尺一寸一分四釐，下七椎每椎一寸二分六釐，俠脊第二行各開四寸取之，第三行各開七寸取之

腹部見上

奇經八脉 出徐氏

公孫通冲脉之經，與内關合於心胸胃，在足大指本節後一寸，一云太白後一寸

陷中令人合兩掌相对取之 主治三十六症 凡治後症 先取公孫 次取各穴應之

一切冷氣心疼　大陵　中脘　隱白

一治痰隔胸痛　勞宮　膻中　間使

脐腹脹滿氣不消化　天樞　水分　內庭

脇胸下痛起止艱難　支溝　陰陵　章门

瀉泄不止裏急後重　下脘　天樞　照海

胸內刺痛隱之不某　內関　大陵

脇肋脹滿氣攻疼痛　陽陵　章门　絕骨

中滿不快反胃吐食　中脘　太白　陰谿

氣膈五噎飲食不下　膻中　三里　太白

胃脘停痰口吐清水　巨闕　膈俞　中脘

中痞停食脹刺不已　脾絡　太倉　三里

嘔吐痰涎眩暈不已
心熱令人內心怔忡
脾瘧令人怕寒腹痛
肺瘧令人心寒怕驚
肝瘧色蒼惡寒發熱
腎瘧洒熱腰脊強痛
瘧疾大熱不退
瘧疾先寒後熱
瘧疾先熱後寒
瘧疾心胸疼痛
瘧疾頭痛眩暈吐痰
瘧疾骨節痠痛

豐隆　中魁（即門絡）　膻中
神門　心俞　百勞
商丘　脾俞　三里
列缺　肺俞　合谷
中封　肝俞　絕骨
大鍾　腎俞　申脈
間使　百勞　絕骨
後谿　曲池　勞宮
曲池　百勞　絕骨
內關　中脘　大陵
合谷　中脘　列缺
崐崘　百勞　然谷

12

瘧疾口渴不已　関中　人中　间使

胃瘧善饑不能食　厲兌　胃俞　大都

胆瘧惡寒悄驚卧不安　愓泣　胆俞 百骨 完骨 腕骨 百骨　期门 中脘 三里 至陰三 里 完骨

黃胆四肢腫汗出染衣　至陽　内庭 三里

黃胆遍身二便俱黃　脾俞

穀胆食後頭疾心中怫鬱遍体發黃　胃俞　至陰　完骨　然谷

酒胆身白便俱黃心痛面發赤斑　胆俞　至陰　中脘　腕骨

女痨身目黃髮惡寒小便不利　関元　胃俞　然谷　至陽

內関　陰維脉心胞之經在掌後二寸兩筋间穩坐仰手取之與公孫合於心胸胃　主治二十五症

中滿不快胃脘傷寒　中脘　大陵　三里

中焦痞滿兩脇刺痛　支溝　章门　膻中

脾胃虛冷嘔吐不已　內庭　中脘　氣海　公孫

脾胃氣虛腹脹滿　太白　三里　氣海　水分

胸肋下疼心脘刺痛　大陵　中脘　三陰交

食癥不散人漸羸瘦　腕骨　脾俞　氣海　公孫

食積血瘕腹中隱痛　胃俞　行間　氣海

五積氣塊血積血癖　膈俞　肝俞大　照海

臟腑虛冷兩脇疼痛　期脘　中勞宮　三里

憂怒氣滯心腹刺痛　上支隔扃　里章門　陰陵

大腸虛冷脫肛不收　百會俞　門長强　承山

大便艱用力脫肛　照海　百會　支溝

腸毒腫痛便血不止　承山　肝俞　陽俞

五痔痔疾攻痛不已　合陽　長强　承山

五癇等症心中吐沫　後谿　神门心　俞鬼眼
心性呆痴悲泣不已　通里　後谿神　门大椎
心驚發狂不識親疎　少冲心　俞中脘　十宣
健忘言語不記　心俞　通里　少冲
心氣虛損或歌或哭　灵道　心俞　通里
心中驚悸言語錯乱　少海少　府心俞　後谿
心中虛傷神思不安　乳根通　里胆俞　心俞
心驚中恐不省人事　中冲　百会　大敦
心脏諸虛怔忡驚悸　心郄　心俞　通里
心虛胆寒四体顫悼　胆俞　通里　臨泣
臨泣通滯脉胆之經在足小指间去俠谿一寸五分坐足取之主治二十五症共外
關合於銳背耳後

足趺腫痛以不能消　行間　中脘　合谷（三里　中渚）
手足麻痒不知痒痛　太曲　池大陵　陽陵
兩足顫掉不能性物移歩　太冲　崑崙　中渚
兩手顫掉不能握物　曲澤骯　骨合谷　陽陵
足指拘挛筋緊不開　丘墟　公孫　陽陵
手指拘挛伸縮疼痛　尺澤　陽谿　中渚五處
足底發熱名曰湿熱　湧泉　京骨　合谷
外踝紅腫名曰穿踭風　崑崙　丘墟　照海
足趺發熱五指節痛　冲陽　俠谿　足十宣
兩手發熱五指疼痛　陽池　液门　合谷
膝紅腫痛名鶴膝風　膝關　行間顴　項陵陌
手腕起骨痛名遶踝風　大淵　絕骨　大陵

卌

腰膝疼痛連背骨　肩井　曲池　中渚

腰膝疼若腫股足　环跳　委中　陽陵

丕節足疼痛　肩井三里　行间曲池　天應合谷

走注足遶走四支疼痛　天應　曲池三里委中

治浮足揮身搔撓　崑崙太阳合门　百會足市池膏　水阳氣海曲池

治頭項紅腫強痛　承漿　足池肩井足府

背虛腰痛牽動艱難　背俞　脊中　委中

閃挫腰痛起止艱難　脊中　腰俞肾俞　委中

涩滞腰痛行動無力　腎俞　俞三里　關元膏肓

諸虛百損四支無力

脇下肝積氣塊刺痛　章门　腸阳陵　中[illegible]大陵

外關陽維脈三焦之經在手背腕後二寸陷中覆手取之主治十七症合臨泣

症	穴	穴	穴
臂膊紅腫支節疼痛	肘髎	肩髃	腕骨
內踝骨腫痛名遶踝風	大谿丘	墟臨泣	崑崙
手指節痛不能伸屈	阳谷五	處竅陰	合谷
足指節痛不能移步	內庭	太冲	崑崙
五臟結熱吐血不已	五臟	諸俞	
六府結熱血妄行	六府	諸俞	湧泉
血妄行鼻衄不止	火澤	膈俞	大陵
吐血昏暈不省人事	肝膈俞	三里	丹田
虛損氣逆吐血不已	膏肓	膈俞	俞三阳
血寒咳明衆阳病在心肝	少商	神門膈	
舌強難言及生生白胎	關冲	中冲	承漿
重舌腫脹熱極難言	海泉舌中	金津舌下左边	玉液舌下右边

HS

内口生瘡名枯曹尾　兌端交　瞤承漿　十宣
舌吐不收名曰陽強　湧泉　兌端少　中衝
舌縮不能言名曰陰強　心俞　膻中　海泉
唇吻裂血出乾痛　承漿　少商　關衝
遶項起核名蟠蛇癧　天井　池缺盆　十宣 肘尖
生胸前連腋下名瓜藤癧　肩井　陵膻中　大陵支臑
左耳根腫核名惠袋癧　翳風　後谿　肘尖
右耳根腫核名蜂窠癧　翳頰　車後谿　合谷
頸項紅腫不消名項疽　風府　肩井　承漿
目生翳膜隱澀難開　睛明谷　谷肝俞　魚尾外 左肩
眼迎風冷淚　攢竹間　絲竹　手小指二節尖上 小骨空
目風腫痛努肉攀睛　肝俞　合谷　照海

治牙疼兩頭腫痛　人中　合谷　呂細絡卻

上片牙疼及牙關緊閉　大淵頰　東谷　呂細

下片牙疼及頰項痛　阳谿　承漿　頰車

治耳聾氣塞疼痛　聽會腎　俞三里　翳風

耳鳴痒痛　合谷　聽會

雷頭風暈嘔吐痰涎　百会中　完大淵　風门

腎虛頭痛頭重不舉　腎俞百　会大谿　列缺

厥陰頭痛頭目昏沉　大衰　肝俞　百会

頭項痛正名頭風　上星百　会湧泉　合谷

目暴赤腫及疼痛　攢竹　合谷　迎香

從絡通膂脉小腸經本小指本後握拳取之尖上是穴主三十二症其申脉

合於目內眥

症	穴	穴	穴
手足拏急伸屈难	三里 曲池	尺澤	合谷 阳陵
手足顫	曲池 腕骨	陽陵 絕骨	公孫 太冲
頭項強痛不能回顧	承漿	風池	風府
治兩頰頰痛紅腫	大迎	頰車	合谷
咽喉閉塞水粒不下	商陽	照海	十宣
雙鵝風喉閉不通	少商	金津 玉液	十宣
治兩眉角痛不已	印堂 兩眉中間	合谷	頭維
頭目昏沉太阳痛	合谷	太阳	
頭項拘急引肩背痛	承漿	肩井	中渚
頭風吐不止	湧泉	百勞	合谷
眼赤痛淚下不已	攢竹	合谷	臨泣
發瘤渾身熱	大敦	合谷	行間

申脉陽蹻脉膀胱之經外踝下微前白肉際主二十五症

腰背強不可俛仰　腰俞　崑崙　膏肓　委中

肢節煩痛腰脚疼　申脉　肩髃曲池　陽陵

治中風不省人事　中冲　大敦　明堂

治中風不語　少商前頂臨中　合谷

一治中風半身瘫痪　合谷絶骨　骨付居　風市

中風偏枯疼痛無時　絶骨天淵曲池　肩髃崑崙

中風四支麻痺不仁　上廉風市膝關　三陽

中風手足搔痒　絶骨行間風市　陽陵

中風口眼喎斜　頰車曲池十宣　陽陵

腰脊頭背疼痛　背俞人中肩井　委中

腰疼頭項強　腰俞　背俞　委中

214

腰痛起止难痛娠　照谷膏　肓中　肾俞
足背生毒名背發　内庭　行间　委中
手背生毒名附筋　液門　中渚　合谷
手臂指毒名附骨疽　天府　曲池　委中
照海陰蹻脉肾之經足内踝微前赤白肉際中
小便淋澁不通　阴陵　三阴　合谷
小腹冷痛小便頻數　氣海俞　元阴交　肾俞
膀胱七疝賁豚　大敦　丹田　大陵　三阴　涌泉　章门
㿗墜小肾腫大如升　大敦西　泉照谷　三阴　为束　膀胱俞　肾俞
遗精白便頻澁　阑元白　环大溪　三阴
夜夢鬼交遺精　中極膏　肓然谷　肾俞
難產子掬心不下　巨闕合　谷三阴　至阴

產后臟痺惡露不已

婦氣蠱血蠱水蠱石蠱

女勞倦心煩頭目昏沉

霍亂手足轉筋

背虛脚氣紅腫大熱

乾脚氣膝踝及指疼

單臍蠱脹氣喘

渾身腫滿浮腫

婦虛損形瘦赤白帶

子宮久冷不受胎

室女月不調臍痺

婦人產難不下分娩

水分　九膏肓　三陰交

水分 氣海　行間 公孫　內庭 三陰交

膏肓 曲池　合谷　絕骨 膏肓俞

京骨 三里 承山　曲池 氣衝 尺澤　陰陵

氣沖 血海　大谿　三陰

膝關 犢鼻　崑崙 絕骨　陽陵

膻中 氣海　水分　行間 三陰

氣海 三里 曲池　合谷 內庭　行間 三陰

百會 腎俞　俞 關元　三陰

中極 三陰　子宮在中極旁三寸

天樞　氣海　三陰

三陰　合谷　至陰

48

列缺通任脈肺之經在手腕後一寸五分

鼻流濁涕臭名鼻淵　上星　百會　風門　迎香

傷風面赤發熱頭痛　曲池　絕骨　合谷

赤白痢疾腹中冷痛　水道　天樞　三里　三陰

胸前兩乳紅腫痛　少澤　大陵　膻中

相來爐揩頭冷處是穴两筋向

腹中寒痛泄瀉　天樞　中脘　關元　三陰

咳嗽寒痰胸膈痛　肝俞　膻中　三里

哮喘氣促痰氣壅盛　豐隆　俞府　膻中　三里

鼻流清涕不止　肺俞　太淵　三里

吐乳胸膈急痛　人中　天突　肺俞　三里

婦血氣乳汁不通　少澤　大陵　膻中　關沖

乳頭生瘡名妬乳
乳根 火 膺窗中 膻中

治五嬰項要症有五名要便氣要軟血要赤脉細綠筋
扶突 天突 十宣 十宣 人中 天泉 脉 五俞府 金津 玉液 膺府脉 中脘 合谷 神門 公孫 合谷

要每骨肉要血氣之狀

口内生瘡穢氣臭
外關 合中 迎香 地倉

三焦極熱口舌生瘡
少沖 通 星 人中 迎香

氣中人臭不可近
承漿 百會 人中 曲沖 太沖 合谷

小兒急驚手足搐搦
百會 上星 太谿 腎俞 人中

兒驚慢目視直口吐沫
人中 公孫 腎俞 中脘 照海 三里 大谿 關中

消渴症
百骨 天府 十宣

黑痧脉麻頭疼發熱悪寒不睡 春 孫
大陵 可 勞大鼓 十宣

白痧脉麻吐瀉畏寒冷 十指 甲星

黑白痧頭疼發熱汗口渴肢鳴肺脅泄瀉悪寒四支厥冷名紋腸痧

49

百會　丹田　大敦　啞門　十宣　膻中

奇穴

膏肓主陽氣衰弱面黄体瘦諸虚痼冷夢遺上氣咳逆噎膈狂惑忘誤百病

取穴令人平坐曲膝齊胸以兩手圍足膝使胛骨開離勿令動搖以手按

四椎微上二分相去六寸許四肋三間胛骨之裏肩胛骨裏容側指許按

膂肉之表筋骨空處按之患者覺牽引肩中手指痺即真穴也

灸後覺氣壅盛可灸氣海足三里瀉火實下

患門主少年陰陽俱虚面黄体瘦飲食無味咳嗽遺精潮熱盜汗心痛

胸背引痛五勞七傷等症取穴先用蠟繩一條以病人男左女右脚底

從足大拇指頭齊量起向後隨脚底當心貼肉直上至膝腕大紋中截

斷次令病人合口將繩按口上兩頭至吻却鉤起繩中心至鼻根如人字樣

齊兩吻截斷將此繩展直於先點墨處取中橫量吻令高下於繩

心兩頭是處是穴

四花治患門共成六穴有坎离既濟之象令病人平身正立稍縮臂用蠟繩繞項向前平結喉骨後大椎俱墨記向前双垂与鳩尾骨尖齊却當繩向後以繩原點結喉上放大椎上從脊脊貼肉双垂下繩盡處以墨點記別用稈心令病人合口無得動以大概量口兩吻截斷平摺放於背墨兩頭各處是穴又將繩脊直量上下點之多灸避人背脊 此崔氏四花

此穴不灸背脊二穴各開兩傍共成六穴上二穴共開一寸下二穴相等俱吊線行之 此是經門四花

以离坤交灸心火生脾土之意此術陽虛所宜

騎竹馬 主治癰疽發背腫毒瘡瘍瘰癧癘風一切無名腫毒灸之神驗心火先從男左女右臂腕中橫紋起用薄篾條量至中指齊肉盡處截斷却令病人去上下衣裳以大竹杠一條跨定勿令動搖然後

50

前量處，將定竹杖豎起，從骶尾骨脊至盡處，又用平身寸二
寸平摺，放前墨上兩傍各開一寸是穴

精宮 十四椎各開三寸，主治夢遺，灸七壯效

鬼眼 專祛勞虫，令病人舉手向後，背上兩陷即腰眼也，墨點記
六月癸亥夜灸，勿令人知

痞根 專治痞塊，十三椎下各開三寸半，多灸左邊，但有痞灸
又法用稈心量患人足大指齊量至足後跟中住，將此稈從尾骨尖量
至稈盡處，兩傍各開一韭葉許，左灸右，右灸左，七壯
又法足第二指岐處，左灸右，右灸左，灸後一夕覺腹中響動是前

肘尖 治瘰癧，左灸右，右灸左，初生時男左女右，灸尾池，此法用稈心量
患人口兩角為摺，作兩段，於手腕窩中量之，上下左右頭盡處是

鬼哭 治鬼魅狐惑，恍惚，以患人兩手大拇指相並，縛定，用艾炷

於兩甲及甲後肉四處著火一處不著即無効

背瘡治瘧如神令病人並脚立用繩一條自脚板周匝截斷却於項前般過

背上兩繩頭盡處脊骨是穴將狳灸之

又法令患人仰卧以繩量中乳中間折其半從乳比至下頭盡處是穴

式樣 男左女右灸之

膻中 治哮乳胸中兩邊二穴百會一穴

痊忤 尸痊客忤 乳後三寸男左女右灸之 。或兩拇大指頭

偏墜 用稈心一條量患者口兩角爲則摺爲三股如字樣以一角安臍中

心兩角安臍兩傍尖盡處是左灸右右灸左俱有俱灸炷如粟米大

又法取足大指次指下中節橫紋當中男左女右灸之兼治諸氣心腹痛

外腎腫

又法草麻子一歲一粒去皮研爛貼頭頂顖上令患人仰卧將兩

脚掌相對以帶子綁住二中指合縫處灸麥粒大灸七壯

番胃 兩乳一寸或内踝下三指稍斜向前

又法男左女右拿根一條伸手放在地上与肩一般高肩上有窩者肩

井穴灸三壯又灸膏肓膻中三里

腸風諸痔 十四椎下各開一寸年深者最效

又用粉蒜虫 圓而扁 去足將虫放痔上艾炷灸七壯

痔漏腫滿艾炷梧子大灸尾閭骨尖上七壯

臟毒便血以不止命門穴年深者各開一寸灸七壯除根

頭痛連腦痛時發時止連年不愈曲鬢二穴在耳上將耳摺前正尖上是

灸右右灸左

牙疼 隨左右患肩尖微近後骨縫中以舉臂取之當骨解陷中灸五壯灸

畢鬲大痛良久乃愈定永不發因艾炷麥大灸兩耳當門尖上三

壯立已

瘰塊 以双線繫兩元戌前一丁是頭上通中下垂孔対臍為準却將線

上線是上猴向背垂下塊尽處用墨點孔中兩邊各灸一穴至壯

十餘壯 一法已曰墳臍灸之

衄血項後髮際兩筋間宛宛中灸三壯立已 凡衄血自以鼻陷鼻乃藏陰也

又該用線一條纏足大指左孔取右右孔取左但出但取於指頭上

灸三壯如菉豆大若衄多時不止屈手大指就骨節尖上灸三壯左灸

右右灸左

中風中惡心煩悶毒灸兩足大指下橫紋隨年壯灸暴瘂不能言取臍

下四寸并內五寸骨陷中七壯并男左女右手足中指頭尽處

口眼喎斜有命類車地倉左灸右右灸左

中臍手灸不遂百會肩髃曲池風市三里絕骨左灸右右灸左

52

中脘氣實涎上不語昏危者百會尾池肩井曲池間使三里

中風口噤不開機關穴 頰車穴也耳下八分微前 二壯即語

卒死兩足大指去甲四如韭葉

癇疾 晝發灸陽蹻申脈夜發灸陰蹻照海各二七壯

呃逆 氣海 乳根 霍亂及傷寒呃逆連聲乳根最妙

咳嗽 遠年不愈將本人乳下當一指頭有低陷處直乳不偏若直骨

婦人屈乳頭齊處是男左女右灸之

心疼手肘後陷處是穴先用香油半匙三五滴煮服小薊根搗爲丸每

蠱灸五壯止 有積巴豆填臍灸

陰毒臍冰脈穴絶者男左女右手以中指頭齊處及氣海關元

瀉泄 三五年不愈百會五七壯即止

霍亂 臍中尚有煖氣者鹽納臍中灸不計數

婦人　癇疾不省舉發手足攣痛灸瞭脈四穴三壯

産難及胞衣不下灸至陰

令手及以不再爭以右手中指節文一寸又指向上量之用草一條

量九寸於足跗膝以此草自臍心直垂下頭盡處點記之以原草平

摺以指處横安前記處頭盡是穴穴有動脈灸三壯

小兒　初生不吮乳承漿頰車　臍風灸臍下即活

慢脾痙痓但看太冲猶有動脈百會三五壯

雀目夜視不見物手大指甲後一寸内廉横紋頭白肉一壯

脫肛瀉血百會二壯　乳氣無名指頭灸之良

驚尾男左女右乳黑肉上因殘灸五七壯

脫肛　正午時用荊柳煎湯洗淨灸百會尾骶各三壯

赤白汗斑灸夾白穴

13

諸瘡 一切瘡毒痛灸至不痛不痛灸至痛毒從火散隔蒜灸

之三壯復換

對口瘡男左女右腳中指下俯面第三紋正中灸三壯

發背癰初起用雞卵半截蓋瘡上四圍用麵封敷住上用艾灸卵

一尖以病人覺痒或泡為度臭汗出即愈

疔瘡用蒜搗爛塗疔四面留頂以艾灸之爆為度不爆難愈灸多

百餘壯又灸瘧疔蛇蠍蜈蚣犬咬瘰癧皆効

瘰癧男左女右手搦拳後紋尖灸豌豆大灸三壯三四日已見瘰癧用養

穿潰消靡三一丁不消桑螵蝦蟆一丁剝取皮蓋瘰上灸皮上七壯而消

癲狗 用穿山甲黃土炒黃又斑猫為末和勻作娃用烏白菜瘡口灸七壯

癲瘋 左右中指節宛宛中凡寶疣諸症皆効

十三鬼穴 孫公治百邪癲狂

鬼宮人中　鬼信手大指甲下　鬼壘足大指甲下　鬼心大陵　鬼路申脈　鬼枕大椎上入髮一寸　鬼床耳下五分

鬼市承漿　鬼堂上星　鬼臟陰頭　鬼臣曲池　鬼封舌下

十二天星穴

三里内庭　曲池合谷　委中承山　太冲崑崙　环跳陽陵

通里列缺　三百六十八不出十二訣

四總穴

肚腹三里留　腰背委中求　頭項尋列缺　面口合谷收

三才

百會以應天　璇璣以應人　湧泉以應地

三部

大包為上部　天樞為中部　地機在足䯒為下部

九募穴

肺募中府心募巨闕胃募中脘肝募期門胆募日月脾募章門
腎募京門大腸募天枢小腸募関元

十二原穴

胆原墟坵肝原大冲小腸原腕骨心原神門胃原冲陽脾原太白大腸
原合谷肺原大淵膀胱原京骨腎原太谿三焦原陽池包絡原大陵

八會穴

血會膈俞氣會膻中脉會大淵筋會陽陵泉骨會大杼髓會絶骨章門
腑會中脘

四根穴

太陰根隱白少陰根湧泉厥陰根大敦太陽根至陰陽明根厲兌少陽根竅陰
少澤手少陽根関冲手陽明根商陽

三結穴

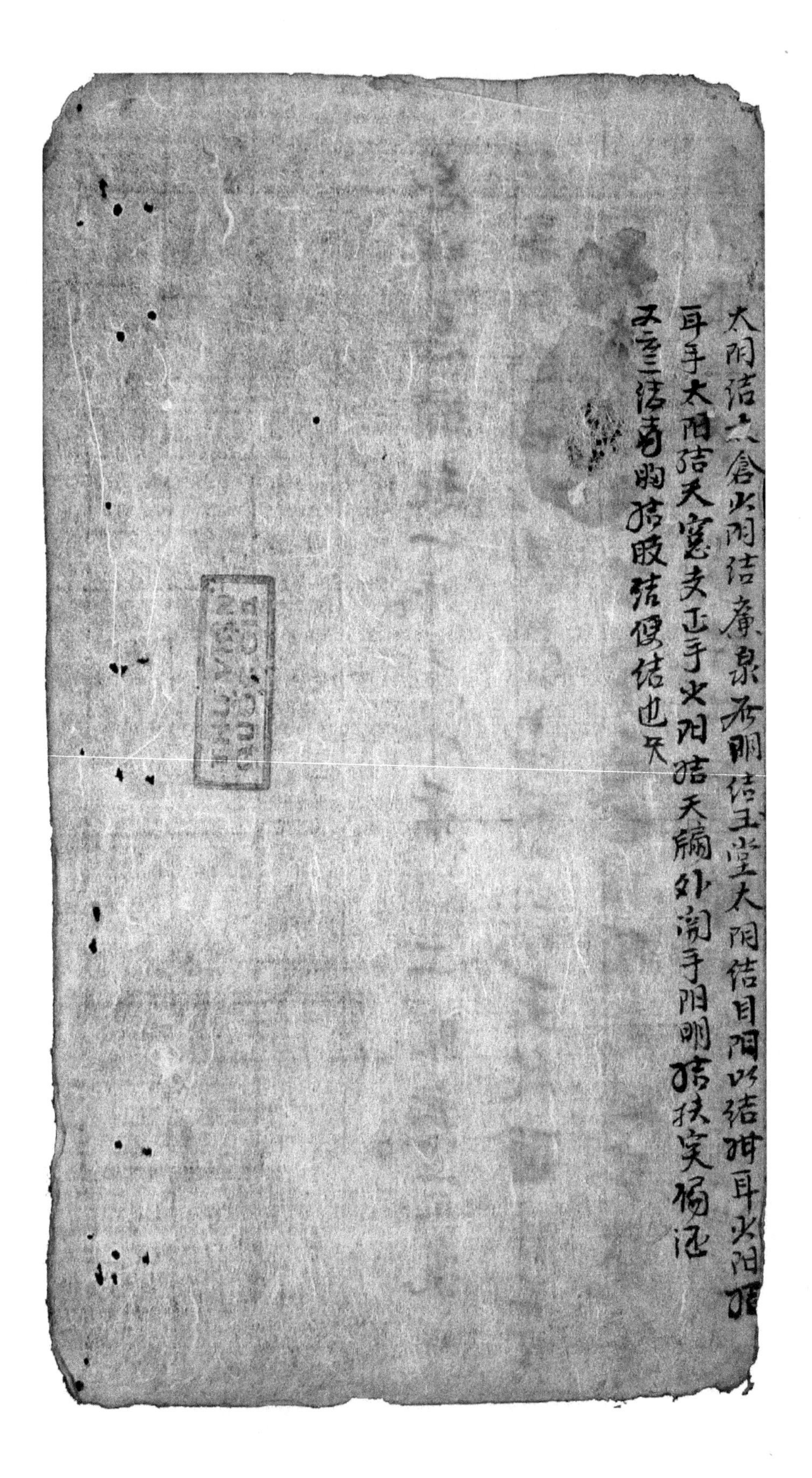
太陰結太倉少陰結廉泉厥陰結玉堂太陽結目陽明結鉗耳少陽
耳手太陽結天窗支正手少陽結天牖外關手陽明結扶突偏歷
足三結胸結腹結便結也矣

海外漢文古醫籍精選叢書·第二輯

家傳活嬰秘書

（越）佚名氏　撰

内容提要

《家傳活嬰秘書》是越南的一部兒科專著，乃家傳經驗之作，論述了兒科常見病證的病因、病機、症狀、辨治、方藥等，所涉及的兒科内容非常豐富，具有較高的臨床參考運用價值；書中也有少量喃文或漢喃文相間的内容，頗具越南本土特色。

一　作者與成書

《家傳活嬰秘書》目前僅見一部鈔本。據日本學者真柳誠考察，此書：「茶色扉葉墨書『庚寅年九月十七日/四民醫館/筆賀』，恐爲成泰二年庚寅（一八九〇）的筆寫。」[1]但在筆者手頭的鈔本《家傳活嬰秘書》中，并未得見真柳誠所述有關撰者和筆寫時間的信息。若據真柳誠所記，此書當係越南「四民醫館」醫生編撰，爲家傳兒科辨治經驗秘集。

[1] 真柳誠.ベトナム國家圖書館の古醫籍書誌［J］.茨城大学人文学部紀要「人文コミュニケーション学科論集」，二〇〇六（三）：一一一.

二　主要内容

《家傳活嬰秘書》全書僅有一册，其内容包括兒科諸病的辨證論治和處方用藥。書中第一部分論述了兒科諸病的辨治理論，且大多用喃文撰成，其間夾雜少量漢文。此部分涉及的疾病主要有驚癎、驚風、心驚、肝驚、慢脾、喘急、熱嗽、熱瀉、寒瀉、泄瀉、痢全紅赤、痢白、火風入肺、浮腫、火風入胸膈、吼哮、嘔吐穢、癘、出生不乳、遇風入表、暗目、癰疽火毒、聲啞、胎中熱毒、關格、小兒客咳、小兒疳鼓等，主要論述諸病的見症分型和辨證方法。

第二部分爲「置藥治病列湯於下」，以漢文撰成。在上一部分的基礎上，進一步闡述了各種疾病的對證治方及隨症變化之法。此部分主要提出治療醫方之名，并未詳細列出方藥組成和服用方法等。

第三部分是「治嬰各症方藥」，全用漢文撰成。此部分爲方論，收載了六十一首小兒治方，且大多是上一部分所提出的方劑，有過海丸、黄馬散、金玉丸、前飲回生丸、必定丸、金白丸、發毒丸、赤茯丸、㹀鐄散、除痛丸、金衣百中丸、黄衣散、金箔丸、四麻二母湯、蘇子降氣湯、加味四物（湯）、枳桔二陳湯、四物疏肝湯、補心益氣（湯）、外鹽法、臟腑丸、紅衣丸、除煩丸、黑龍丸、天晶丸、潤腸丸、黄舌丸、小哮丸、大哮丸、㹀桃散、白舌丸、杏仁丸、㹀顛散、白蛇丸、六將丸、金衣百發丸、中疳丸、柳青丸、丹毒丸、白龍藥散、赤油膏、黑松膏、六味補陽（湯）、六味補陰（湯）、炒消散、火痰丸、塗藥散、藥渴散、羊肝洗目湯、黄水點目、柴癎丸、失聲丸、先差丸、送毒丸、烏陳湯、破逆湯、急渴湯、五馬丸、七味塗、發毒丸（與前述發毒丸同名異方)、化痰丸等。詳述每一首小兒治方的藥物組成、使用劑量、炮製加工、服用方法等。所載醫方以丸、散居多,湯方較少。

第四部分是「論外湯症」,以漢文編撰。論述了三十餘種丸劑、散劑、膏劑的用法和主治病證,這些方劑大多包含在上一部分收載的醫方之中,如金衣百發丸、先差丸、發毒丸、六將丸、除煩丸、前飲回生丸等。此部分所載丸、散劑的用法,多是以他藥煎湯送服或外用。每一首醫方均有多種用法,且因症狀不同而有所變化。

第五部分爲兒科的其他雜論,主要以漢文撰成。所論内容較爲零散,文字簡略而層次分明,所占篇幅較小。首先,爲「急驚風論」「急驚有八候」「慢驚風論」「臍風撮口」「天瘹似癎」「内瘹似癎」「喉痹論」「重舌木舌腫論」「引師家傳治癆蟲將成」等;其次,是小兒雜病的單方、簡易方;再次,論小兒望診法,尤以面診爲重,包括「察面部論斷」「面部氣色圖」「半身脚上論穴圖」「看面部圖法」;然後,是「論小兒變蒸」「論小兒方脉面部」;最後,爲「附續外症」、「序」(爲明·翁仲仁《增補痘疹玉髓金鏡録·序》)、「本草拾遺」等。最末的「本草拾遺」逐一列出八十三味藥物的漢喃名稱對照,但僅羅列藥名,無對應的藥論。

三 特色與價值

《家傳活嬰秘書》是一部獨具越南本土特色、自成體系的兒科專著。此書的編寫體例为:第一,論述兒科諸病的見症分型、辨證方法;第二,載述各種疾病對應的藥方及變方;第三,論述所載小兒治方的具體組成和用法；第四，詳論丸、散劑以他藥煎湯送服方法，有效地擴充了丸、散劑的使用範圍；第五，列出常用藥物的漢喃對照，方便越南醫者識藥、辨藥。如此環環相扣，自成一體。撰者這樣編排，使全書各部分内容循序漸進，條理清晰，方證對應較爲明確，尤其方便讀者按照辨證、遣方、用藥的邏輯關係認識兒科常見疾病，并更好地掌握臨床辨治技巧。

書中「論外湯症」一節，收載了丸、散劑的特殊用法，即：以一味或數味藥煎湯送服丸、散，煎湯之藥隨症狀不同而變化。因此，隨着煎湯之藥的變化，每一種丸、散劑的主治範圍被充分擴大而不受限於本身的功效。例如：本節第一首方「金衣百發丸」，其論：或牽攣拘急，以鈎藤煎湯；或中風口噤，言語喑啞，以菖蒲爲湯；或痰喘，呼吸譫聲，以蘇子、白芥子爲湯；或昏迷氣倦，不省人事，坐卧不安，以菖蒲、竹茹、酸棗同煎湯；或百節疼痛，以生薑、威靈仙爲湯；或心腹疼痛，以生薑爲湯，外磨木香服；或咳嗽身熱無汗，節脉驚動，以防風、冬花煎湯；或心攣驚悸，以菖蒲爲湯；或胸心刺痛，以枳殼爲湯；或頭重身痛微汗，以生薑、羌活、蔓荆子爲湯；或筋肉蠕動及裏刺痛如蟻行狀，以防風、皂角爲湯；或大便小便不通，以北枳殼、萹蓄爲湯；或皮膚疼痛，以何首烏、蟬蜕、蒺藜爲湯；或遇風而身熱無汗，腹中氣脹，大便閉結，以全蝎、薄荷同煎爲湯，加枳實等。論中通過改變煎湯之藥，或分别單獨用鈎藤、菖蒲、枳殼、生薑各一味煎湯，或分别用蘇子與白芥子、生薑與威靈仙、防風與冬花、防風與皂角、北枳殼與萹蓄各二味煎湯，或配合用菖蒲、竹茹、酸棗，生薑、羌活、蔓荆子，何首烏、蟬蜕、蒺藜，全蝎、薄荷、枳實各三味煎湯送服金衣百發丸，將該丸藥的治病範圍擴大到牽攣拘急、中風口噤、言語喑啞、痰喘、呼吸譫聲、昏迷氣倦、不省人事、坐卧不安等十餘種。

兒科素爲「啞科」，自古就被視爲辨治的難點，而尤以診斷最爲困難。中醫望、聞、問、切四診之中，望診在兒科診斷中較其他三診更具優勢，但望診之法却不易掌握，故《家傳活嬰秘書》「察面部診斷」一節詳細論述了小兒望診之法，且特别繪製出「面部氣色圖」，直觀地呈現了面部的穴位分布。此外，本書還論述了「看面部圖法」，幫助讀者加深對望診的理解。

此書收載的小兒治方是越南「四民醫館」的經驗良方，但也是在汲取中醫理論的基礎上形成的。例如，「治嬰各症方藥」一節載録的「四物疏肝湯」：組成是川芎、當歸、熟地、白芍、杏仁、訶子、青皮、紅花、薑、棗；水煎製，薑汁竹瀝湯空心服。此方係在四物湯的基礎上加藥化裁而成。此節收録的「枳桔二陳湯」：組成爲陳皮、半夏、白茯苓、枳殼、桔梗、黄連、山梔、北前胡、牛膝、薑、棗；水煎空心服，如熱盛加黄芩、甘草。此方是以二陳湯爲基礎方加減化裁而來。書中有部分以中醫古方爲基礎加減化裁而成的方劑，是中醫古方與撰者臨床經驗巧妙結合的結晶，值得中醫臨床借鑒參考。

在此書「治嬰各症方藥」一節收載的六十一首小兒治方中，僅有蘇子降氣湯等極少數方直接來源於中國醫籍，其餘醫方多係越南醫家所創，具有鮮明的越南特色。本書第一部分詳述兒科雜病的辨治理論，是以喃文爲主撰成的。由於這部分内容十分重要而又深奥難解，故作者特意用喃文編撰，以便於越南醫家學習和運用。最後的「本草拾遺」逐一列出八十三種常用藥物的漢喃對照，如燈籠草、大蓼、鷄腸菜、青木香、辛夷、五加皮等藥，全都分别列出了對應的越南名稱（喃名），目的在於方便越南本地醫者識藥、辨藥。所有這一切，都是爲普及和推廣中國醫藥知識而采取的有效舉措。

四　版本情況

《家傳活嬰秘書》現存越南阮朝成泰二年（一八九〇）鈔本一部，藏於越南國家圖書館，本次影印即以此本爲底本。

此本藏书号「R. 1901」，真柳誠對此書有詳細的記載：「一册，寫本，後補越南四針眼裝，深棕色表紙，書高二十點九乘十四點二厘米。無帙，無外題，書根、天邊墨書『家傳活嬰』。茶色扉葉墨書『庚寅年九月十七日/四民醫館/筆賀』。無序、目録。卷首内題『家傳活嬰秘書』，以下正文爲漢、喃文。無跋。小兒科書。紙張爲中葉褚紙，全體黄變。無邊，無界，無魚尾。每半葉十行，行二十四字。四周雙邊。有「THUVIEN/QUOCGIA」（國家圖書館）的藏書印。全書朱點、朱引，無蟲損、破損。」❶

筆者所見的鈔本，每半葉的天頭均有今人用阿拉伯數字標注的葉碼，從一標至一百一十三葉。第八十九葉第四行末尾有「活幼集終」的字樣。第一百零九葉第七行起有一則序言，抄録了中國明代翁仲仁《增補痘疹玉髓金鏡録·序》的部分内容，落款爲「康熙庚午歲季夏錢塘仇澐天一氏題於養素草堂」。

總之，《家傳活嬰秘書》一書獨具越南本土特色，是越南醫家在汲取中國傳統醫學精華的基礎上，進一步提煉出的適宜本土民衆學習和運用的臨證兒科專著。書中收載的「以他藥煎湯送服丸、散劑」

---

❶ 真柳誠.ベトナム國家圖書館の古醫籍書誌［J］.茨城大学人文学部紀要「人文コミュニケーション学科論集」，二〇〇六（三）：一一一.

的用藥之法，特色鮮明，具有較高的參考借鑒價值。同時，此書係越南醫家的家傳經驗方書，所載方藥具有一定的臨床借鑒意義。本次影印出版此書，希望爲國内學者研究越南傳統醫學提供珍稀的海外醫學文獻資料。

管琳玉　蕭永芝

①

家傳活嬰秘書

醫道自帝伏羲𤇮根草木葉皮花仁達𠇍佐使君臣寒

温平熱定分减加診脉時翁叔和分開尺寸正邪别唂岐伯

先祖師吟别𥪝每症計排始終急𦖑𢘾救雷公生炒炮製賊

輦共减加凭拱享泰恩洳丕生聖主𤎜拔翔芒威𨤰撡ノ罕本方

祠民共脉来降𠄼碎凭凭咳氣欲慳油𢘾奔丰𠃧吹安閒

尚聲尚邑醫官拎方聖惪類奸納𦖑升麻木賊决明黄

姜歸脉太平洳安方𢃊𥆾𦖑曳𨖲百發過海至玄驗台

群𧝓後小晃吟形如啞子呐𠢞諸通病時現於腹中𪚚𢶢哭

吠坤通𨤔理强丕卞買立諸方症𢃊𢞂意訴詳咍台𠐞恩

2

黃帝𤃠𥈗秘傳法冊助𠡧劍斯賖祠朱𡨸𡦂彈𡢐埃學拱
別買𠸒𦬑才相爫𣈙惡𦎛𩵜五行不正沛爉朱詳寔虛
寒熱陰陽𩈘察𣝖塘急治買安氣運咍𠡧我迎毫毛
百發通傳九宮十二經絡於𨉟傳𠊛臟腑吏通𠸒𨇉兩膧
面部朱精諸𨷈顯現停停渚差現𥆾論帝𤎎才精詳謹慎
渚差毎調小𠒦飭力色饒𥒥咗𠸒卒𠸒饒於埃議浪虛
寔𠸒排埃𡗶促𡮈𦬑𧵑空𡗉𠀲咗𧆄吏咗湯過𥈗不
治員尋塘催特庄𨓆極保𧵑尋𣘃咍𧆄沕丞特庄𠀲咗
坤𩈘吶能𡖼𣘃𠓨𢢆進咹買才心精朱貫𠡧（外學朱特法放𧵑買精）
次一買論𤻻敬鳥𡨸相直視𤽗呈病連相毛𡨹𠁀𦛋連意𠱋

3

病𠸦吏痓安全相皮䐐𠮿安安𩈘𢬣𢯏逸𢱎𨕭同同大便
乍秘乍通小便火利欺沖欺鐄固苦先差𣼼墉空台金玉
𢭂扛先𨇉次台金箔買用急服二次湯終買才相䐐𠰘𣼻覓
台𦟐𦟐𩹶𠮿柴丕買咍

次台驚癇㖡𢜝𠶀𩈘𢬣𢯏逸胡来安安台相買直視𨕭覽
仍𢚸𡗶庄貫特𠑬金玉吐𨍦朱毛次台金箔氣數吐叭
次㐌金白咍𠊛一更三服病𠯇沛𠫾

吏論驚風次㐌絆身𢯏逸絆𨉟𨁪𨁡𠰘𧵑泥𡗶罗䁊𤁕𠯇咳
拯特哭連𦖻驚哭来吏逸絆𨉟相時𩈘𦟐遮𨁡𨕭
大小火利𦟐穿吏咍帶迭渚奄漆煩沛差金玉吐先次台

金箔𣇊扦買才急治塗藥於外半生半熟每𡰚朱詳每
時爆汲爆香堆邊左右咍鄔隊各條筧白翳達貞庯達琨相安身畦𨉟
○次罰買論心驚搖頭弄舌沛精朱詳裕麿筧撓砂昂坦曲𣜿
症𤈜柴強易𢩮裕麿撓倘朱𠭤唷𥩯扁鵲𡗶𩑳庄效先
服金玉咍醒次𣃣金箔咗𣇊失勤次𨑗金白咗寅急掃白舌吼喉安𨉟
4 ○次𩈘吏論肝驚𣃣相如落兩睛倒𢩮𨉟𤈜膝吏氣蒼大便不
利小於𤷱𤷱裕時白舌生瘡吼喉苛吸如㒸庄嗜𩓜𩑳疫
逸疫攄肝驚果是庄群胡𡗶沛咗先差𩯀䟠次𣃣金玉
𠎬時𪔝乜次𨑗金箔坤頑𢷮塗黃舌消散郎時
○次欺買典慢脾膝蒼𠾕吧四肢冷𣼽𨉟時常逸莆弖相

5

時寵視咍𧬪畀陀欺滂浪躺泠猪腰相時耗𪏭𦍭時
龍咝𨑳如体哭料嗜蘇嗜勉毅調難通過海旺𨋢先
𨂀次台必定旺共終湯次乜天晶𪏭塘叺逐痰水水强
消𦍭大小僨出道多多味酸如湚醋茄買咍旺叺倍咳
苔台挑喉痰朮朮𧾷皇苔四肢温煖燶台𦝫燶如焰病
𠠇庄之藥僨大便㲚如𣐮𧰲𢭏粪病歸庄乜
次𡿨時症虎芒咝如吹焰瘁噴咈咈皺擇如体𤝔毅𨍁喉
濁瀝形時痰達腰相時意痊壞扛𡰯相庄全特𪟡大
小少利乏數腹中氣脹乏偷余躬先脤必定𦍭貓次台
六相旺𠠇例終湯次乜天晶𪏭塘僨大小利燶爛泣躺旺来

3

6

肝特買生若腥如盂歸絡黄泉

次務喘急撟逢咀𠫾洪斛庄安机牟干咀如体咽喉卞

升𠯪降咖數咀賤肝時吏咀覧色若朋試越督催喘強

旺排四物喨肝不過三脈吏安各調壺油喘急痰數四磨

二母下消庄苔喘瘍奎困痰庀旺排蘇子下瓸寅寅陰

喘礙衛未申侵膳强𫫎舸寅氣安加味四物靈丹痰

𦬑喘急再加甘陳火喘恩沒欺唆㪯未喘急●無根咀

呼呂桔二陳加朱苓連𥠧子前胡甚咍壺油喘困蒲𠬠如

油買打𣳔瑰歸仍

次㷔燕嗽沒篇過風過纏爆涓買沛蒲𠬠渚𠫾火風

八肺啃呼朱連沛脈過海為先次台發毒旺乜驗台次
乜杏仁膏尼用湯猪肺點剮砤毛、
次迸呼烽囷台呼時咯啃鍮剮蒲灰呼連時發蔑催呼
段胡耒鍮吏烽陰痰達撟典上心小便白臬如散湍䀹
發毒忽旺朱耒常點膏杏督催安背峇油爈烽如
爈帯翜如諾穖嫩蘊紅果是寔熱烽鼬差湯發毒沫空太和
迸汲吏論熱瀉䀑朱訴[illegible]寔咍假咍空寔熱台媒蘊紅小便
赤澁燥衝朱連鍮煩渴庄特安沛差藥渴務先旺連
暄鍮止渴氣安次台買旦神仙饋覓卞次乜連旦除煩送除
火熱帯連小毛次罥黃馬極年翜緬朱忽轄輀凭紌、

8

或㖡變𦋦症煩𨀈𠀧𤾓把咍尃𢧚𨁮意症十死一生渚
䀡𣎀𣋚病呈歸仙或煩肝渚特安𡑝湯𠫾貝除煩速
𡨹常常閭脤買鬆清分沛耨𠫾吀沫𢤞清分磨混
黑龍𠰚唐咹𠫾從容合共𠫾𢪀𨁮這如銅肝迷不省買蒙
𤯩長𠫾𢪀𨁮吏腥𦢳如𣦍無病意塊歸仙
進𠰚論排寒鴻只没念疠脃𠀧𢧚澡来膝𩛷餌窒催度
𠀧剃膝𢧚吏𦓡澡催膝吏餌𥘷𠴓常𤼸嘿吏咍固虫
咍咳上下唇紅(蔞)意蠔繚𧊉蒐𢧚古喉朱𦦖𤼸嘿隊𣘃
𢂰𦋦如𣻆浡朱連果是症意寔寒先𨀈沛𠫾余𠃣
𡎝生次𠰚除煩朱争次𠀧黃馬分行陰陽次罰黑龍𣗓

唐大覔小利熁妹病安咨油壞群蒐蓮咲群㗂噁
渚安心神急磨員大將軍孩晃磨外㐌𠄩效台
進㐌論排泄痢泣𤊧𤊧油泛困台分𦋦紅白買咍白時助𦋦𨋣
𠓨助紅悸𤷱肾水怔𠖭變浮腫庫𢚸藥湯胖𤸎𤼸唁
𤼸運𥋳𦋦𣻹𠖭咯强困台歨油固渴渃𠓨小便不利旺𠞺
紅衣若朋空渴用之国膓旺𦋦昜𤼸覔膓次㐌前歇𩖰唐小
痢利止痛𤼸扛咍台次㐌除煩𦋦䅭黑龍次𣘃痢𠞺消
散或𦋦咯𣈜脱肛補中加味外擱塩毛係𩈘覔脱肛收𠇍急
夕藥補咍牢咍尼
進𣘃痢全紅赤仍𠌨鮮痰白時空𦋦𨋣𤼸仍𠌨紅𢶢𦋦仍

10

渃涌涌鄉鮮先服煎飲買才除煩第二𢚸差服共次
𨑗買典黑龍每𣈜三服沫𢚸𨀈台服藥減口買㕲𦛌𩚵
衮𩵜椶𠤆鴿𤙭𧰉味咹旺𠺙朱服三日内病和消空
進𦧜痢白朋𠤆𧿨全𩠴皐艱屯𦛌𣈜欺𧿨陳㴜困台𦚐中咬
痛疴𩈘㑏買𧿨先服煎飲可為除煩第二三時黑龍一更三服
朱通自然痢白𠇍空如神旺𥹰時沛咹𠺙𡎝病𢬣𠇍𡎝鄭
時停𠇍𠺙過沛浮稱變𥺊浮腫為蒸咹乾𥺊時术𥺊
如𦼔𠄼𢣧諸夕非名症意十死一生𢵋𣈜除卒神炅𢷀衛
進𧗱嬰晃𥺊病口中客𤈜身病𤊰𣌋𢯛媒上下紫紅𠴍咹
失寔固空𥹙形𣭳時病𤵺𥿢𠲖身体自汗渴精𣌋外形如

11

孛坦買搓𣳔時𩛂吏寔柴痾些㐌油瘨𤸶疝胿空沛症意
渚查藥吐法傳本於在心腑𦛋朱吐沛尉除煩寅午酉吐朱
專呐衝急𤈜抵連頭床每蔭捽𦁻朱專身体手足捽達
㐌吝𦓿時點𦛋沒旬𡥵時九日點寅口中𦓿時點淚朱通𡥵時
𤈜淚湯空點色腑𦛋纏𦑃消耗自然肥𡮍哈𩛂之齊
進點論症火風入肺犯𧹼脾痰氣越曉相時寅風視𡗶朝𤽗番
𡥵落如調柴驚症意似驚非驚點風火入㐌情脾肝嗌時
唉乳㐌㗂𣻆𠶔庫呐吟算症全火降時痰吏達火下胿潤
痰安没年火痰吐𦓿朱毛杏仁急點渚數癊煩外治前
飲余員搓湯𡎝𨠳𤷍連朱調再加温火哈𩛂丙吝後𩖅塗

6

12

𠫾朱達𥹰油覔膝𦬑達急用過海吐吁塊𦬑次𠁑上將罨
𢭲一更二服病𠞺安寧 上將郎天晶丸
𤴬𤺳論症浮腫共𤒛𤈜沉重困台𣳔浮罨泣歐頭𢭲不𢖵飲
食小𠞺𠰚火通欺時沫冷如空欺時㷟渴四縱𣋚朝欺時𦬑瞞
庄消欺時大便不調難通沛服前飲先𩛖次台赤茯通同消
罨𥹰油浮庄消朱吐排消散萬浮萬消
消散郎沙消散
𤴬𤶐論症火風入胸膈大小通利㖫呃𦬑𢯞或痰或吐奇台或
無痰吐共差吐色先服過咍𩟡天晶第二吐𠫾終湯貼𩛖各症
𤴬安群𢬣𢳆𥄮色湯烏陳急磨𢪀六將軍𤄯𢪀臟腑安身遂躺
台𤴬論柴氣𡞕欺𨁮𡗶𡛔喘痰達世間俗號𡗶𣎏𨁮𡗶咭𡀯

13

𠫾蓮無回困台斬降斬𢪀用員小哮耵𧊉咣冑吐𦠄除戍咍
𢵰大人大哮㗂交酉時每日一服斬𢫃服藥減口咖芘余調猪
牢𩝟𦠘客蕉𢯰鹹蝦酒余調咹唑每𦠄服藥朱專 固一个月孛 痊鄧時
𠫾進𣳮嘔吐織病寔虛沛計朱𤼸散散焠𤎒外𦢳小便𤽸白
誦𤼸胃寒吐員六將坤𩕄日夜四服病𤼸安寧㐌油𠻀嗎洩
撐四肢手足身形𤎒爛小𤼸如体潞𣙩大便不利頭强疾台
𣘃青沛吐𤼸𤀒日夜四服病痊輕𧡊大便𣱺洩撐浡潞吝
論如形𤶸𪵅𢫃𤼸䶊灘灘意𤼸病珥𣊾𪵅𪵅几
𠫾進𠫾小兒病膝貼寒𢚸正統朱咍或病氣血𢿜𪵅或病虛寔
咍𤼸病壞𠫾𢪀紅𤻭如輪果是虫痛𤶸群胡与悬差前𣳭

7

14

轄發第二磨䔲𠁀队第三除痛咍𩄲膸䏦三脈𠁀队坤頑
吏貼𤈜痛買强焠疠渴𣵰帯强如𣘃𣘃子𨔈菓時熖磨員
六將𠁀殭坤碩吏貼眞夳屋寒媒時深吃如熯顛仕小便𤽗白
能發果是寒痛庄与𣘈芇過海𠁀轄咍𩄲四肢温𤈜清蚕
極年𠀧油滚吧疠𣛤痛綿磨轄加𨍦晃孩𠁀队止痛清台
各病消散跬𨁪恩丕
𣈜𨔈𠄩初生不乳𠱋涛蠘空乳庄𠲖脉時六沫六純𠱋𤽗庄䏧
庄𠲖咋煩化風𠁀𠄩發先次𣈜金玉𠁀扴即時次𠄩四逆吏隨
急用八足燒發渚退内𤽗掌手足𤽗自然不乳咍台還透
𣈜𨔈𣘃术𢷀空䏧買生𥾽𢜝乃𩩖驚埃与唸吏术𢷀𠃣𠲖

15

庄特心情怯車𠯿咗先差破罢椊桃常採於和頭獁或罢發

庄用獁金箔針灸䏴𦙶頭獁一更三服朱精椊桃毛採用獁即時

㕧迸甌初生放度一三旬發𠻗哼嚷眝𩨒常逸駭攥印堂青

鄉現逢膌㾦𦙶欺𤏸沫失呼逢沒嗜時常嘔罢先服六將

寔佗咗飲止嘔太和安寧係䝺覓止嘔太平群沒咳嗽法時差

昂杏仁膏意攥湯𦛜𦙶急㸃病安課尼

㕧迸㷔渴風八表烨外𦙶𦬶遶三焦小便𠯿𣅜利乍寒乍熱

秘𩨒調貫通陰虛陽寔庄空朱瓤表裏通合飲先服

過海咍𩨒係䝺覓大小移溪利台腹中肔冱塊𦬶急服發生毋咗疵沫𦙶

㕧迸𣅜柴甘𦛜目相服吏遍𣋡困台達眉蒙𢜏稱𦙶鄉鮮

8

16

[illegible]

𡀮𥠄脇躬沚𦊚黃衣煨貝肝鷓唉朱旺䤈白蛇旺𩜁肝秖洗目
嫩毛係尉𦙫察䤈𩜁安全眉稱卜蝇坌蓮饋𧍰枯燥台尃𠸜（黃衣即黃藥散）
吝外點黃氷朱勤固三日内覧寅光斗
㐌進務陰虛陽寔訴寒蒸𤎎料買奄陰虛只烽術脇脇碾
躬珥沛胣渚吒旺排六味補陰不過三服寧心沫𩵜
㐌進吟陽虛陰寔分氣血𤎎達買咍陽虛只烽術躬躬碾
脇珥困台百淋壊吒排六味補陽不過三服病痊即時服藥
減口𠼤趁𩯀𢚸（心）𩠸穌𢬣共時𢠿蕉始終謹慎𠸜調（不過三服病消沫𩵜）
𠺙進嬰晃脇只𣳔年沼疝𩖅栖沼罧泣𠲖𩵜𦝄達頭沼疝
求𦝄頭釘大便火利庄成（不通也）小便赤澁故情𠼤𡃏尼時沼如

17

豆魁粹鐄急漱陸（連）細勦除丹毒只吐衛𣇜𤙭炒黑色和銀（金）

碧衣只吐寅（酉）善參混買冬藤色𦝄脹半个月馸𣇜刷（癰疽瘡珥 漣𧏵𧿆𠂉）

巴迸汲癰疽火毒疤出吏术火遊前後左右朱詳术醫於

帝症和屋陰丐芇术越散散赤（觀）如演𤄷意心陽篭貯時

越尾四縱左右前後𠺥𧽃朱連丹遊赤火症賢奴越色典

丹田時虛碧衣只吐衛𣇜𤙭丹毒寅酉寔𠓀坤頑𦚖馸四脹消

疥癰疽各疾膏散諫包仍𤍊赤火𠖤痾急𤻄七味塗叭

朱毛燥枯吏紏渚數囘三日内病候消散

巴𠰺声唖庄消呼時呼眥如猫失声常常煒（𤏧）於𦛌小便失

寔面形鐄𪔠杏（信）寅酉閉宮發毒時吐衛𢣂衛𣇜𤙭杏

9

18

𠶋常寔點除不适五脹嗜和吏𨁟
𢀭𢀭胎中𤇮毒脱生𡗉𤼸𤽗抛抛𨁟𤯩术如花棹黜𡛔胎毒
𤇮候於𨁟買生𠰃𤽗如𦬑𠽖㖡庄特求𠹾𦧘𤯩胎𤇮食
毒心酸先差急哇消散滆𩛂柑𥖩余𦔀抵金𤎜爈朱𤎕
𡗉謨𥚆和紅衣𣎃許買加研混為一𦖑𪂲打𢭸始終𤄯歇
汲敗只群汲𥚯法特差黄舌買打𡗉𤄯汲除光𤄯𠽖即時
𢀭𦝄小晃閉格過乳房哝咆𦰟𨁟大小余𦓅庄通埃𠸗寒格
上胸不和吏添乳房强𡗉𠽖㖡𡑝𠰃𡢐𡗉同同大小結閉難
通𩟡蓮𩕄𥘀煩𢙇困台别浪乳格庄咍𡛔吃𢠩𢜝𠝚𦥃
疠芾方破逆𡰚𤍊色連朱急枚饒番𡰚哇色润下𡑝𠰘

19

大小通利斑痘蹉丸

㐌衄小児咳只没念呼時呼咳𦓡時請倘空術脂氣爐呼

縱咯痰吏傷乳㖡乾呼蓬没嘈時連嗽痘歆歆氣烽外

腹小便赤白不和共饒假如小便澁攪急差發毒朱毛吐

𠓨盏油小鼻白露急差六將吐𠓨消𠁀色除止嘔痰和只群

症咳丕些仕用芙伏群於上胸朱職統倘呼空非𠃩沛詳

急 點杏膏百發除戌病帝群當

㐌熱小児疳鼓脹朱詳腹肚買咍台媒紅潤生台軀瘨古疸

藤劑羸𠁀罢巾疳除午平和寅酉臟腑寔𠲖固奄前歆

除戌術脂半攻半補沛尉脂𦓡大便瘀如鵬殆如鵬㷌

10

者㑲㖫如𦹵宣痱大利小通常常痊愈買懞壽長哲
油𥚆𦁷如𣘃每𣈜干㶺毅塘繚繞脆𣈜膂淥𣛟朝男足
女目覽調浮眾數丕挨𦀊朱弋撰𣈜𢽼𨔈海河陰司

置藥治病列湯于下

假如小晃驚癇腹中有脹大小火利先服先差丸以稔子蜂蝎（去翅足炒過）同煎服腹中無脹不用先差丸用金玉丸以鉤藤（一月）（男七女九个）（去節不用）煎湯化下第二用金箔（丸）以鉤藤薄荷蜂蝎（炎）煎湯化下

假如小晃驚癇金驚先服金玉丸以鉤藤（二月）（去節）煎湯或鑄身
㵼大便利小便赤澁亦用金玉丸加燈心竹葉（去尖）煎湯送下
第二服金白丸以鉤藤薄荷蟬蛻煎湯化下

假如小児驚風半身不遂先服金玉丸以鉤藤薄荷燈心煎湯下次服金箔丸以鉤藤全蝎湯下外用塗驚法（法見塗藥散）治法生藥均為二分一分浸童便燒熟存一分生藥同混一塗在半身病以一桂香為度其為塗藥左右換易由以香燒如係見多翳侵睛去外治不用又内服伊例

假如小児心驚搖頭弄舌先服金玉丸二服金箔丸三服金石丸其湯見在前方半身不遂症從服之後用弄舌散（財在舌左妙）

假如小児肝驚症又有白舌腹中氣脹大小火利先服先差丸以全蝎（去翅足妙）煎湯下二服金玉丸以鉤藤湯三服金箔丸鉤藤湯外用白藥湯（即黃芩丸）和白客以鷄毛塗舌處

假如慢脾症口叫哭連声腹膨脹大小閉塞四肢厥冷兩眼常
霍口冷連声作蹇定乍大先服通海丸二服必定丸其湯二次同服
以只寔桔梗各一二刄荊芥薄荷梹榔牛膝酒炙各二刄同煎湯外以丁香朴硝
磨温服三服天晶丸以姜五片湯見身体温煖大便出多痰水
酸味喉中瘡振多咳多啼果病速痊可生之理若服藥似温
非温身体清冷兩唇俱黒大便如羊屎糞其病必死萬分
不脫以上治驚已退宜服温中補脾湯
假如虎芒症如蛇噴水喉中痰喘腹内氣脹大小必利果是依
症先服必定次服六將軍丸以只寔桔梗各三刄荊芥薄荷梹榔牛
必酒炙二次同湯煎服外磨丁香朴硝温服三服天晶丸以生羌三片

23

湯如服見多眠大小便通利身溫煖果是速愈若服藥見大便不利身清冷日夜不眠兩目光明無翳點目必死

假如痰喘症堅䶊不安動起則喘名曰肺脹用四物蹂肝若無痰者蘇子降氣湯外磨沉香溫服或痰喘日輕夜重或喘急白桑皮甘草陳皮（炒）煎服或當喘痰過食而不喘者名曰火痰用枳桔殼陳皮湯加黃芩（酒炒）黃連（姜炒）梔子（炒黑）姜制竹瀝服或喘不息汗出如流名曰脫陽此症不治

假如被風寒暑雨而身熱咳嗽先服過海丸以蘇葉羌煎湯見汗出則服發毒丸以薄荷燈心煎湯或身体汗熱極甚者小便赤澁不利則服發毒丸以麥門（去骨生用）地骨皮（各三ソ）

12

24

竹葉燈心湯或身熱多咳嗽喘痰用發毒丸以桔梗防
風牛必炙、酒洗阿膠炒成珠薄荷燈心磨發毒丸外制羌汁湯服、
或如腹中有脹加蛭蝎三个炙同煎湯服如無脹不用、
假如小児身熱自汗不止咳嗽丹熱不愈咳嗽連声不斷則
專服發毒丸以麥門地骨皮竹葉湯外以杏仁丸點、
假如小児泄瀉無度而渴者先服藥湯散以水飯湯若渴止不得
服次服神仙丸羌湯外磨沉香服之次服除煩丸以麥門一月生
梔子炒黑三ヽ竹葉一把去尖燈心一把煎湯次四服黒龍丸水飯湯五服藥、
渴散水飯湯或已痊或變為煩悶不眠手足搖動不安服
除煩丸酸棗仁一月浸酒一夜取出晒乾炒黄加麥門一月同煎下一度保養方藥

一度保養清分混黑龍丸服見身体清冷大小便利多活長果是必痊多服不肯若服藥保養小便不利身振多反手足形体不睲如無病必死

假如小兒寒瀉瀉一陣脹一陣小便清白口常穢氣常常四虫出於口上下唇紅多喜食常常噎氣果是寒瀉先服四生丸以砂仁姜煎湯次服除煩丸以砂仁姜炒湯三服黑龍丸以水飯湯四服黄馬丸飯水湯而愈或常穢氣噎氣或嘔吐或四虫出口或脹嘔腹痛者一切用六將軍丸以陳皮去白烏藥川三檳榔六分煎湯或火瀉多虫積腹大小便不利服時氣丸以扁蓄男七女九表癸黄螟蛉通烘火見黄絶蕪荑同前湯下如腹痛甚者手

26

足清冷兩睛赤紅用孩兒茶少許磨外服之或腹痛手足
厥冷兩唇青黑則服六將軍丸以大附子製乾姜炒黑各三ㄅ煎湯
假如小兒痢全赤白或痢三分白一分血或前瀉後痢或瀉如魚
腦一切並治如痢有渴小便赤澁先紅衣丸以車前花男七女九表炙黃
燈心一月煎湯若無渴不用紅衣丸只服潤腸丸以此藥酒洗浸焙炒黃
煎湯次服前餃丸以乾姜炒黑三分歸身酒洗白芍生用各一ㄅ黃連姜炒一ㄅ
鳳尾根葉去株砂仁七分秋米男二十一粒女二十三粒同煎湯次服除煩丸其
湯同前餃丸四服黑龍丸飯水湯如痢痛甚速愈或
痢脫肛不收服補中湯去參柴倍當歸去白朮倍升麻酒炒
加白芍木香香附四製姜三片棗一枚同煎溫服外用梧桐葉炙

押在後門處、後用鬱金（七月）研調入清醋（小一盞）煠熟以布衣包
鬱金慘在外梧桐葉每番慘七次為度或不愈內服黃、
葉白蛇丸飯水湯外、以梧桐葉（澀）押之即收其飲食只得鄭煎
去鱗去頭尾不去心或煠或蒸灵丹丸妙
假如痢全血而無白或八九分血一二分白一切治之先服前飲丸、
以地榆（生用）阿膠（炒成珠）茅根（二ツ生用）歸身白芍（酒洗生用各二ツ）鳳尾根（去株葉炒一ツ）
煎湯二服除丸三服黑龍丸三次同湯服後用黃豆煠衛（食之丸妙）
假如痢全白而血白相雜先服前飲次服除煩、三服黑龍丸
其湯在前方痢全血症或痢久身体羸弱服腎氣丸以
秦交續斷湯若不愈見內瘡兩邊上下舌瘡出根突、

28

白色米形如魚齒身体汗出如油飲食難吞不治
假如小晃柴痢身体瘦形如蒙土洗两唇鮮紅大便不寔
乍秘乍通乍寒乍熱乍咳乍痰乍腫乍啼飲食失常
身体自汗身皮如黃鷄膏瘦小果是柴痢症寅午酉服
除煩乜以大棗去核姜煨片同煎湯空心温許服外用水藥法用土塥新
三歲以天仙葉男七女九切細蕉紫封謹之又以土墓婦人無子而新死
穿取塊土作形人一將放長四寸引通烘赤色共天仙葉一封同
入塥以蕉葉封口用文武火熗外十沸取出置塥於着床下
每日大早晨一番洗面遍手足數吞後又點口中男七淚女九
淚點限中旬日將土塥出在外方埋之小晃康徤

29

巳

假如小児被感風火入肺犯於脾肺目能竄視痰在喉中升降似鷺鷥非鷺鷥口不能食乳火升痰升火下痰下火下皮間先服火痰丸以桑白皮紫蘇子湯次以杏仁膏點吞之外以前散一丸以秦艽續斷姜活獨活姜酒一盞同温火釜兩〇後頸各處或腹中見脹服通海丸以蘇梗湯次服天晶丸生姜湯一更三服郎痊

假如小児浮腫症或老幼並治或四肢腫滿或虚氣腫水腫血腫脾虚而腫小便不利乍寒乍熱乍渴乍脹膈小便不通先服前散丸以只寔只殻赤茯苓用赤如禹餘糧白牡丹葉甘抛皮取白去皮各味平分燈心煎湯次服赤茯丸以桑白皮蜜炙黄扁蓄男七女九表炙燈心同煎湯若浮不消寔壯体者服消散丸以艾葉湯若虚服

15

30

脾腫丸以姜湯戒飲食忌猪牢袞蕉

假如小晃火風入胸膈大小通利腹中脹滿或痰或無痰或吐出先服滷適海丸以只寔桔梗梹榔牛必蘇梗姜湯次服天晶丸同湯或嘔吐服六將丸以烏藥陳皮半夏藿香湯外磨沉香木香丁香服之尤妙

假如小晃柴咳哮症期天反暑雨而又咳哮喘再或時服小哮丸以助君子湯置小哮一丸入助君子喑舌吞之投一个月而愈戒飲食忌猪牢鷄鯉袞蕉更蝦酒

假如小晃柴嘔藏症詳其虛寔皮膚溫熱小便清白果是冒寒先服六將丸烏藥陳皮姜湯或嘔吐面清手足身体溫煖

31

小便赤黃大便不利頭痛甚多果是大洨而嘔燕嘔服椰青
丸以竹茹薑炒黃、陳皮黃連薑炒湯日夜四服而愈見大便出青
青形如痢赤白人皆壯健
假如小兒一二三四歲或五七个月遇風寒感而腹痛以手按之其痛
即止曰虛痛服二陳湯加乾薑炒黑合溫中加減服之如腹痛
以手按之而不受曰痛甚多大便燥結不通曰實痛食積服
豬黃合只實大柴承氣湯下之而愈如腹痛乍痛即止上
下唇紅而能食者又曰虫痛先服前飲丸用薑湯下次服
六將丸以薑湯下次服六將丸外磨孩兒茶少許溫服之如腹
痛身皮乾小便赤紅服前飲丸以榧子十枚炒黑湯或腹中連連

16

32

痛而不止兩唇青黒手足冷厥小便清白先服過海丸後
服痛綿丸則一湯同服以附子制炮乾姜歸身酒洗三ソ煎湯温
服見身体温煖手足平常大便溏效者爲度
假如小児初生一二三七九日内發珠来而不乳口列如魚口噏水
大小作秘作通身体凉如無病不食乳先服化風一丸以薄
荷燈心蛇蝎炙湯次服金玉丸湯同化風丸三服四道丸三次
同湯外以蜘蛛大八足一个燒存性椰房燕巢燒存性石羔少許共爲末和乳汁以鷄
毛調搽内發口中外以蜘蛛八足塗掌手足心自然而乳後再
服逆毒丸以薄荷湯下
假如小児初生不乳腭口中有泡珠来攸形如獅胥起諸人皆

驚以為難，余以先差（一丸）橈子蜂蝎（炙）黄連（炒）調服，又以標痱可為末常探在標處左妙

假如小兒初生放痠一二歲常常咳嗽嘔痰而吐，仰堂青筋項上乍涼乍熱咳嗽而又嘔出，先服六將丸，以烏藥陳皮半夏煎湯見嘔止，存咳嗽多，只點杏仁膏常吞之。

假如小兒過風洗浴而風入表及傷食以致發熱，熱極在表小便清白，腹中氣脹，大小失寔，乍活乍通，先服過海丸，以萹蓄燈心蜂蝎（三个大炙去首足翅）姜（三片）煎湯溫服，見大便活利止服，存熱症服發毒丸，以橈子麥門地骨皮竹葉（去尖）等分同煎湯服之。（退熱）

假如小兒瘠痢，由前乳母不善調養，而後多食膏粱甘味，兒常過房乳以致身体備肝風火入致升上，而兩眉紅腫，目睛不

34

閙多雲翳入各曰睛目疳先服鷄肝一具忌鉄洗水以黄衣粹刂一丈混入鷄肝調和研末又以巴蕉葉包封謹炙熟申時空心許食後服白蛇丸以飯水湯後以黄水常點目中或外兩眉紅腫痛用田螺肉置上兩眉乾則换易尤妙

假如小兒陰虛由血不足所遇寒以致激熱日輕夜重必是陰虛則服六味補陰丸不過三服痊止六味即四物加知栢或六味地黄丸倍熟加柴胡

假如小兒陽虛由氣不足所被食膏鹹以致天行中暑氣動而得激熱太多日重夜輕果是陽虛氣不足則服六味補陽即四君加柴胡黄芩或補中湯不過三服痊止飲食忌赤瓷猪肉田螺青蕉蝦卵等物

假如小兒胎毒自頭至足及頸項生瘡四肢瘡痒如豆剝皮

寅時服丹毒丸以金銀花、竹葉、梔子炒湯次服人參敗毒丸以
荷荷地骨皮竹葉湯三服碧衣丸以苦參忍冬藤夏枯草
煎湯四服補脾丸以大棗湯外塗粹頭、姜蚕、蛇脫、乱髮共燒灰爲末
家蛇僧三分共研末混共豬膏塗頭瘡處每日洗浴而後塗瘡
以荊芥穗猪水又以猪胆一个和猪水而浴之若未痊以茶骨水
洗頭以三黃散末雄黃、黃丹共鷄卵水油蒸塗之一个月自愈
假如小兒丹遊赤火由胎毒火行于外以致血熱及癰疽火毒
共屬陰若丹遊赤火不急治入臍腹中即死 治丹遊赤火法 先以針破去
血用七味磨塗之乾則再敷內服敗毒中次服犀角消毒
飲三服丹毒丸四服碧衣以山梔竹葉荷荊芥金銀車前

36

煎湯下或癰疽以黑膏塗之放三日內各癰消散

假如小兒声啞之症由先天不足咳嗽多或多哭不出声腎虛所致肺氣干枯哭(如)猶声常常溫熱小便先寔乍黄乍清先以杏仁膏依寅酉點吞之(內)服發毒丸以蝴蝶根麥門竹葉湯次服声啞丸(即失声丸)以活鹿加鹽水少許吞之三服金水丸以白客糖礬湯後服六味丸以鹽少許煎大棗湯下

假如小兒初生不乳白舌縻兩啞上下左右形如綿芭先服先差丸以梔子(十粒)黄連磨井水服之後以甘蔗葉(三葉燒存性)及紅衣丸韓施(火煆少許)磨入白客以鷄毛數瘡啞處或瘡舌不愈用黄舌丸行如前法鷄毛數之尤效

37

假如小児病在乳房父母父不知一念快志不恤其精多食
膏粱寒冷之物食積腕上胸膈難行上下不通飲食出出
大小闭塞腹中膨脹兩唇似黑手足厥冷則服破逆圪身
体壯鍵服甚神机以蛭蠋青豆煎湯連進三服大便通利脹泉即通
假如小児熱而客咳嗽有声無痰夜夜嗽嗽咯痰不出飲食
過傷過乳飽倍多動声咳嗽乳痰吐出夜膏温吸假如依
症小便赤紅服發毒圪以麥門湯地骨皮竹葉燈心同煎
湯或伊症小便白多服六將圪以烏藥陳皮湯外用杏仁膏常熙吞之
假如小児病鼓病出於夜膏青白筋肚大腹中如鼓手足
省黄大便不定乍泄乍燥由食膏粱乳房倍入多食

19

甘味則用半攻半補而速愈矣寅爾服臟腑丸以大棗去核姜煨三片煎湯午時服中痛丸煨姜三片煎湯戒飲食粘赤葵猪牢田蝸蝦羊魚及酒色房乳反則四病難治矣

治嬰各症方藥

過海丸又名通風加霍香川芎 羌活用矩 獨活用手不用矩根 防風去蘆 陳皮去心生用 厚朴去皮生用各四リ 綿紋号矩撲 大黄各四リ 只殻 蒼朮 北五味 檳榔 烏藥 蘇葉 北木香 回香並生用各五リ 南木香 澤左去毛 牡丹用全皮各二リ 牽牛用全黒三リ 條草 白芍各二リ

右各味生用為末用紅糖煉為丸如梧子大晒乾收貯如運年多氣寒入裏加雄黄一月研末煉丸各曰過海丸如運年多風熱入表以雄黄為衣名通風丸加霍香川芎

39

黃馬散 治大人小兒寒熱脹濕四泄症、人參白朮炒浸法見補陽湯、人參 如寒熱不便赤紅用生、如虛熱照前方浸炒 白扁豆 羌浸去殼易三次去皮

炒黃白朮 浸炒據前法、砂仁 白色炒黃、各一両 白茯苓 去皮四〆、赤茯苓 用赤如禹餘糧三〆 北桔梗 宜生、

懷山 浸水晒乾炒黃各四〆 蓮肉 去皮心炒黃一両 北厚朴 去皮羌浸炒乾二〆 訶子 去骨宜生三〆 薏苡 炒黃三〆 條草 一〆

右各味混散末收貯謹用

金王丸 各曰碧衣 射香 一〆 牛黃 琥珀 各一〆 北蛀蝎 去翅首足水洗晒乾三〆 天竺黃 半 另研二〆

天竺白 一〆研 北青黛 另研三〆 北硃砂 另研一〆半 金箔 籽一百葉 珍珠 用碧色編形如小鄉色籽是另研一〆半 琥珀 三〆生研

胆南星 五分滿百日研 北蛇床 水彩晒乾研五分 右各味據法如內一一研末別有金箔後入

同散以白蜜為丸如青豆大晒乾收貯詳病使湯服之

前飲四生丸 各曰神仙丸 阿膠 用黃色黑色切片炒成珠二〆半 阿芙蓉 另採棧芙蓉一〆半用者葉色浸來一日水夜换易二次晒乾去骨

乳香 一〆半宜生 没藥 一〆半生 加沉香 三〆用黑色沉重如石 右為末糊丸如青豆大晒乾收貯

20

必定丸　回香用全八角五ケ大生用　綿紋三リ切片浸酒晒乾生研　丁香五リ用全生研　葱　粉草五分用生

肉桂好上去皮六分研　右各味散末糊丸如青豆大以好酒噴外硃砂為衣晒乾收貯

金白丸　天竺黄二リ生研　天竺一リ生研　北硃砂七分生研　神砂三分研　右各味散

末糊丸如青大以天竺白為衣晒乾收貯

發毒丸治小児風痰火瘀疹痘加防風三リ　人参宜瘀宜生虛瘀用如前法　羌活去着尾用全疤　獨活去根株用全手

川芎生用各五リ　薄荷去根株用葉　北梗桔　前胡並生用　地骨用全骨晒乾各一月　條草一リ生用

右各味為末煉白蜜為丸如梧子大硃砂為衣晒乾收貯

赤茯丸治虛浮宜浮症　赤茯苓生用好色如血前　大腹皮浸蛄黑豆取水浸三便晒乾　甘拋皮去心炒黄各三月用赤芝

葶藶八リ半生半炒　防己去皮粗去骨酒浸晒乾炒黄六リ　右各味散末糊丸如青豆大

粰鱺散治大人小児身体瘡破削皮　黄栢一月生　五倍　烏賊骨　治瘡　雄黄各五リ

41

石苓　寒蛇帶 火煆各五刄　右各味散末收貯

除痛丸 又名痛綿丸治大人小兒百症痛　北桔梗 生　牛膝 酒炙　乳香 生　沒藥 生　北白芷 生各三刄　條草 生　茴香 生用八角　吳茱 鹽水洗晒乾炒　小茴 微炒　苦練子 去皮骨取仁微炒　桂枝 去皮生研　藿香 半梗半葉各一刄　孩兒茶 研二刄　右各味混散糊丸青豆大晒乾收貯

金衣百中丸 化風治男婦老幼　南星 姜水製　半夏 姜水製先研各四刄　北皂角 微炒二刄　川烏 生五刄　白附子 五刄生　北鬱金 四刄炒另研　獨活 用全者五刄　北防風 去芦酒洗三刄　右八味散末入雄牛胆納滿百日換易三番去皮胆用全藥于后雄黃 四刄　硃砂 三刄　硝磺 三刄　龍腦　冰片 各三刄　射香 一刄　右各味散末入半夏南星研為一猪白茶為丸如梧子大如有驚以金箔為衣無驚以硃砂為衣晒乾收貯謹風暑勿犯

21

黄衣散 治小児疳 穀星 去梗炒黄 一ツ半 史君子 去皮取肉 二月晒乾 北白芷 半斤 生 烏賊骨 炙乾去皮 五ツ 木賊 去根梗 炒一ツ 右各味散末八錢收貯 如不食加蓮肉 炒湯 目睛不明加石決明 炒湯 目中出血加犀角生地 炒成珠 猪湯外磨犀角服

金箔丸 天竺黄 一ツ 生 天竺白 一ツ 生 另研粉 枝 晒乾 北硃砂 七分 生 神砂 三分 北青黛 一分 右各味散末糊丸如青豆大 以白蜜猪包外 金箔為衣 晒乾收貯

四麻二母湯 治咳吸喉中氣促連連症 知母 酒炙 去毛 貝母 去心 生 人參 去蘆炒 栝蔞子 炒黄 黄芩 酒浸 炒黄 歸身 酒洗 去手尾 天門冬 酒洗 去骨 桔梗 各一ツ 玄參 麥門冬 荷葉 各七分 甘草 三分 姜 三片 水煎服

蘇子降氣湯 治陰虛氣不升降上盛下虛 促氣短有声無痰 陳皮 去白 炒黄 半夏 姜炒 各一ツ 蘇葉 一ツ 微炒 厚朴 去皮粗 姜炒 一ツ 北前胡 一ツ 生 肉桂 一ツ 去皮 磨外 當歸 三ツ 酒洗 甘草 炙 三ツ

43

姜三片、棗一枚去核、煎服、

又方、川芎 細辛 白茯苓去皮、北桔梗各三分 煎服各因大降火陽、

加味四物 各因陰喘治子痰喘可以補陰降火則痰喘即消 當歸酒洗微炒、川芎酒洗炒乾、各一錢半 半夏姜炒黃、

只殼去心炒湿、姜三片 棗二枚 煎服、如痰多氣促倍半夏加陳皮桑椹各一錢 甘草五分、

枳桔二陳湯 治喘乍進乍退得食則減食後再喘各因火喘、陳皮去白炒黃 半夏姜炒各二分 白茯苓去皮、

枳殼去心炒黃、桔梗生 黃連姜炒 山梔炒黑 北前胡生 牛膝酒洗炒各三分

姜三片 棗二枚去核 水煎空腹 如熱盛加黃芩一分酒炒黃 甘草五分

四物瀉肝湯 治浮而吼動則喘甚靜則喘安 痰扶瘀血各因肺脹症 川芎酒洗 當歸酒洗 熟地酒九蒸、

白芍酒炒黑、桃仁去皮過八粒入研只用仁而已、柯子去核 青皮去心白炒黃、各三分、紅花一分酒洗炒湿

姜三片、棗一枚去核、水煎 制竹瀝湯空心服

22

補心益氣 治痢人日久不愈及脫肛不收并婦人臟腸突出、 紅參泡製炒如前法、 黃芪蜜浸炙黃、 歸身酒洗

白朮用如前法炒黃、 陳皮去心炒黃各三刃、 升麻用全首酒炒黃五刃、 條草炙、 干姜三片、 棗一枚、 煎服

外塩法 治痢外痫役门處、 欝金去心洗净研末、 混與童便十五歲後焙乾先以梧桐葉炙溫、 押入病處後以白布包欝金焙透滲外梧桐葉、每番七次為度臨卧時以塩作如前法、

臟腑丸、 山查切片炒黃、 麥芽炒黃、 白朮剛米水浸一日夜切片炒黃、 砂仁白芭炒黃各三刃、

北厚朴去皮生用、 紅參炮製炒如前法、 嫩芪白芭蜜浸炒黃、 陳皮去心炒黃、 桔梗生、 連肉去心炒各二刃、 懷山浸剛米水炒黃、 白芍酒浸炒黑各八刃、 歸身酒洗微炒、 薏苡炒黃、 山茱肉酒浸晒乾、

澤左去毛、 白茯苓各半刃、 條草蜜炙三刃、 各味為末熔白蜜為丸隨湯使用

紅衣丸、 北治石生三刃、 粉草炙三刃、 石羔一刃炙通紅、 右三為末糊丸如梧子

45

大硃砂為末晒乾收貯如小児二三ヶ月每服半丸九八月及一歲

每服二三丸隨病使湯

除煩丸 一名聖惠 北厚朴 一日去皮切 牛姜炒 扁豆 浸水三日去皮 姜炒黄一日 香薷 二ﾘ用白芭全 花晒乾

右各味為末糊丸如梧子大晒乾收貯如小児二三ヶ月每服半丸如

八九月及一歲服三丸隨病使湯

黒龍丸 南木香 五ﾘ用去青芭去皮 粗晒乾不見火 香附 用白芭四製 晒乾炒黄去 陳米 七ﾘ 春用又年 炒黄

右為末糊丸如梧子大晒乾小児二三月每服半丸一二歲三丸六

七八歲五丸老人男婦隨

天晶丸 黒牽牛 二ﾘ去黄白用全黒芭為二分 一分晒乾一分生同為末 右一味以青醋為

丸如黄豆大晒乾收貯如小児初生一月服半丸四五月二丸隨 病使湯

23

46

潤腸丸 麻子一日生用去皮晒乾 桑葉一日用老葉晒乾去骨炒 右二味為末煉白蜜為丸如梧子大晒乾八九月服半丸一二歲三丸老幼男婦服五丸察病使湯

黃香丸黃黑香並治 雄黃五り用色如紅血研 硫七り研 黃丹四り研 右為末糊丸如梧子大晒乾如男婦老幼每用七丸小兒六七月每用一丸二三歲三丸詳病使湯

小哮丸治小兒哮乳 綿紋黃色一日切片浸酒一夜晒乾為末另畧炬攤 混青龍血為丸如卵氣大晒乾如小兒三歲每服一丸七歲二丸十歲三四丸詳病使湯

大哮丸治大人哮乳 石信用紅赤色如鮮血煅用一日研末 右一味以白布包謹懸土塌內水五鉢以青豆三月留八內塌用文武火煉見豆軟為度取出晒乾糊丸如卵氣大以黃丹為衣晒乾收貯

粹甤散治小兒初生突齒不乳 黃丹 輕粉 雄黃各一り 共為末入甕收貯遇病始行亦效

49

又方、加桃膏黑、黄蠟二月生、桃油一盞生、松脂二月、山荻根一盞生

白舌丸治小兒白舌不乳 北活石二、生 石羔七、生 右爲末糊丸如青豆大晒乾收貯小兒巨人每用一丸詳服

杏仁丸治痰喘咳日不愈 塩梅五月用肉 桔梗生 前胡生 天門冬酒洗去骨 麥門冬

酒洗去骨蝴蝶根同根炒黄各二月 杏仁三月去皮尖取肉若遇皮殺人 知母酒炒 貝母去心 牛必酒洗各半月

白芥子微炒 蘇子炒乾各一月 五味塩水洗晒乾炒 葶藶炒黄 山豆根生 訶子去核用肉

防風去芦酒洗 阿膠炒成珠 白礬豁火酒浸炒乾 糯米炒乾各一月 南參二、 款冬花

用金花一月 右各味散末煻白蜜爲丸如緑豆大晒乾收貯如小兒二三

四月服一丸七八月二丸三歲三丸十歲五丸男婦老幼隨病行

粹顛散治頭瘡破潰不痊 蓽麩 篠樟燒存性 爲末以黑油一酥煻成膏之敷

白蛇丸治疳多蹋目治疳治久日不痊 烏賊骨五月去皮晒乾 獨味糊丸如蓮子晒乾收貯

24

二

48

如小児一二歲每服半丸三四歲一丸如大人男婦五丸詳病使湯

六將丸（去只殼丁香各四將）沉香（一貝生用黒色重如石下水喚多香氣輕味）烏藥（七ソ用鹹味多香氣）檳榔（用尖頭）

北只殻（四ソ去心微炒）北木香（八ソ清醋炙不見火）丁香（五才ケ用）嵗慈　右各味散末糊丸如青

豆大晒乾收貯如大人小児量而用藥詳病使湯

金衣百發丸（化風治小児加獨活一ソ）南星（七ソ生）半夏（五ソ生）北皂角（三ソ炙）白礬（二ソ生）

右四味散末入雄牢胆謹懸陰乾風處滿百日取出去皮胆不

用用藥肉混入為丸計北蛑蝎（去首足翅生用七ソ）北青黛（四ソ生）北硃砂（八二ソ）

北天麻（用赤色如家生用三ソ）白附子（中如香附皮形色白生用三ソ）羌蚕（用白色如花棉生用三ソ）北欝金（用小如鼠糞）

（生用三ソ）北防風（去芦酒洗生用三ソ）蝉蜕（去首足洗淨生用三ソ）乾羌（二ソ半）薄荷（用葉三ソ）條草（一ソ半）

射香（三分）右各味散入半夏南星胆混研猪白家為丸北硃砂為衣晒貯詳病使湯

49

中疳丸 治疳鼓 丸妙 白苓 去皮、神曲 微炒、北厚朴 去皮 生、陳皮 去白 炒黄、

山查肉 炒黄 各一両、麥芽 炒黄 一両、條草 生 二ツ、懷山 浸剛米水 炒黄 六ツ、砂仁 白色 炒黄、白朮

浸剛米水晒 乾炒黄 八ツ、蘆薈 三ツ、楊參 浸剛米水 甫浸糯飯汁 切片姜浸 炒黄 二ツ、史君子 去皮取仁晒乾 生 二ツ

梹榔 二ツ、燕辛夷 去頭 生用、胡黄連 生用、孩児茶 生 各一ツ、北只壳 去心 炒黄 一ツ

右各味散末以棗肉煻為丸如蓮子晒乾收貯詳病使湯

椰青丸 治大人小児嘔吐赤便 川黄連 一両 炒黄 姜 一味為末糊丸如黒豆大晒乾收貯詳病使服

丹毒丸 一名碧衣 治小児癰疽瘡痒破削身体手足等症 北苦參 八ツ 生、薜蘭 生、羚羊 生 各四ツ、玄參

生、赤芍 酒炒、歸尾 酒洗 生、連翹 去心尖 微炒、防風 酒洗 生、紫草根 生、牛蒡

子 炒黄 各三ツ、赤茯苓 用色如血 生、北桔梗 各四ツ、北青黛 二ツ、只壳 一ツ 去心 炒、紅花 一ツ 生 酒洗

北滑石 二ツ 生、石羔 二ツ 生、生地 二ツ 酒炒 成珠、山豆根 一ツ、木通 二ツ半 微炒、右各味散 末 白家

25

50

為丸梧子大比硃砂為衣晒時假如大便燥加當歸三錢 大黄三錢酒炒

白龍藥散 石甘露用黄鶯木火烘浸童便九次火烘黄色好是 生黄連 天龍骨浸如甘露法七次 梅花 冰片 朋砂各四分寒施 麝

赤油膏 紫油五錢核 赤茯苓二錢去皮為末 黄蠟三錢 松脂二錢

右各味同入熇猪成膏以白布包外取膏

黑松膏 芙蓉葉去骨晒乾 猫香葉去骨晒乾 虎香葉去骨晒乾各三錢 烟脂葉 丁公葉去骨各三錢

右各味晒乾為末 四香三錢 石羔三錢 乳香五錢 沒藥五錢 血餘四錢 髮灰

各味散末先以松脂六錢交火熇五六沸入麻油六錢入

黄蠟三錢 後入各藥散尽熇三沸取出以大節打之成膏

以白布包外取膏 法熇膏在外園不得熇内家松脂火入升焚家文火熇不得武火

51

六味補陽 治男婦老幼日日發熱自鷄鳴至酉戌時始止名曰陽虛日重夜輕

人參 剛米水浸一日夜撈二度取出一斤混拌糯米蒸之見熱如欲取出其飯食之以人參切片晒乾以姜汁浸人參三更再晒乾炒黃收貯入藥三リ

白茯苓 去皮粗浸剛米水三宿晒乾生用三リ 白朮 剛米水浸一夜切片晒乾炒黃二リ 條草 寔火寔熱生用如虛火寒熱蜜浸炙一リ

白芍 酒浸一夜炒黃三リ 北柴胡 去蘆生用一リ 棗 一枚去核 姜 三片 水煎空心服

如熱如寒極咳嗽多痰去柴芍加麥門五味白芥子地骨皮

如瀉泄去柴芍倍白朮加砂仁炒黃厚朴炒扁豆姜炒各一リ燈心一把 如熱盛

多痰去柴芍加前胡生防風酒洗牛膝酒洗各一リ麥門五味白芥子桔梗

生阿膠炒成珠 知母酒洗炙去毛 貝母各一リ半 空心煎服外制取姜汁竹瀝湯

服如不思飲食飲食不消減參去柴芍倍白朮炒黃加山查肉

炒黃只寔去心炒黃各三リ 煎服隨症加湯

26

52

六味補陰 治陰虛每日發熱自申時合夜至鷄鳴而止名曰陰虛服之愈妙

熟地 用九蒸九晒三リ 白芍 酒浸一夜切片晒乾炒黃三リ 歸身 酒洗用全身三リ 川芎 酒洗切片晒乾如無汗生用有汗炒用一リ

黃柏 酒浸三更炒黃二リ 知母 酒洗炙去毛二リ 棗 二枚去核 姜 三片 如有汗煨姜三片 空

心煎服 如熱盛小便赤去川芎減當歸倍白朮加知母

麥門 地骨皮 生各三リ 如有渴小便不利加麥門天花粉 各一リ

竹葉 一把去尖 燈心 一束 如熱瀉泄不止去歸芎加砂仁 炒黃 白朮 炒黃

白茯苓 生 扁豆 姜炒黃 如咳嗽去芎歸倍知母加阿膠 炒成珠三分

杏仁 去皮尖 五味 炒各一リ 如有痰作升作降去芎歸熟芎加防風

酒洗 北白芥子 微炒研 前胡 各一リ 牛必 酒炙二寸 桔梗 生三分 如不思飲食去芎

加山査肉 炒 麥門 炒各二リ 煎服 如熱極者加北柴胡 去芦生一リ

53

炒消散 治男婦老幼寔虛寒脹水氣六浮產後症 回香一月用全八用生用另研 丁香八ソ用有慈生用另研 肉桂五ソ去皮另研 草菓去皮微炒五ソ 甘拋皮用色赤如鉏去心酒炒黃六ソ 陳皮去心炒黃三ソ 條草如寔脹生用寔寒虛脹用炙二ソ

右以上如條草草果甘拋陳皮混同研末存回丁桂一一別研谷味合為一覆研謹貯如巨人男婦服三文錢小晃量歲而服婦人產後虛浮寔浮加硝硝黃色炒乾另研二ソ白色另研用一ソ 同入前藥再研服之飲食鹹淡全猪粥豆及牛肉牛肉田螺蠣肉魚冷一切諸食不得食白鹽大忌犯鹽多少變為腎浮則死如痛上焦多息痰寒冷倍草菓三ソ陳皮二ソ北木香五ソ生研 如四肢身体前後疼痛沉重加秦艽續斷各三ソ 如腹中有塊加北五灵脂浸一宿微炒三ソ 義朮用青色醋煨七次乾三ソ 如中焦腹痛及丹田穴氣痛加吳茱炒溫小晃微炒各六ソ 半隨痛加減用之

27

54

咒痰丸 治痰嗽升降喉中隨湯速效 黃連薑炒黃 山梔子炒黑下土待冷 北只實生去穰 橘紅去白微炒

前胡去蘆炒 北桔梗生各二リ 北防風去蘆酒洗 北白芥子另研微炒 半夏四製炒黑 黃芩酒洗炒黃

紫蘇子微炒另研 葶藶微炒另研 五味子蜜水浸晒乾 牛膝酒炙各一リ半 知母酒炙去毛

亭藶炒乾一リ 欵冬花用全花 阿膠炒成珠各七分 白朮炒三分 右各味為末糊丸如梧

子大晒乾 如痰喘有汗外磨肉桂服 如痰道喘急外磨牛黃

粹火許服之 如痰喘瀉泄不止加澤左去毛 猪苓去皮 如痰喘道上大

便燥不通 外研朴硝火許服之 葶欔櫞去骨 葶芸去骨 葶梓去骨 消荷葉

釜藥散 治發驚風半身不遂 皂角去核 葶艾 葱白去根葉 秦艽 續斷 羌活 獨活 防風

大附子 右各味散均為二分 取一分共童便炒熱 釜在身病存

一分生塗在半身病强燒盡一射香爲度摸易左右四柱香爲度見多皇醫優睛遮睛身体手足兒原如前去塗不用

藥渴散 治老少多渴不止或無汗自汗多渴急用之 葛根一兩 天花粉六ソ 麥門冬三ソ 生山梔五ソ 黃土三ソ 右各味散末許病人每服三文錢和糖吉水飲秋米爲湯寔熱加黃土三ソ

羊肝洗目湯 白蒺藜 赤芍 生地 連翹 北白芷 黃芩 山梔子 谷星 木通 菊花 川芎 黃栢 木賊 決明子 炒黑各三ソ

右羗棗煎空心服如目中紅赤出血不止加大黃三ソ 外磨犀角服之如服不明辨倍谷星三ソ 如目中痛赤身熱甚倍芩栢赤芍梔子如兩目上眉腫用田螺以烏賊骨剮研末粉上田

螺置眉上見枯燥換易痊愈為度如目痛太甚頭疼加羌
活細辛防風倍川芎菊花蒺藜各一
黃水點目　鼠粘葉　黃連　大黃五リ　山梔　間錢一文磨光　流入與
黃水以黃絹包謹置焖飯內以熟為度取出分清濁不用
濁取清水製與田螺汁取少許常點目中目多翳加烏賊骨少許同入取水點之
柴胡丸如婦人有夫年公病當多衰者自九月而已方平旦卧宜舁取出一塊土左樁之上這五司作形人將火烘色置于土堝內水五觔用新堝土三歲
又以仙葉天男七女九切細另舉舞茄壽藥以青蕉葉謹封留入土堝內火燒七八沸將
土堝置在首床下限滿將土堝埋於他處如小晃身瘦体弱
常常流泄乍熱乍咳則服除煩丸以車前花炙黃為湯或身
似熱非熱上下唇紅每日寅午再服除煩丸以大棗一兩一枚姜煨一片煎湯空心服

56

58

失声丸　桔梗五ツ　蝴蝶五ツ炒煎　大梅五ツ　麥門冬五ツ　天門四ツ　條草三ツ
柯子二ツ　右各味散末煉白蜜丸如菉豆大
先差丸　綿紋大黄一月半生　慈姑四ツ生俗名畀果盤盤　石苓生六分　粉草生二分　右四味為
末清水丸如菉豆大比硃砂為衣晒乾如小児半月服半丸个月
服一丸三四月服二丸詳病使湯　又方　去慈姑加芙葉五ツ生
送毒丸　血角　慈姑畀果盤盤　比硃砂　右各味散末糊丸如黄豆
晒乾如小児一月服一丸三月一丸半八九月及一歲三丸詳症使湯
烏陳湯　猪肺一片取下更　葡荷生一目　燈心生一目　三味煉熏取出去燈心
葡荷取猪肺切水為湯磨杏仁膏飲
破逼湯　沉香生五ツ　木香生四ツ　歸尾生三ツ　石斛生二ツ　蒼朮二ツ　煎服

29

58

急渴湯 葛根生三月 麥門生三月 烏梅肉六分 天花粉生三リ 山梔四リ稍炒

右各味八水三鉢熇存一鉢外製白蜜一月清冷服之

五馬丸 茯苓生一月 白朮一月浸米水一夜炒 猪苓一月去皮生 澤瀉生一月 懷山一月浸米水一夜炒

山梔六リ炒黑下土去毒 滑石生六リ 白石酒浸一夜炒黑四リ 烏梅去核三リ 甘草炙二リ 肉桂三リ 右各

味為末糊丸如菉豆大老人男子服十丸如小児三四月服二丸四五六七歲服五丸

七味散 烏龍尾生一リ 鱉甲生一リ 血餘生二リ 大黃生一リ 白石生一リ 慈苓生一リ

木鱉子四五仁去殼取仁生 右各味磨冷水散之

發毒丸 天門生三リ 地骨生三リ 防風五リ 甘草生三リ 麥門三リ 山梔炒黑五リ

獨活五リ 羌活三リ 右各味為末糊丸如青豆大

化痰丸 地青黛生一リ 茯苓生二リ 神砂生三リ 共研末為丸薄荷為湯

59

論外湯症

金衣百發丸　或牽掣拘急以鈎藤煎湯或中風口禁言語

瘖啞以菖蒲酒炙去毛為湯或痰喘呼吸譫声以蘇子白芥子各三錢炒研

為湯或昏迷氣倦不省人事坐卧不安以菖蒲酒炙去毛竹茹姜浸炒黄

酸棗仁酒浸炒黄各一錢同煎湯或百節疼痛以生姜三片威灵仙酒炙黄一錢

為湯或心腹疼痛以生姜為湯外磨木香服或咳嗽自撫無

汗節脉驚動以防風冬花煎湯或心掣驚悸以菖蒲酒炙去毛

為湯或胸心刺痛以只壳生用為湯或頭重身痛微汗以生姜

三片羌活蔓荊子為湯或筋肉濡動及裏刺痛如蟻行狀

以防風酒洗生皂角去核微炒各一錢為湯或大便小便不通以北只壳扁蓄

30

60

為湯或皮膚疼痛以何首烏蟬退蒺藜為湯或遇風而
身熱無汗腹中氣脹大便閉結以蜂蝎二十个炙過去翅足 蓷荷同煎
為湯加只寔去心 如泄瀉痢疾及脫陽自汗不止并婦人妊
娠一切禁不得服

先差丸 或身熱小便赤黃以山梔為湯或身熱大便小便
秘腹中膨脹以蜂蝎十个炙過去首足翅 山梔子炒黑一〃同煎湯或腹痛身熱
小便赤以山梔十枚浸童便炒黑 為湯或熱而身体痛瘡剝皮黃水
流出以連翹去心炙 金銀花苦參微炒各六〃 同煎為湯或舌紅赤而喘痰
身熱無汗而驚搐以梔子一〃 黃連三〃 磨井水先許服

發毒丸 或風寒外感驚積熱喘促咳嗽痰涎潮熱搐搦

61

以薄荷燈心五分各為湯外製姜汁竹瀝服之或疹痘發熱毒
甚去人參加升麻三分葛根薄荷同煎湯或身熱小便利以麥
門去心竹葉三分去尖各為湯或熱極甚者以麥門去心地骨去心各生用二分為湯
為湯或身体極熱甚者大便少利以黃芩酒炒山梔炒黑各五分為湯
或身体熱多痰喉中喘急腹中氣脹以葶藶子白芥子蘇子
各二分微炒枳實炒桔梗生各三分牛膝酒炙三寸姜一片同煎湯或製姜汁竹
瀝溫先服後點吞之或身熱嗌嗽兩足溫煖小便黃赤以
薄荷防風酒炙各五分白芥子研姜煨一片同煎湯或疹或痘陷而不
出或當出而不出以薄荷蟬退剝芥穗五分各加白姜蚕炒木通
生各五分同煎湯或身熱極甚多痰喘急以薄荷防風酒洗五味微炒研

31

62

牛必(酒炙三寸)梹榔(五分)阿膠(炒珠二分)同煎為湯製羌汁竹瀝温服

六將花　或膈氣於胸間及腹痛者以北只寔(去穰炒黄)牛必(酒炙五寸)姜煨

(三片)為湯　或食久即吐小便清白兩足清冷及常嗽氣者以陳皮

(去白炒黄)烏藥(火生用)香附(四製炒黄)梹榔(生)牛必(酒炙各三分)生羌(三片)為湯外磨

丁香温服　或常嗽氣飲食不消以砂仁(炒黄)烏藥生姜(三片)為湯

或順吐變為厄逆症以乾姜(炒黑)梹榔(醋煨)柿椦(炙乾)蒲荷葉

(生)鷄肶(用皮去鳳凰衣用全白炒黄各三分)生羌(三片)為湯虆二花再加丁泥木磨先温

服少許後點吞之　或老幼嘔逆多痰涎沫及嗽氣不止并頭疼

眩暈以橘紅(微炒)烏藥(火生)梹榔(醋煨)只壳(微炒各三分)歸身(酒洗)黄連(炒黄)

牛必(酒炙各二分)竹茹(去皮白肉姜浸炒黄七分)羌(三片)同煎湯外磨丁泥木白芷(三分)先服

63

後常點呑之或身熱嘔吐小便赤黃頭疼眩暈以黃連(薑炒黃)黃芩(酒炒黃)山梔(炒黑各二ㄅ)竹瀝(薑炒黃五分)同煎湯或上下唇紅腹中作痛果是虫痛以生薑(三片)爲湯外磨田香乾香君子仁(各三分)溫服之或如依痊變者寒症手足發冷加乾薑(炒黑)吳茱(鹽炒)小田(微炒各二ㄅ)大附子(薑炒三分)同煎湯溫服或身体青白上下唇微紅色或唇紫黑或唇紅潤而夜多啼哭身体橫弓順逆或十變五蒸傳入於胃兩際微汗腹痛呼父母心胞三焦而無形由父母八永堂而生矣以扁蓄(七表去尖男谷米紫)燈心(二ㄅ)薑煨(少許)爲湯外磨琥珀茶(少許)溫服或男婦痰息寒冷於上焦或血息氣息寒冷於(上)焦以烏藥又檳榔陳皮(去白炒黃)草果(去皮炒黃)乾薑(炒黑)牛膝(酒洗三分)煎湯外磨官桂

32

64

下回泥木各三分温服

除煩乜　或中暑煩熱頭疼或腹痛轉筋多熱煩渴以竹

茹姜炒黄、為湯或瀉泄吐順小便清白以陳皮炒黄、小便清白以陳

皮炒黄、藿香生為湯外磨訶子肉一分温服或熱瀉多渴嘔吐小

便赤黄以黄連姜炒梔子炒黒竹瀝姜炒各一分為湯外磨烏藥又五分温服

或熱煩渴小便赤澁嘔吐以麥門去心生竹葉去尖粗生山梔子炒黒各三分為湯

或小便不利以木通三分北扁豆去皮生燈心各一分桔梗三分赤茯苓三分

同煎湯外磨滑石少許温服或瀉泄煩渴不止以澤左去毛猪苓

去皮白茯苓去皮生各三分白朮黄土炒三分山梔炒黒麥門去心生天花粉少各三煎湯

外磨地活石温服或心煩歎死日夜不眠身体反側手足瀓動

65

以酸棗酒浸三日夜酒乾炒黃色天門去心生山梔子炒黑各三リ煎湯或煩擾不思飲食如常獨以酸棗酒炒為湯或手足搐搦不省人事以羌活為湯或虛弱口渴以羊參蒸炒五味子鹽炒麥門酒洗去心生各三リ為湯或胸膈滿悶以只殼桔梗各二リ為湯或痢全白腹咬臍中以乾姜炒黑鳳尾用根葉去採葉黃連姜炒牡皮丹酒洗各三リ白芍浸酒生二リ秋米白二リ老姜一支燒灰五件同煎湯或痢全血以苧根忌鐵器枇杷葉藕節各生用罪年蓮地榆生阿膠炒珠白及浸米水一宿炒乾各三リ同煎湯或痢赤白相雜咬痛臍中以陳茶葉微炒三分吳茱鹽炒小田微炒乾姜炒黑歸身酒洗秋米白炒三リ同煎湯外磨乳香木香醋煨溫服或身体四肢發瘡以金銀連翹去心炙各二リ北苦參三リ煎湯如瘡破身体而大便燥澁不

33

通以歸身酒洗五リ大黄三分煎湯見大便潤利去歸黄不用田
金銀連翹或如眠盜汗或手起自汗以黄芪蜜浸炒黄三リ大棗三枚酒洗去核
羌煨一片同煎湯温服
煎飲回生丸、或痰喘以竹瀝羌汁為湯常點呑之或遇風
不省人事以酒磨為湯半飲半滲身体四肢或腹并(痛)息道
及吐瀉驚症以生羌五片為湯或痢赤白相雜咬痛膌中大
便後门燥澁難行以黄連羌炒歸身酒洗鳳尾用根忌鉄炙黄白
芍酒洗生各二リ乾羌炒黑一リ秋求白三リ煎湯或痢全血以藕以節茅根
忌鉄生阿膠炒珠地榆生白及浸米水炒乾黄連羌炒白芍酒洗生各二リ煎湯或
疹子之因有毒之後及痘毒如此變瀉痢腹中常脹以升

67

麻酒炒、青皮醋炒、山查炒黄各三ツ、牛旁子一ツ炒黄、為湯或腹中有塊加三稜去尽毛醋煨、莪朮醋煨各三ツ青色 同煎湯或喉中痰喘急小便赤澁以白芥子研、微炒、蘿蔔子炒黄、蘇子微炒研各二ツ 防風酒洗去芦 檳榔 烏藥叉各一ツ 牛必酒炙、五味鹽炒温各七分 煎湯常服或煩躁欬死日夜不眠以飲猪作為臡清少々取水製羹汁竹瀝少許磨一丸常食或痢疾不愈咬痛膀中痢出全白以乾姜炒黒歸身酒洗黄連酒炒、秋米生各三ツ 鳳尾根洗乾 煎湯或如上下唇紅多食甘味作痛乍止兩足温燥身体此熱小便赤黄常常口渴以山梔子十五枚炒黒下土待冷 為湯如兩唇俱紅多食肥甘小便清白兩足清冷以檳榔一ツ去頭、呉茱萸一ツ鹽炒、小回五分微炒、姜一片、煎湯外磨猴畏茶二ツ

34

68

回香一兩溫服。或四肢浮腫，以腹皮（猪黑豆酒乾）、桑白皮（炒黃浸姿）為

湯。或小兒被病四五日不乳，以好酒三丈，先以老姜一片磨入置其上

盡後以秦艽、大附子磨混其姜酒，再以回生一丸磨入置皮上溫

以灌搽兩答後，頸筋骨及通開兩鼻安之。

必定丸　或侵脾，口吟連声，四肢宛轉，手足發冷，青筋肚大，大

便秘結，小便赤澁，腹中膨脹，筋餘青紅血，以只實（去心炒）、桔梗、當

歸（用身酒洗，各三ツ）、葯荷、荊芥子（各一ツ）、牛膝（酒炙，五分），煎湯，外磨丁香（一分）、朴硝

（三分）溫服。如啼哭連声，大小閉塞，四肢厥冷，兩唇青黑，兩手

足後朝背，以葯荷、荊芥（炒，各一ツ）煎湯溫服，外磨肉桂（三分）左妙。

如侵脾脹藥，身体溫煖，四肢漸熱，大便出瀉泄，痰多水盛

69

酸味，如清酸之味，喉中瘡損，多咳無痰，果是可生之理。若服藥見大便出通，如羊糞，萬分死。

赤茯丸 或脾土濕太過，四肢腫滿，氣不宣通，小便赤澁，以桑白皮（蜜浸炒黄）為湯；或大便小便不利，以只殼（去心）、腹皮、桔梗（各三分）、白丹葉（七葉炒黄）、大黄（酒蒸）、甘地皮（用赤色炒黄）（各二分）、燈心（一把）煎湯；如腹中堅硬有塊，加三稜、莪朮（同醋炒）、比五靈脂（醋炒）（各一分）為湯；或氣不足，宣通四肢腫滿，氣急喘脹，以燈心（一把）、扁蓄（七表去葉）、腹皮（三分）同煎湯。

黑龍丸 或瀉泄，以水飯為湯；或痢全白，以乾姜（炒黑）、鳳尾（用根煨谷）三分，秋米白同煎湯；或痢全血，或痢赤白相雜，一切並治；或有咳痛臍中，以阿膠（炒成珠）、歸身（酒洗）、黄連（姜炒）、白芍（酒洗）（生各三分）、秋米（二分）為湯；或腹痛，以生姜三片為湯。

35

70

金白丸、或身熱心驚、面赤唇紅、手足搐動、咬牙弄舌、以薄荷シ鉤藤三リ爲湯溫服、如有腹中脹、以全蝎三ケ大炙去首足翅同煎湯、

金玉丸、或癇驚搐搦搖頭、弄舌及驚風半身不遂、脾驚胆驚肺驚腎驚雞驚鵝驚馬驚猪驚犬天吊驚慢驚急驚或驚緇口左右等症一切並治、磨一丸以鈎藤焙勻郎一日切細薄荷三分蟬蛻一分羌活三分煎湯、如驚腹中有脹、加全蝎三ケ大炙過去首足翅同煎湯、如驚無脹、去全蝎不用、用如煎湯加竹葉七表去尖、間文錢一文磨光、八柴前湯燒服、外磨犀服、如驚多痰升上、外磨牛必牛黃檸各五分常常吞服、如驚多痰喘、外磨牛黃檸一分、加薄荷白芥子炒研五味牛必各二リ、煎湯常點服、

31

金箔丸、　或小兒驚搐頭直視腹中脹滿手足瘛瘲如旗彩急

服即止、以蛇蠍大男七女九分炙去手足翅勾藤用全白節一兩薄荷三分白羌蚕三分同煎湯、

如驚無汗者加蟬蛻七分去首足同煎湯、如驚有汗去蟬蛻羌蚕

不用、如驚多痰喘急外磨牛黃蒡一分先服後點吞如前法、

中疳丸、　或疳積形瘦身体青黃髮直肚大小便形如米水肚

大青筋、好食泥灰米壁吃吞之類、飲食補調饒以肥甘大便

不實乍燥乍溏乍熱乍涼乍瀉乍痢腹中塊積上下唇紅臍中

常痛兩眥青露任再變為疳鼓好食鹹味以酸棗一枚羌三片煎湯、

鄉青丸、　或嘔吐涎沫胸中悶不食鹹味或食入乍出額上頭疼

小便赤黃以橘紅微炒烏藥又檳榔醋煨歸身酒洗香附四製羌炒、

36

32

牛膝酒炙各三リ 白朮炒一片 白芍酒炒黑五分 砂仁炒黄二分 外磨下沉木少許 温服 或順吐胸膈上焦不下以白豆尉炒 只實炒 歸身酒洗 牛膝酒炙各三リ 為湯 或順吐頭疼身熱小便赤澁不通以黄芩酒炒 梔子炒黑 陳皮炒 烏藥 檳榔 同煎湯

臟腑丸 如脾胃虚弱飲食不進多困劣弱中滿否脹心中氣喘順吐瀉泄四肢瘦劣多眠盜汗飲食不消肌膚乾燥不勝潤澤以大棗一枚 姜一片 同煎湯服

丹毒丸 或傷風感冒發熱痰壅丹毒腫片赤癈退風乍現乍隱癰疽發背左右前後頸項有核額亦癩瘡服目赤腫口舌生瘡咽喉疼痛小便淋灕胎毒瘡痘四肢瘵

痒身体削皮黄水流出潰爛瘰癧以金銀花湯又身体

疽遊風何處用參蘆（生 三分）玄參（二分）乳香（五分）磨外塗之如煉糊

為丸以北青黛為衣號各碧衣丸以苦參忍冬藤（各 三錢）為湯

如猪白家為丸以北硃砂為衣號各丹毒丸以金銀花為湯

如服藥大腸乾燥大便結澁難行如當歸（酒洗）大黄（二分）為湯

如見大便澀通去當歸大黄不用依前

除痛丸　或四肢身体形瘦若弱常常瀉痢乍咳乍熱服

除煩丸以車前花（五錢 炙黄）為湯或身熱似熱而發熱上下唇紅

每日寅午酉三服每服（三丸）以大棗（一枚 去核）姜（三片）為湯

除痛丸　或腹痛寔寒虚寒氣痛虫痛食痛及手足厥冷以生姜（三片）為湯

34

天晶丸　或大便秘結腹中痰滯痰促吃声及天吊之驚

并老幼巨人男婦虛浮大便燥小便不利一切以羌三片煎湯

紅衣丸　或身熱小便赤澁不通或燥不潤而欠入膀胱因

赤澁不利以赤茯苓三ヲ燈心一把車前花五表 炙黄同煎湯或老幼巨

人盜汗自汗久日不止膨脹以棗三枚去核 酒洗黄芪二ヲ蜜浸 炒黄羌煨一片

煎湯服外以蒲扇大一ヲ生 研末扎活石研酸棗一研山梔研各 七ヲ八共蒲

扇大以手搽身二次立止汗

黄馬散　治瀉泄虛寔巨小並治如老幼男婦寒瀉熱泄

泄泄無度及脹一陣泄一陣痛一陣并治腸鳴米穀不化或泄

泄連無度一切並治大人服三ヲ晃幼服一ヲ飯水為湯

25

金衣百中丸、其湯從前與金衣百發丸、察病詳寔使湯服之如婦人有孕一切大忌禁服

黃衣散、　或兩目中赤痛甚者或目中常流血及兩眥腫痛白膜遮睛多雲翳暗或目中臟白臟青臟黃赤每用肝鷄研細入藥調封以雀蕉葉包謹炙熟許小兒空心食如目中痛甚以黃水常點目內再以田螺肉彩藥置眉上腫處摸易三次即痊如目中有膜如梧薄彩入目內以白龍藥散一厘如郎貳和與田螺汁常點目中、如目中白臟暗入厚五分以白龍藥半厘如半郎貳和入脹鴛水牙鵓鴿鱗點入臟中內服羊肝湯或白臟遮睛膜白十分之厚先以小蟾蜍多糞行如前法打膜見膜乱如掃彩每日寅時之末再時之首每取白龍散如郎貳打行點正膜中內常服羊

38

肝洗目湯其飲食鮓𩷎鯉魚卵猪肉牛羊糯㸃赤豪考
穢益衣一切並禁不得犯之 回病增臟過肖兩目突萌而不治也
黄舌丸　或黄舌白黒舌不乳及老幼男婦同治以蕪荑䏕三葉
洗滓折取水　以絹覆濾去滓取水大人磨一丸小晃磨半丸以鷄毛濕
藥數舌處不過三度立見光盡如大人小晃向上傚此又如
小晃初生二三四月被黄舌白舌先服先差一丸以黄連二根生磨
㒵井水去滓許小晃服後以黄舌一丸磨如前法以鷄毛掃之
傚間覚半更再用新黒衣一片長七寸縳横小指掃之晃舌滅得
如何於許晃食食完急急掃之見光愈尽始用白舌丸磨
㒵白家塗之如小晃身体瘡痒破出削皮水出不止以金銀

16

33

花(去葉不用)連翹(去心尖微炒各六)爲湯磨先差丸服之如婦人或女人熱甚發班以致黑舌禁口内脹大連翹湯外製天柳水(吳槑湯菓棕)少許服之再以黄舌磨與清水以鷄毛濕藥掃舌連手光尽而止後用青豆剛末(各半両)猪粥以沙糖或白蜜和食其白鹽鹹味一切並禁至半月則用遊龍猪爲羹製水鹹(少許食五月内始食白鹽)

白蛇丸　或巨人老人男婦児幼身体瘡熱或大便結燥難行及小児瘡流目常雲翳大便糞出臭氣醒氣身体皮膚發爲瘡痒黄水流出不止并疾痢不潤一切並治以飲水湯

送毒丸　治小児初生發毒除根其柴日日常服以薄荷爲湯如腹中脹氣大便少利加蝼蛄(五个炎去有足翅)同煎湯温服見大便

39

潤通利洛去蛀蝎不用用首湯如小児身脱初生見児身体或
上下左右前後皮肉腐爛如癰疽瘰癧或如田螺細末則服先
差丸以金銀花生連翹去心夾微炒 地苦參微炒 桔梗生各二リ 燈心一リ 薄荷
葉三分 荊芥穗炒黄五分 同煎湯外以地黄梔生一リ 茯苓五分 二味散末
調水酒以鶏毛塗痛爛處内飲外塗有七日旬生肌長肉各症自痊
小哮丸　或小児一年至十五六年歳或天暑起哮而大雨或
天雨起哮而大暑果是哮病也則服小哮丸以薄荷為湯照據每日兩時服
白舌丸　或小児心火身熱變為白舌生瘡不乳瘡與白察以鶏毛掃舌上尽瘡為效
粹髓散　或老幼巨人身体瘡痒黄水削破如水泡豆累日不
愈以手敷藥滲在瘡破處三次即痊

39

粹赤靚散　黃丹生一刀　鹽硝生一刀　雄黃生三刀　或男婦老幼身体發瘡

手足形如瘡脹瘡痍各處以赤童男白童女猪沸取水洗

痛處以粗布點乾以猪脂一片取水炒火　和藥以三虛指添藥敷瘡痍處即差

粹桃散　或小兒初生牙齒突出日夜甚痛不乳急以嫩竹刀水浸藥

演在齒突半更即落乳食連口

潤腸丸　或老幼巨人痢血痢白而大便燥澁不潤或自然無

病而小便結澁不通大便難行不潤每服三丸以飯水爲湯

金衣過海丸　或身熱有汗或無汗小便清白及老幼同治以荷

荷葉蘇各三刀　生姜三片　煎湯巨人服三丸　兒幼服一丸　外磨一丸　和水塗

滲身体四肢手足以衣覆護然見汗出上下左右前後去衣不用用

40

80

葱白猪粥一䀋粥當濕熱葱食之左妙此皆涼或小児依如此症
則服此湯磨一丸服之再取一丸磨共白豆葉汁取水磨入透身
体手足見熱盛勝者則服發毒一丸以薄荷燈心竹葉去尖各三ツ
為湯如身熱自汗小便赤紅以麥門去心地骨皮二分各為湯磨發
毒五丸服見熱止為度或婦人痛息在胃腕則服過海五丸
以呉茱塩炒小回微炒乾姜炒黒各七分烏藥又檳榔各二分牛膝三寸煎湯温
服外以好酒三文生姜三片杉木二分乳香去油各一分味磨置火上温温
滲透在痛處見翹為度或老細男婦飲食不消則服過海
丸以葱酒為湯或夜行所被霜露四肢沉重頭疼悪寒以薄
荷香薷花為湯葱服過海丸外磨酒一丸滲身体手足或老

納飲食不消、以檳榔生、砂仁炒黃、各三分、生姜三片、煎湯溫服、外製好
酒少許服、或腹中寒痛、四肢厥冷、以生姜五片為湯、外磨官桂
服、如腹脹大便閉塞甚者、以檳榔為藥、又桔梗炒各三分、皮酒炒去寸、
蛤蟆大三个炙、去首足翅、同煎為湯溫服、

黃衣散、　治小兒臍瘤自多雲翳、每服一文半、入與雞肝研末混
藥以蕉葉包外炙熟、空心許食、忌食雞肉糯粿芭蕉赤豕
乳房並禁、如心痛加黃連、如肝痛加北龍胆生、如脾痛加五
倍一日半置於瓦上火烘、如脾虛陽不足、蓮子去心取肉炒黃一日半、懷山八分炒黃、如目瞖痛
有膜不開、或有膜厚薄、加夜明沙十个禀腹取、黃蘽微炒三分、谷星一日炒黃、為末、如
肚盛脹、北青黛八分生、如目瞖不開、加石決明卸九孔置瓦上火烘赤色一日半煅用、

以鷄肝猪肝忌鐵用如前法炙外常用菊花生決明子炒黒薏苡
炒黄三味煎湯服如痔瘡有虫号走馬痔以人中白研蒸乾羌蚕炒黄研
白石火煅各一匕雄黄三分生研 右混為末如痛甚者加射香一厘如無射香加
氷片研細辛研北白芷一分研各 鷄頸骨去肉炙黄研末五分檳榔三分生研各味散末
以湯竹混藥塗入齒痛處

羊肝洗目湯 如眼花倍谷星如目痛紅赤甚者倍苓梔赤芍
梔子大黄如兩目赤腫痛用田螺煅藥置上兩眉甦痊去田
螺不用用黄水點目中如目痛頭疼甚者倍蒺藜菊花白
芷加羌活細辛藁本煎湯服或散末混與羊肝炙丹右炒

失声丸 或小児身瘦小便赤澁四肢瘦形咳嗽久日身体青

83

黄痰咯不出吞嚥不下啼哭失声每日三服每服一丸以薄荷為湯外以活鹿一兩為末加塩一匙火許磨常點吞之如大人嗽失声常御每度五丸見水吞之

赤油膏　或老幼臣人癰疽硬潰膿漿不止及天核脉蝕流水不止以白紙結如小節形濕膏通伊處則生肌句疵速苦

黒松膏　或男婦老幼癰疽發背大癰小癰赤火遊風則内服瑠衣丸外用黒松膏貼伊上處或老幼初發傷寒身熱悪寒或熱極反寒無汗則服丸味羌湯去生地黄芩倍羌活細辛白芷加蒿本秦艽續斷蘇葉各六分羌三片棗三枚水煎空心服覆衣汗出為度去衣不用忌食葱粥一鉢以黒松膏貼太陽穴各症痊愈

42

84

柴鷓詩　事還小児固柴鷓䳇卧磽鷸吏嚎罨蚰時洪溲徒瘓古方藥家傳效埃弋礬枯慈穆菜膏坦插罨朱吐效台罢

柴嵩詩　小児柴嵩咀知嘶雄黄甘草半夏礬杏仁五味磨朱吐哂呼拱笆路罢軒

柴蛒詩　小児柴蛒余欶咤龘麺爙躾擄蹎琏懋懋滓咄咀哝咆方藥家傳甚效咤

小児病机虫出口詩 出田春書　蛇虫出口有三般口鼻出来大不堪

急驚風論 古謂之陽症

急驚之候身熱面赤搐搦上視 搐者手足伸搦者十指開合視者睛露不活 牙關緊急硬口鼻中氣熱痰涎潮壅忽然而發之過容色如攻有偶困

驚嚇而發者有不因驚嚇而發者然多是身先有熱而後發驚搐未有身涼而發者也此陽症也蓋熱盛生痰痰盛生驚生風宜用涼劑以除其熱而化其痰則驚風自除矣切不可用辛燥等驅風藥反助心火而為害也當搐搦大作時宜可扶持不可把捉恐風痰入經絡或至手足拘攣也又不可驚忙惶失措抵用艾火炙之燈心燒之此陽症大宜於火攻曾見有用火攻而懷事者矣宜戒之此症維急從容服清涼之劑調理自可平安不可信時醫峻用攻擊如巴豆輕粉之類以速取效傷害不小古該云急驚風慢慢醫此言至切當也

急驚有八候

搐（兩手伸縮）搦（十指開合）掣（勢如相撲）顫（頭偏不正）反（身反向後謂角弓反張）引（臂若開弓）竄（目直似怒）視（露睛不活）此謂八候又有一症欲出痘疹先身熱驚跳或發搐搦者此似驚非驚風也最宜詳認當發散切不可誤作驚風之說

慢驚風論（古謂之陰癇）

慢驚之候多因吐瀉或因久瀉或因久痢而生身冷面或白或黃不堪搐搦目微口上視口鼻中寒氣大小便清白昏睡露睛節脉拘急俗謂天吊風蓋由脾土極虛中氣不足故寒痰盛而風動筋急矣此症也亦危症也急宜溫中補脾則風痰自退蓋治本即所以治標全不必治風治驚彼蜈（用）蚣蛀蝎神砂牛黃等藥皆悞也有所謂慢脾風者皆慢驚失治而甚

87

者矣耳其難大分別亦不必別立治法

臍風撮口　男七日始生以上女九日而此症臍風俗曰膜膜撮口

俗曰鍼綠自瘡生舌上下有臍風上有撮口宜用珍珠丸薄荷湯

天瘸似癇　俗曰動驚半身以上故曰天瘸宜和解風痰鈎藤姜棗湯煎服

內瘸似癇　半身以下故曰內瘸多啼腹痛宜木香丸湯下句藤燈心

喉痺論

一論小兒喉痺會厭兩傍腫者為双乳蛾易治一傍腫者為單乳蛾難治矣乳蛾差小者為喉痺熱結於咽喉且摩且痒腫遶於外名曰纏喉風喉壅暴發暴死者名曰走喉風治宜照方而用喉風用甦苞湯煎服外磨硼砂含化嚥下此方降

44

88

痰消腫喉痺咽喉腫痛水漿不下或生瘡重舌木舌用碧雪散末倶生拶喉處治喉痺乳蛾絶者即治兼治痰喘最速下痰宜用大将丸

重舌木舌腫論

重舌木舌乃舌下生舌也舌腫乃硬不柔和脾経乃寔火也治宜當歸連翹乾姜煎湯服用三稜針於舌下紫脉刺之即愈又宜竹瀝汁調蒲黄另稜容眼為末敷舌上

此書曾経療治小児歴三代迺於甲午春三月受業在京北處天福府含和縣梅亭總鄒曾社安樂先生古錢十貫紗裙一伴受後畧過経行惟治瘡與夫治柒蛇諸方為天下之魁首存如諸症亦平常之藥然平常者以其治不如

89

治驚、治疳取效之捷故貼為平常拾令日経所療治無

不奏功則平常之貼責其遲矣、

註云治驚剋日取效故稱大效他症或二日或三日始痊、

故貼為平常之藥治紉集終

一経治疫氣多有吐瀉症服之神效、 蒼朮一兩半 白朮一兩炒 陳皮一兩炒 厚朴一兩姜炒

甘草五戈 白茯苓五戈炒 丹參五戈炒 各味散末糊丸如梧子大温水湯下、

一治蜈蚣入耳 鷄肉置耳邊即出、一方 蜘蛛大者一个小者二个 水研酒入灌耳良久即出

一治水蛭入耳、 蜂蜜調酒灌入耳即死而並出、

治蟻虫入耳 穿山甲炒、為末調水灌之即出

一治蜘蛛咬傷腫痛難敵、 青藍搗爛、入射香雄黄少許 敷之甚

45

90

效或識以藥殺蜘蛛即化為水矣

一治大腸脫肛　烏龜尾、鼠糞等分同燒烟于堝內坐上薰之（數次即收）

一治小児脫肛　葱白煎湯乘熱薰之又洗令柔軟以手送上

或以五倍為末敷之徐徐送上

一治痔虫症聖藥方　鰻鯴（炙焦 俗号乞去）　熟地　山藥　鼈甲　地骨　粟粉

（各一斤）沙參　白芥　白薇（各五两）　人參（二两）　右各味為末米飯丸每日

五更時服（三两）　白滚湯訖米料其虫化水尽出此方大補真

陰不傷陽氣治虫之功不小

右方引師家傳治痔虫將成

鰻鯴（一斤 俗号乞去）　白薇　甘草（各一两）　小茴（三钱）　薏苡（三钱）　榧子（去壳 十斤）　右各味

91

混入堝内水煯乘飢時食盡這料虫死從大便盡出、甚忌茶飲

又方 鱉甲一斤 獺肝一具 地粟殼 榧子各八兩 白礬四兩 何首烏一兩生

右各味為末、調白家煯臨臥空心服五𨤏、白滚湯、

一治痰甚妙 桔梗一兩生 丁香一兩有慈 款冬花一兩生 雄黃八錢研 先以歸身

山豆根 桔梗 甘草 葶藶 款冬花 柯子 皂角 共八味

為末後以胡椒、白礬、丁香、雄黃、桔梗各各別研如運年多風寒、

多痰喉哮咳声、加朴硝半兩 研為一糊丸如青豆大晒貯如小兒

哮嗽有聲有痰或喉中氣似哮喘以助唐子果樣 紧取水磨

一丸 點呑之或婦人前產後喉中有痰哮口噤各用活鹿三葉 昌蒲 酸漿

草三株 菜菖蒲 煎湯、或小兒喉中多痰喘以酸漿草活鹿各一把加鹽少許同煎磨一丸服

46

92

一治疳虫穿鼻症神效、遊龍乳号蟲蜍晒乾散末、以白紙包燒、吹入鼻中即愈、

一治小児疳瘡生耳上、白禾細嚼塗之、

一治疳積、谷星草晒乾、黒丑炒、石決明煅即丸乳、各等分為末、藥六七八分、以百草霜為末半分、和鷄肝一具、研作餅子、置新瓦上煬熟、任食之、或研細以蓴蔔子炒炮湯調、三リ服、不過三服亦效、

一治小児疳疾生蟯虫、鉛粉炙、猪肝蘇禾食之、

一治小児無辜疳、髮灰調鷄子黄、拌飯喫、

一治五疳症、夜明沙、草決明、芦薈為末、入猪肝炙食之、如挑疳加黄連、

又方自立秋以上、秋蟲留使肉爛生虫、取虫炒黄研、入射香少許、毎服半ク、煎菊花湯下、

一治眼疳漸盲、蛤蟆号畀覗蛤去皮心腸浸、桑葉包數層、炙熟食之、

93

一治下疳陰瘡、　輕粉爲末、乾摻之卽結靣而愈、又方五倍子三ㄅ煆紅研末摻之

又方 石甘露一ㄌ煆淬五次、孩晃茶三ㄅ、爲末調麻油敷立愈、

治玉莖下疳、　鷄卵壳炒研細調敷之、

治下濕疳瘡、　髮灰一ㄅ、棗核七ㄅ燒、研細洗粘、

治下部疳瘡小晃、　天靈盖煆研末先以黄栢水煖洗淨摻之、

一治小晃初生時時驚動、　硃砂磨新汲水塗心、

一治小晃初生不啼、　井花水急灌之以葱白莖鞭之卽啼、

一治小晃夜啼、　牛粉一塊、安卧席下、勿令母知、

又方 犀象皮磨服、　又方 虎皮置床席下、勿令母知、

47

94

又方 硃砂、神砂、雄黄、鬼見愁、萆薢根、萆桃男七女九混研塗门下

内飲 硃砂 神砂 燈花三表 三味研塗两乳母許児飲呪、

一治七口禁、 白牛糞為淡竹花汁灌之

一治禁口風不語、 蟬蜕二七个 蜂蛹三七个炙去首足翅 八軽粉少許為末調乳汁灌之

又方 白羌蚕二个略炒 為末密調灌口中

一治小児客忤 南牛必男七女九思蝉綽 萆蒲蒲蒸枇杷葉外筅、 銅銭男七女九 二

味研末水三酥猪湯拨入銅銭以巴蕉葉封塌煙之又以此水

洗之又以水浸湯蒸永之見瘡起生毛即愈

一治小児臍腫、 荆芥煎湯洗之

一治小児驚癇不知人嚼舌直視、 犀角水磨濃嗆之

95

一治小児慢驚、昏沉或搐、爲藥磨水嚾之、

一治小児大小便闭、黄香油（一勺） 皮梢（少許） 同煎冷定、徐徐灌之、吞之即通、

又方 蕪治丹腫腹脹、全蝶葉（十分） 耶甦葉（五分共炒黄）、煎半盞灌児服、

再取全蝶葉生搗、塗臍上、

一治吐乳不已、蕿朮（少許） 塩（一豆大）、乳汁（一合） 煎三五沸（去查滓入牛黄少許、如雨栗大服之）、

又方 五倍子（二分半生半炒） 甘草（一寸炙） 爲末、米汁下（二リ）、

一治水瀉 白礬 黄丹（各二リ） 同葱白研如泥、塗臍上、

又方 槐花（研細）、米汁調服之、脱肛亦免危、

一治小児痢赤白或純血并泄症、黄連（四分姜炒） 木香（一分） 共爲末、醋糊丸、每服十九、車前（号胃腸提） 鳳尾 肴甦 煎湯下、

118

96

又方兼治咳嗽手足冷癱或發搐 蜂窠一ㄅ 羌蚕 蟬退各五分 蛣蝎一分 蜘蛛

各燒 為末以淡鹿藥扒汁湯下三歲以上每服半ㄅ 四五歲服一ㄅ

如發搐加南星石羔等分調服

一治重舌症 烏龍尾 食鹽 柔葉 鷄卵取黃炒 天桂各味全

搗爛蒸熟先以銀針針痛出血以藥塗之

一治丹毒 芥子研細 水調內飲少許 外塗

又方 楊貴妃葉上青下紅 水煎內飲外塗

又方 大豆仁一ㄅ另罘果盤盤洪水多得之 川芎三分 各味為末水丸如麻子大每服以

香薷湯量小児幾歲用每歲服一丸得利為佳

一治丹腫脹大小便不通危急 萎蕤 耶蘆 二味切細炒黃 水一鍾

97

煎至半服外用蔞瀣散塗臍中下小便即下以生姜塗後门大便即通

察面部論斷

額上紅多熱燥多若逢青色急驚科形如昏瞶多應死
青貫山根深若何顖門腫起多〔心絶〕為風此候應知最是凶顖
陷成坑如蟲足不過七日病將終印堂青色搐驚多紅主心驚
白主和或見微以青紫色只因客熱忤相過山根青色兩遭驚
赤是傷脾吐瀉明赤紅夜啼声〔肺絶〕不絶若逢白色死之形壽年
黄為吐瀉幾若鮮珖白是為虛兩頰赤為啼哭熱更兼黄
色吐因之鼻準為黄死無幾深黄死症〔肺絶〕黑應危人中短縮緑吐
利黑形唇反帳難醫面鼻门燥黑渴難禁面黑唇青命不

49

98

存肚音龍腸肚也大青筋心不候、更嫵身直有紋紋、唇上鮮紅潤者平

燥干紅熱即黃生白睛失血青筋重黑紋繞口死之徵燥煩夜

啼声主吉金櫃青生亦主驚青脈生於在太陽須驚一度見

搖詳赤是傷寒微燥熱青黑是知乳多傷左邊青脈不

須多有作煩驚乍柰何忽見眉間紫帶青看來立便見

風生青紅卒雜風相起欠病眉紅是死形白睛青色生肝風

有積黃形不及腫若見黑精黃色現傷寒發現是蹤橫兩

頰風地二氣黃燥煩吐逆鮮色紅更如火霞邊多燥肺家

客熱死冰空兩臉為黃痰塞咽青主肺風紅主熱赤是傷寒

黃主体二色精詳分兩頰如左腮紅痰氣盛右腮紅是傷寒

99

症面如黧黑色形面帶微紅驚且熱面白黃多吐利咽、
唇青舌赤是傷寒面目皆黃濕熱喘面黃舌赤心煩燥面腫
虛浮咳利干多兩肩紅主夜啼多肩非頭痛痢疾阿賬胞浮腫
咳之火不尒因瘖瘂瘂何瞨昏昏聽分不轉睛而黍淚白泯徽縱、
面闇自内無光休此症由來號慢脾耳目干骨客蒸停耳
目流膿耳輪水冷如麻豆耳後紅腮縷亦同鵝口口中皆白鹽脾（口要知魚齒壯是泉去心）
熱必然多口臭魚口鵝声最不詳舌唇黑色病難救口引出
舌是驚風重舌木舌於口中舌上生舌陽毒結舌上生芒刺
亦同舌上白舌赤難醫舌上黑胎主不知舌唇黑色病瘍將
休舌卷難言死可知交牙寒戰痘瘡傳牙根出血是牙鮮、

50

100

牙根白色瀉痢色、齒齧咬牙不久涎、牙縞焦枯脾致熱、牙
折骨経甘積是、牙床痒塌咬牙痹、牙關紧急驚風使、口
沫啼叫虫痛乎、涎来青白是寒虛、口沫黄水非良候、壅
塞風痰尽子奇、面黄呵吹脾土虛、面青呵吹是驚速、面紅
呵吹為風熱、呵吹久病陰陽離、呵吹氣熱是傷寒、呵吹氣
喘傷風搏、多眠呵吹因脾倦、呵吹煩悶痘瘡傳、

面部氣色圖

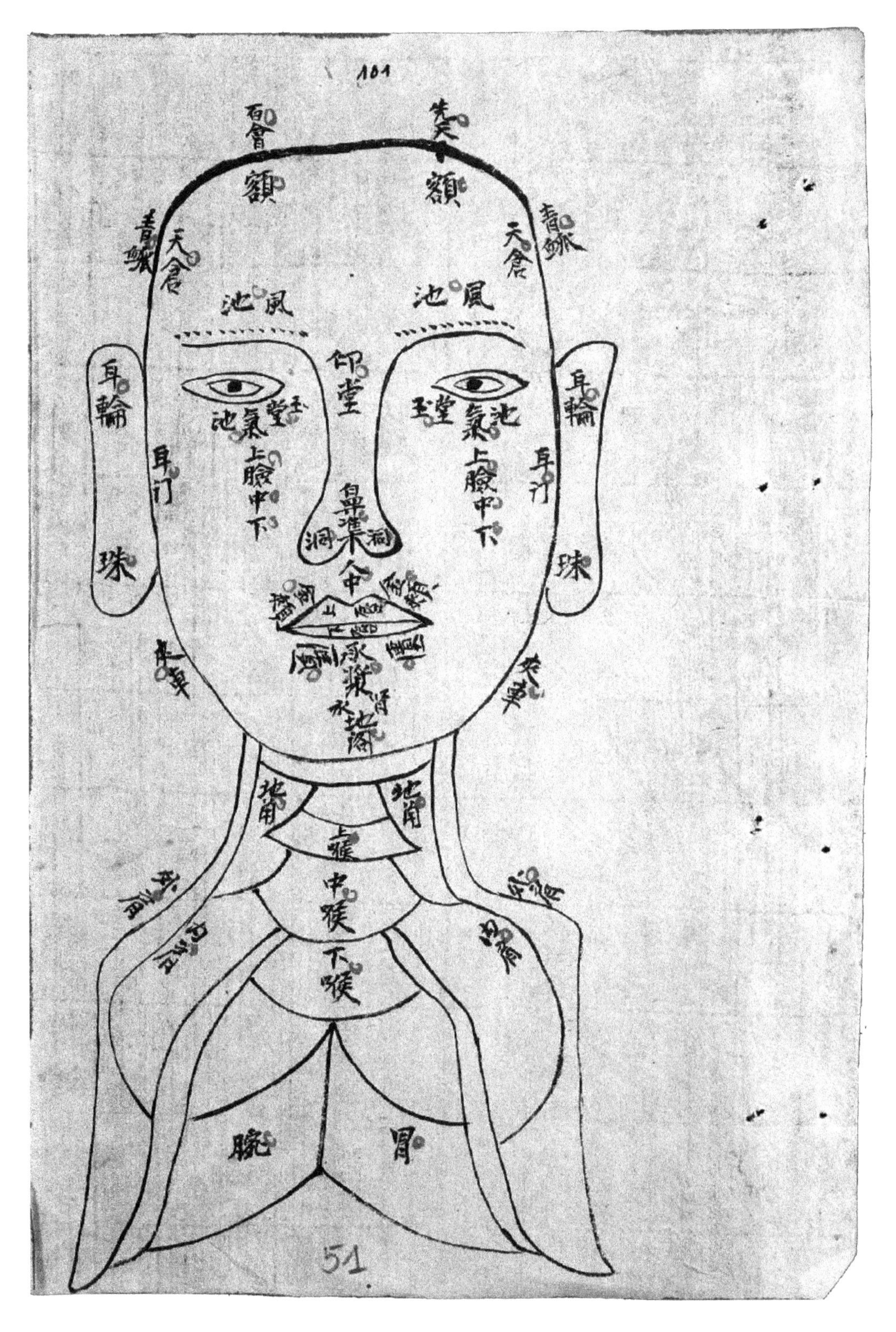
101
百會
先天
額
額
青筋
天倉
天倉
青筋
風池
風池
印堂
耳輪
耳輪
玉堂
氣池
玉堂
氣池
耳門
上臉中下
上臉中下
耳門
鼻準
洞
洞
珠
珠
人中
承漿
地閣
頰車
頰車
地角
地角
上喉
中喉
下喉
胃
脘
51

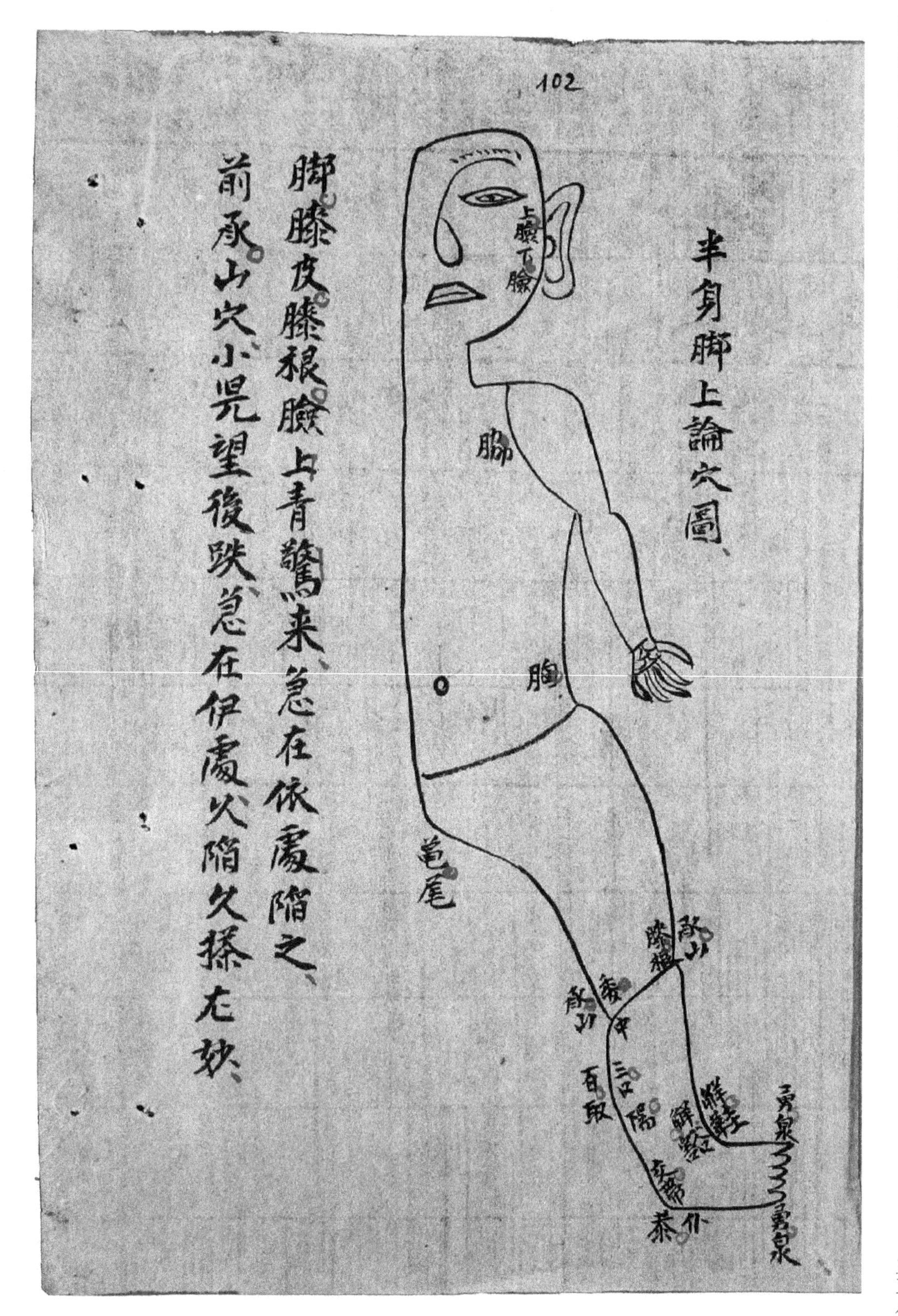
102

半身脚上論穴圖

脚膝皮膝根臉上青鸞来、怠在依處陷之、

前承山穴小晃望後跌怠在伊處火陷久搽左袂

103

解谿穴見小兒驚吐瀉急在伊處掐節上

鞋帶穴小兒望後脚急在伊處掐即效

若小兒驚急掐入眼光掣桃寒戰交牙將大指一節久

揉久掐即止右手左足又將中指一節掐三十下

龜尾穴及臍穴小兒吐瀉爲砍鼓脹白臍風症并急慢驚等急在伊處揉掐之

委中穴小兒望前僕急在伊處久掐諸症皆蘇

後承山穴取小兒手足掣桃驚風緊急鉄將咬之要天大哭方愈

僕參穴小兒喘吼將此推上下掐自然蘇醒如小兒急死將

嗽之則回生名曰老吞食嗽式竹切音叔啜也咂也

看面部圖法

52

104

小兒緊閉將夾車穴搡陷之自開天庭中司空印堂及額方
廣等處有定存亡青黑驚風不可陷櫕生唇黑兹難
當青甚須憂多恐傷
唇猜黯黑色赤傷命醫商人詳治要重輕
額上屬心鼻準屬脾土左腮屬肝右腮屬肺額下屬腎
天瘹驚眼上不下將兩耳珠望下一止一陷即轉
肝驚起髮際穴積在食傷肝冷面青白肝熱左右眉端
脾驚髮際青脾積兩唇黃脾冷眉中岳脾青太陽青
腎驚耳前黑腎積眼胞相腎冷額上黑腎熱食傷驚
肺驚髮際赤肺積髮際白肺寒人中寒肺驚熱面顋旁

105

心驚印堂青心積額角珖心冷太陽立心熱面頰粧

論小児變蒸（氣）

小児初生血氣未足陰陽未調骨格未全故有變蒸之候三十二日一變六十四日一蒸變則精神易蒸則骨格成或煩或熱或吐或汗呻吟不食煩啼鼻塞咳嗽涎痰變候七日蒸過十一二日初變在腎水志身熱耳而龍冷一變一蒸在膀胱上舌腫如蚕斛三變在心火學笑生驚悸四變二蒸在小腸詳然壯熱而硬五變在腹水[illegible]夜多啼哭六（六）變三蒸在胆學坐閉目生驚悸七變在金學語蒞牙生八變四蒸在大腸嚏噴而瀉泄九變五（蒸在）脾脾吐瀉識人知喜怒十變六蒸在胃徹

53

106

汗腹痛呼父母心胞三焦而無形故無變蒸十變五蒸天地生成之数全矣八蒸者後三大蒸漸學移步肢應答共五百零十二日變則手足受血足能行而手能持亦由胎毒狀晛清變而無症者此骨節臟腑由變而成而胎毒亦由内變而散也

論小晛方脈面部

嘗聞小晛面部方脈科古人謂之啞科最難調治

附續外症

一治濕骨　木耳男七女九用好酒置入碗中燒火倣三刻半飲半塗

一治咽喉　蒡蓤腾　菓滿結　葬山鞋共擣末整水送下　又方　地波羅燒灰竹管吹之

一治虬症　杵子一月吞卵純蓀　雄黄三ソ　梹榔三ソ　白芷三ソ　各味散末以客煬

108

成膏混藥入煉見飢而食大虫自出、

一治癰症、紅丹三分 石羔五分 石脊三分 滑石五分 烏賊骨三分 枯礬四分 各味散末敷入痛處

一治寒瘧戲謔俗号界疰烈 北白芷二々 川芎二々 連翹二々 甘草二々 檳榔二々

草果一菓、常山酒炒二々 白茯苓二々 水煎服、

一治婦人前生後産前産後生及産難産敗并咳嗽及痰喘

乍上乍下血暈頭疼身痛黄胆羸瘦膈息痛穿痛左右脇痛

痛下元虚冷不思飲食浮腫經水不調及升降差匂等症臍症用湯

黑礬十月、水銀七々 食塩一月 置于缽内刪臍塩在下以白紙

一張覆上將黑礬于紙上刪臍手指穿黑礬五穴分水銀納

于五穴再刪黑礬填之後以他缽覆之以黄土泥包缽外厚一

54

1108

寸腼乾置灶上炭火煨之以射香七株燒盡為度捧出待

冷破土開缽去鹽取藥末入瓶收貯時用白紙割小片取藥

微如黑豆紙包為丸每日二服每服三丸空心服隨湯送下

如前生後産飯送下難産萎榛煎湯下産敗取連錢藤

羌活煎湯送下咳嗽痰喘乍上乍下取每年納藥入肉吞下

赤芍節微去一日半生半炒 八将醋煮温送下血暈頭疼身痛香需紫蘇

腹痛息痛穿左右脇痛生羌鹽少許煎湯下无虚冷霍香

艾葉煎湯不思飲食麥芽砂仁煎湯浮腫陳皮甘遂煎湯

結㽞症 黄連 枳實 全覆花 枳殼 百合 葵子 北木通

大黄 厚朴 半夏 檳榔 甘草 党參

神仙傳治腹痛久日不愈

歸身三月酒洗 白芍二月酒洗 陳皮一月酒炒 橘核一月鹽炒 黑豆一合炒黑 白鹽三ソ炒

各味散末為丸如綠豆大每服五十九 溫水送下早晚二時服

符 龍 虎 龜 蛇

用黃紙磨神砂硃砂雄黃書在紙每日午時焚符一道于酒飲之

此乃氣精滯成病服一劑

序

人禀天地陰陽五行以生而有餘不足或肇自先天或原於失養外因內傷病變無窮然小兒雖無七情而內傷惟乳[illegible]食居多焉至六淫外侵與大人無異但疾痛疴

飱不能向父母而悉告之所以調治倍難也古人云寧醫十男子莫醫一婦人寧醫十婦人莫醫一小兒謂此耳盖醫有望聞問切若孩抱之兒周歲未幾血氣未充唯風寅氣卯命辰三關畧有可憑而望色聞声表裏洞然矣故五臟皆列於頭面而啼哭叫呼聞其声之清濁長短而病之寒熱虛寔莫不悉現於此若痘疹總憑色象以別吉凶辨症候盖痘疹之出雖有五臟六腑之分要皆遺毒每肇自先天發出之時無非因内而達于外者余先人汝霖公傳覧群書嘗謂余曰幼科方書唯金鏡一册可謂約而該簡而明矣余亦每閱是書其中欲括弃

賦辨類方極其指示詳明美惡無盡絕無偏寒偏熱偏攻偏補之弊誠後學之津梁痘科之明鑑也但其書購求者頗多而世傳甚少向見坊間類多殘缺余甚息焉適有客致書向余恭訂欲重刊行世余幸其福世不淺酬之暇郵揮汗考正不自覺其倦之何以志也志學君子尚亦與余有同情耳是為序 旹

康熙庚午歲季夏錢塘倪灝天一氏題于養素草堂

本草拾遺

百千料 異名丹觀 其葉上青下紅 燈籠草 異名雞言雞 活鹿 異名婁昌滝 青早 異名長生

野茄 異名熟鵲 白童女 異名樹皂 赤童男 異名樹赤觀 大蓼 異名硶 鷄腸

56

112

菜罗蔆苢　遊龍罗蔆棕术㕵𠄼　木斛罗蔆枝木花赤觀䏧綠各蔆　秋桃罗蔆荊前華叔齊舒赤盤𣅶固花赤觀如花桃

針草罗𧸝金　青新草罗𧸝慢朝　山荻根罗蔆蒂山荻　皂礬罗蔆礬顯陳

茨力罗蔆腓𦙫　續骨藤罗繞扣昌　赤珠藤罗蔆𩛷珠　苦練藤罗蔆尋忙

桃綿藤罗蔆泊𠶋　老蒲藤罗蔆杜苢　白粉藤罗繞擳𥕄　青龍藤罗𧸝龍鼓

靡草罗蔆𨁪棱　九牛藤罗氏𠶋𠶋　大皮藤罗蔆亮棱　霹靂根罗矩𢴑㓰

兔絲藤罗繞絲紅　大弓藤罗繞絿錢　截路藤葉罗繞喋葉喋　不含罗𩙍頼律

五爪龍罗蔆𧸝紙哈繞華青盤瑰固菴固龍𦽽　金英藤罗蔆花𦴿𦴿　南陸罗蔆迭棱　木鱉罗鼈蟶

竹草罗𧸝𩟡哈术嗤𧸝　狗菌罗蔆𦴿𦴿柱　烏鴉子罗𣘃盘盘哈蒲滝一名𥖩卷一名大豆仁　野苦練罗蔆總𦹵棱乳

乳於斯坦　生毒茄罗蔆𦳝毒藥　榕樹罗蔆𦹵　梔子罗𧸝統　血樹罗𢫖𠶋　𠸍貝罗摞𦹵

諾𤎜

夭桃子罗果𤄯　芭根罗𣘃金龍　䏧單根罗果蔆　扶老罗蔆滝哈娱諾𠦳𦹵

113

黃芷根罒枇蒲絨、紫粘罒蕤趍、咍衩蒲、奴鷹拂撇、白力罒衩蕤樆、棱、野燕花罒蕤砶、

蒲蘆罒蕤著、黃力罒蕤喋鴨、獨力罒蕤彔桶、青陽子罒果矜、金鳳

藥罒葜䆊硒咍衩、莫染饞硒、黃雞罒蒲尹、雉仁罒紇蕤卷、白粮、磁蓉罒果盤盅、一名烏鵶子

綿紋罒矩摖、木牛罒蕤花蒲牛、蝴蝶根罒枇蕤蚊蚊、青木香罒蒲蕤菩虞

黃鶯皮罒蒲蕤樹、白龍皮罒枇朱、優曇罒蕤克、辛夷罒蕤朕瓿

棉花罒蕤糙、五加皮罒蒲頸鳩、水楊柳罒蕤割㳶、綿子罒紇□、米

飲罒□尉、米糊罒□粘、蛀蠋罒□桐船、臭虫罒丐蠊咍於床□、臭鼠罒□抹簬

敗鼓皮罒朕鼓魯、金箔罒蕤鑛鏤、銀箔罒蕤鉑鏤、班麻魚、

杵子罒紇行、

57

THƯ VIỆN
QUỐC GIA
R.1901
R.1115